SOUS LE MASQUE DU SUCCÈS

Couverture
- Conception graphique:
  ANNE BÉRUBÉ
- Photo:
  MARYSE RAYMOND

Maquette intérieure
- Montage et photocomposition:
  COMPOTECH INC.

Équipe de révision
Daniel Ariey-Jouglard, Anne Benoit, Jean Bernier, Patricia Juste, Jean-Pierre Leroux, Linda Nantel, Paule Noyart, Robert Pellerin, Jacqueline Vandycke

DISTRIBUTEURS EXCLUSIFS:

- Pour le Canada:
  AGENCE DE DISTRIBUTION POPULAIRE INC.*
  955, rue Amherst, Montréal H2L 3K4 (tél.: 514-523-1182)
  * Filiale de Sogides Ltée

- Pour la France et l'Afrique:
  INTER-FORUM
  13, rue de la Glacière, 75013 Paris (tél.: (1) 43-37-11-80)

- Pour la Belgique et autres pays:
  S. A. VANDER
  Avenue des Volontaires, 321, 1150 Bruxelles
  (tél.: (32-2) 762.98.04)

JOAN C. HARVEY
CYNTHIA KATZ

SOUS LE MASQUE DU SUCCÈS

Traduit de l'américain
par
Francine de Lorimier

Données de catalogage avant publication (Canada)

Harvey, Joan C.

Sous le masque du succès

Traduction de: If I'm so successfull, why do I feel like a fake?

2-89044-370-1

1. Syndrome de l'imposture. I. Katz, Cynthia. II. Titre.

BF637.I46H3714 1986 158'.1 C86-096319-5

Édition originale: *If I'm So Successful, why do I feel like a Fake? The Impostor Phenomenon*
St. Martin's Press
ISBN 0-312-40492-1

©1985 Joan C. Harvey, Ph. D., and Cynthia Katz

©1986 LE JOUR, ÉDITEUR
DIVISION DE SOGIDES LTÉE, pour la traduction française
Tous droits réservés

Bibliothèque nationale du Québec
Dépôt légal — 3ᵉ trimestre 1986

ISBN 2-89044-370-1

À mes fils, Stephen et Daniel.

Note de l'auteur

Les histoires et témoignages personnels contenus dans ce livre ont été rassemblés au cours des dernières années dans le cadre de mon étude sur le complexe de l'imposteur. Mes sources sont variées: discussions avec mes patients et les participants de mes recherches; conversations avec des personnes souffrant du complexe de l'imposteur; interviews menées spécialement pour cet ouvrage auprès d'hommes et de femmes des quatre coins du pays.

Pour préserver l'anonymat des personnes concernées, les noms ont été changés et certains détails biographiques déguisés. Dans certains cas, des témoignages et des commentaires ont été fusionnés.

Remerciements

En tout premier lieu, je désire exprimer ma plus vive reconnaissance à Cynthia Katz pour son talent professionnel, sa perspicacité, sa sensibilité, sa justesse de jugement, qu'elle a mis au service de la rédaction de ce livre. Cela m'a fait grand plaisir de travailler avec elle.

Je suis aussi profondément redevable à ces nombreuses personnes qui ont partagé leurs expériences personnelles et leurs sentiments d'«imposture» intimes avec moi. Leur générosité et leur confiance ont largement contribué à l'élaboration de ce livre, de même qu'à ma compréhension du complexe de l'imposteur.

Un grand merci également à mes collègues qui ont eu la bienveillance de me confier leurs réflexions et le fruit de leurs recherches, notamment celles et ceux qui se sont consacrés à l'étude de ce syndrome. Nos discussions et nos débats autour du complexe de l'imposteur n'ont jamais manqué de m'être agréables et instructifs.

À mon agent, Julia Coopersmith, je dis ma gratitude pour son assistance et son soutien moral.

Enfin, je remercie de façon toute spéciale mon éditrice, Victoria Skurnick. Cet ouvrage et moi-même avons profité amplement de ses judicieux conseils, de son savoir-faire, de son enthousiasme et de son dévouement.

Chapitre premier

Un lourd secret

C'est comme une peur qui s'empare de moi. J'ai toujours l'impression que je ne viendrai pas à bout de mon boulot et que je n'ai pas forcément la compétence nécessaire; ou encore, que je n'arriverai jamais à réussir un bon coup ou à leur donner tout ce qu'ils attendent de moi. Alors je commence à paniquer en me disant qu'ils vont découvrir que je suis inapte, que je devrais être congédiée — et que je ne pourrai plus jamais travailler.
Leslie, designer.

Imposteur, bluffeur, faussaire.

Voilà des mots qui évoquent des images précises: celles de personnes qui se font passer pour ce qu'elles ne sont pas, de personnes qui cherchent à nous abuser d'une façon ou d'une autre et qui ont forcé les événements en usant de moyens malhonnêtes.

Bien sûr, de tels personnages existent vraiment: il y a l'artiste escroc qui embobine les autres en inventant des histoires; le faussaire qui encaisse de faux chèques; et qui n'a jamais entendu parler d'un pseudo-médecin ayant pratiqué sous de faux titres? Tous ces individus peuvent à juste titre être taxés d'imposteurs, de bluffeurs ou de faussaires.

Mais un autre type d'individu croit également mériter ces étiquettes. Il* reconnaît pourtant n'avoir ni menti ni s'être présenté aux autres

* Pour éviter d'alourdir inutilement la construction des phrases, le pronom «il» servira à désigner à la fois «il» et «elle», sans parti pris sexiste.

sous un faux jour. Il reconnaît aussi avoir trimé dur pour réussir. Cela ne l'empêche pas de penser: «Je ne suis qu'un imposteur et un bluffeur. Je ne suis pas à la hauteur de ma réussite; je n'en suis pas vraiment responsable. J'ai passé le plus clair de mon temps à convaincre les autres que je suis beaucoup plus astucieux et talentueux que je ne le suis en réalité.»

Il garde son lourd secret en son for intérieur, redoutant le jour où il sera démasqué. L'heure sonnera inévitablement où, couvert de honte, il sera dépouillé une fois pour toutes de ses trophées immérités. Dès lors, le monde entier saura qu'il est un tricheur.

Jusqu'à un certain point, cette personne admet avoir étudié et terminé son apprentissage en vue de sa carrière. Elle admet compter à son actif un nombre enviable de réalisations. Des pairs ont pris connaissance de son travail et la jugent compétente et douée. Qu'à cela ne tienne, elle demeure convaincue d'avoir usurpé son succès.

Pourquoi une telle personne se considérerait-elle comme un faux jeton, un faussaire?

Parce qu'elle est victime du complexe de l'imposteur.

Qu'est-ce que le complexe de l'imposteur?

Le complexe de l'imposteur est un syndrome psychologique fondé sur un profond et secret sentiment de supercherie face à sa réussite et à ses réalisations. Si vous souffrez du complexe de l'imposteur, vous croyez que vous ne méritez pas votre succès, que vous n'êtes qu'un bluffeur qui s'en est tiré impunément. Vous n'êtes pas tel que vous apparaissez aux autres.

Bien d'autres choses sont associées au complexe de l'imposteur, et le sentiment d'être un faux jeton n'en constitue qu'une facette. Les victimes du complexe de l'imposteur se trouvent prises dans un engrenage d'émotions, d'impressions et d'actions qui peuvent pratiquement façonner leur vie. Quoique mues par un grand désir d'atteindre leurs objectifs, elles vivent dans l'angoisse qu'un nouveau succès ne révèle aux autres leur supercherie. Évidemment, lorsque tout le monde sera mis au fait, tout ce qu'elles auront patiemment élaboré jusque-là s'effondrera.

Contre toute vraisemblance, pas un détail de sa réussite n'apparaît authentique ni honnêtement acquis à qui est victime du complexe de l'imposteur. Peu importe que le président-directeur général le voie d'un bon oeil parce qu'il crée de nouveaux débouchés pour l'entreprise, fait monter les profits depuis son entrée en fonction et est apprécié du conseil d'administration et des actionnaires pour ses performances, il n'en dévalue pas moins ses succès en expliquant qu'il est un excellent bluffeur.

Pendant que les autres se laisseront «leurrer» par les manifestations de son intelligence, de sa créativité et de son talent, il continuera de nourrir secrètement un sentiment de médiocrité, d'inaptitude, d'incompétence, voire même d'ineptie. Pour certaines personnes affligées de ce syndrome, l'accumulation des succès ne fait que remuer plus douloureusement encore le fer dans la plaie.

Outre le monde du travail, certains secteurs de la vie privée sont un lieu où le complexe de l'imposteur est également observable. Dans ce chapitre, nous examinerons comment il se manifeste au travail. Plus loin, nous verrons comment ce syndrome peut affecter les gens dans d'autres domaines de leur vie.

Qui est victime du complexe de l'imposteur?

On estime, à l'heure actuelle, que plus de *70 p. 100* des personnes ayant connu le succès ont eu l'impression d'être des imposteurs ou des bluffeurs à un moment ou l'autre de leur vie professionnelle. Il nous est impossible d'évaluer l'impact de ce phénomène au cours des générations passées; ce n'est que tout récemment que nous avons cherché à l'identifier et à le comprendre.

Les victimes mènent des existences tout à fait normales. Elles se marient, ont des enfants, se montrent capables — et souvent expertes — dans leur travail. Leur sentiment d'imposture étant intériorisé, rien ne les distingue du monde «ordinaire»: vous, moi, le couple de la maison voisine. Le complexe de l'imposteur ne se montre pas sélectif dans le choix de ses victimes: hommes et femmes, jeunes et vieux, individus de toutes races ont un jour ou l'autre souffert du sentiment d'être un faussaire. La nature de l'emploi n'y change rien: cadres, artistes, médecins, enseignants peuvent tous être amenés à croire qu'ils sont des imposteurs et que leur réussite est un «malentendu».

Le complexe de l'imposteur va de pair avec l'idée du succès, mais pas exclusivement celui qui vous propulse au sommet de l'échelle sociale et vous rend riche et célèbre. Il n'y a pas que les stars, les P.D.G. et les prix Nobel qui soient susceptibles de souffrir du sentiment d'être faux. Il est vrai que pour se croire un imposteur, il faut avoir accompli quelque chose qui puisse en fournir le motif. Il faut avoir atteint un *certain* niveau de succès. Celui-ci, par contre, peut être défini selon vos propres valeurs et vaut pour tout domaine où votre réussite aura été reconnue.

Le jeune cadre stagiaire qui reçoit une promotion connaît une forme de succès; l'artiste qui inaugure sa première exposition de peinture en connaît une autre, de même que l'agent immobilier qui effectue sa première transaction. Tous ces gens connaissent le succès pour avoir atteint leur objectif. Il ne s'agit plus ni de rêves ni d'aspirations; ils détiennent bel et bien la preuve de leur réussite.

En supposant que vous êtes l'auteur d'une certaine réalisation, le niveau particulier de succès atteint ne détermine pas si vous serez ou non affligé d'un sentiment de supercherie. Les succès phénoménaux ne sont pas seuls en cause. En fait, le complexe de l'imposteur est tributaire de *votre perception du rôle précis que vous devez assumer*. Les personnes précitées assument les rôles de jeune cadre, d'artiste prometteur et de nouvel agent immobilier, et réussissent dans *ces rôles*. Même à ce niveau de succès, elles peuvent être sujettes au complexe de l'imposteur si elles ne se croient pas aptes à jouer leur rôle, ne s'en sentent pas dignes ou, pour une raison quelconque, ne s'y sentent pas à leur aise.

En 1980, j'ai conçu l'Échelle Harvey du CI (complexe de l'imposteur); c'est une série d'affirmations qui mesurent l'intensité du complexe de l'imposteur chez l'individu [1]. J'ai distribué ce test à un groupe de 72 étudiants de premier et de second cycle universitaire. La moitié étaient inscrits à des programmes *honors* tandis que les autres suivaient les cours habituels exigés par leur spécialisation.

C'étaient de simples étudiants, rappelez-vous. Il ne s'agissait ni de cadres supérieurs, ni de vedettes rock, ni de romanciers célèbres. Or, *comme étudiants*, certains d'entre eux s'étaient taillé plus de reconnaissance publique que d'autres en suivant un programme d'études plus exigeant. En tant que groupe, ces étudiants *honors* ont enregistré une moyenne nettement *plus élevée* à l'échelle du CI que leurs compagnons. Limités à leurs résultats universitaires, leur succès était certes admirable mais ne se comparaît pas à une «percée» sur le marché du travail. Pourtant, ce degré de succès aura suffi pour mettre à jour d'intenses sentiments d'inauthenticité et de perplexité.

Ces résultats ne dispensaient pas les étudiants des programmes réguliers d'éprouver des sentiments d'imposture: plusieurs d'entre eux vivaient le même malaise, quoique avec moins d'acuité. Les moyennes élevées des étudiants *honors* démontrent donc que le complexe de l'imposteur s'accentue proportionnellement à la reconnaissance publique d'une réussite.

Bien que le complexe de l'imposteur ne soit pas un problème nouveau, ce n'est qu'en 1978 qu'on nomma ce syndrome. Cette appellation nous vient de deux psychologues de la Georgia State University, les docteurs Pauline Clance et Suzanne Imes, qui ont observé le phénomène durant plusieurs années chez 150 étudiantes et professionnelles bardées de succès [2]. En dépit des bonnes notes, des distinctions, des bourses d'études, des diplômes supérieurs ou des promotions, ces femmes restaient persuadées qu'elles étaient moins qualifiées que leurs semblables. La peur d'être «démasquées» un jour les tenaillait.

Ce «nouveau» phénomène se faisant peu à peu connaître, d'autres psychologues se mirent à l'étude du syndrome. En 1980, la psychologue Jeanne Stahl et trois de ses collègues ont fait part d'une étude menée auprès d'un groupe d'étudiantes noires de niveau collégial [3]. Les résultats étaient renversants: *93 p. 100* de ces femmes donnaient des signes du complexe de l'imposteur en attribuant leurs résultats scolaires à des facteurs autres que leurs capacités intellectuelles.

Les chercheurs ont découvert des manifestations du phénomène parmi les groupes les plus variés. En 1984, le docteur Margaret Gibbs ainsi que Karen Alter-Reid et Sharon De Vries ont rendu compte de leur recherche [4]. Elles avaient envoyé des questionnaires à des psychothérapeutes diplômés, dont le nom figurait dans un annuaire national de médecins. On demanda à ces thérapeutes de décrire leurs sentiments sous le couvert de l'anonymat. Avaient-ils déjà éprouvé le sentiment d'être des faussaires ou des imposteurs dans l'exercice de leur profession?

Dans un pareil échantillon de professionnels qualifiés, qui aurait cru déceler des sentiments d'imposture? À plus forte raison chez des thérapeutes formés pour comprendre les émotions... Quoi qu'il en soit, *69 p. 100* des 84 répondants rapportèrent qu'ils avaient déjà éprouvé des sentiments d'imposture en exerçant leurs professions.

La même année, le docteur Gail Matthews, psychologue au Dominican College, en collaboration avec le docteur Clance, présenta une autre recherche impliquant 41 hommes et femmes occupant des emplois divers [5]. Dans ce groupe, qui comptait un professionnel de la scène, un juge, un avocat et un scientifique, *70 p. 100* des participants avaient souffert du complexe de l'imposteur. En réalité, on commence à peine à mesurer l'ampleur de ce phénomène.

Par leur nature même, certaines professions tendent à faire naître le complexe de l'imposteur chez la personne qui y est prédisposée. Certains types de travaux commandent un renouvellement presque constant des tâches. C'est souvent le cas des activités créatrices, celles où l'écrivain, le réalisateur de cinéma, l'architecte ou le styliste de mode doivent constamment évoluer d'un projet à un autre. Si vous souffrez d'un sentiment d'imposture et travaillez dans un de ces domaines, il se peut que vous craigniez que chaque nouveau projet ne soit la démonstration patente de la faiblesse de votre potentiel créateur.

Si la victime du CI n'arrive pas à se raisonner, cet état d'esprit peut s'installer et l'opprimer tout au long de sa carrière. Ni succès ni éloges ne peuvent la soulager de sa souffrance psychologique ou de la hantise d'être dénoncée comme une bluffeuse.

Des sentiments suffisamment prononcés peuvent aller jusqu'à empêcher quelqu'un de remporter quelque succès que ce soit. Le docteur Mary Topping a souligné cet aspect en 1983, à la suite d'une étude menée auprès de 285 membres des corps professoraux de deux grandes universités américaines du Sud [6]. Elle a soumis 157 femmes et 128 hommes à l'Échelle Harvey du CI, de même qu'à plusieurs autres tests psychologiques, pour découvrir que les professeurs des échelons inférieurs (vraisemblablement des nouveaux venus ou en attente d'être promus) ressentaient le complexe de l'imposteur de façon plus aiguë que leurs collègues mieux établis, de grade supérieur.

«Serait-il possible, écrivait-elle, que les personnes affligées du CI demeurent aux échelons inférieurs de la faculté ou quittent un jour (de gré ou de force) l'institution?» Nous ne sommes pas encore en mesure de dénombrer les «accidentés» du complexe de l'imposteur. Handicapées par leurs appréhensions, certaines victimes n'arriveront peut-être jamais à se réaliser à leur pleine valeur. D'autres renonceront même carrément à leur orientation professionnelle plutôt que de croiser le fer avec le CI.

Il n'est pas facile de savoir combien de personnes ont accompli moins qu'elles auraient pu, ou ont simplement rendu les armes, à cause du complexe de l'imposteur. On ne peut pas facilement identifier ceux «qui auraient pu» réussir s'ils avaient cru en eux. Dans l'étude de Topping, les professeurs qui n'avaient pas éprouvé de sentiments de supercherie avaient élucidé cette question à un moment donné de leur carrière ou encore, ne s'étaient jamais considérés comme des imposteurs. Si le CI avait incité un membre du corps professoral à renoncer à ses objectifs professionnels et à quitter la course, celui-ci n'aurait évidemment pas pu participer à l'étude. Nul doute qu'un certain nombre avaient déjà bifurqué vers d'autres carrières, de celles qui n'éveillaient pas en eux de semblables tourments.

Les trois indices du complexe de l'imposteur

Les trois indices fondamentaux du complexe de l'imposteur sont tous présents chez celui qui en est victime. Ce sont:

1. L'impression d'avoir entraîné les autres à surestimer ses capacités;
2. l'attribution de son succès à un facteur autre que son intelligence ou son habileté dans son rôle;
3. la crainte d'être dénoncé comme faussaire.

Examinons successivement ces trois indices.

Nous avons vu que la personne qui est aux prises avec des sentiments d'imposture a véritablement obtenu un certain succès, quelle qu'en soit la forme. Aussi les personnes de son entourage accueillent-elles ces réalisations comme la démonstration tangible de sa compétence et de ses aptitudes. Or la «victime» voit les choses d'un autre oeil: en son for intérieur, elle a l'impression d'être différente de l'image qu'elle projette. La façon dont elle se voit et celle dont les autres la perçoivent commencent à diverger.

Cette divergence est le premier indice du complexe de l'imposteur. L'individu est vivement conscient que son image publique et son image privée ne cadrent pas. Il se sent comme un tricheur qui a dupé autrui. L'accumulation des succès ne le convainc pas davantage de ses dons et de ses capacités. En fait, il n'«admet» pas sa réussite, ne s'en attribue pas le mérite, ne l'utilise pas pour consolider sa maîtrise d'un métier ou pour nourrir sa confiance. La croyance secrète qu'il n'a ni l'intelligence ni le talent pour réussir l'enserre, et le succès n'arrive pas à percer le mur de cette conviction.

Comment cette personne s'explique-t-elle alors toutes les preuves qui contredisent son impression? Un nouveau titre professionnel, une augmentation salariale, de nouveaux mandats, des honneurs, des prix, l'approbation des experts — voilà des preuves de ses capacités. Si elle est aussi incompétente et bornée qu'elle le croit, comment a-t-elle pu arriver là où elle est?

C'est ici que le deuxième indice entre en ligne de compte. Celui qui se croit un imposteur est capable de rendre compte de son succès, mais il l'attribue à toute cause *autre* qu'une véritable aptitude. Il invoquera peut-être qu'il travaille plus fort que tous dans son service et qu'il ne s'y est distingué qu'à ce titre. Parfois, il estimera pouvoir «s'en tirer» par le biais de son charme personnel, de son entregent, de son flair, de son bagou, ou de son apparence avantageuse. Il en fera une simple affaire de chance. Ou encore, il sera convaincu que les personnes qui l'ont évalué ont commis une erreur de jugement; certaines des personnes que j'ai interviewées croient fermement que leur promotion découle d'une négligence administrative!

Les victimes du complexe de l'imposteur ont toutes sortes d'explications pour excuser leurs exploits. «J'ai pu décrocher ce poste parce que j'avais de bons contacts.» «On m'a donné le contrat parce que je suis arrivé au bon moment.» «Les critères d'embauche sont plutôt flous en général.» «J'ai eu de la chance et je ne pense pas que ça m'arrive deux fois.» «J'ai été promue parce que le patron me trouve jolie.» «Il leur fallait une femme pour le principe.» Bref, tout est bon, *sauf* cette explication: «J'ai réussi parce que je suis doué, que j'ai du talent et que je l'ai mérité.»

Normand est un rédacteur publicitaire très recherché. Lorsque je lui ai demandé comment il en était arrivé là, il a réfléchi avant de me répondre: «Je pense que je suis là par un concours de circonstances. J'ai eu la plupart de mes emplois par des relations d'affaires ou parce que quelqu'un m'a recommandé. Les offres d'emploi sont venues toutes seules. Je ne sais trop pourquoi mais la chance m'a souri. Je dirais que je n'ai pas vraiment mérité ces postes, étant donné le peu d'efforts que j'ai déployés pour les obtenir. Ils sont comme tombés du ciel. Et puis, je pense que cela a quelque chose à voir avec ma personnalité. Les gens ont tendance à me trouver sympathique; c'est facile de s'entendre avec moi et les gens recherchent plutôt ça.»

En 1980, Jeanne Stahl et ses collègues ont mené une autre étude portant sur 41 jeunes femmes noires de 12 écoles secondaires de la région d'Atlanta [7]. Toutes spécialisées en sciences, âgées entre seize et dix-huit ans, elles terminaient leurs études secondaires non sans d'ambitieux projets d'avenir. La moyenne élevée de leurs résultats indiquait que ces étudiantes visaient haut.

Cependant, selon le rapport des psychologues, *plus de la moitié* de ces jeunes filles ont attribué leurs résultats scolaires à un facteur *autre* que l'intelligence. Elles ont préféré imputer leurs succès à un travail acharné, à leur persévérance ou à leur opiniâtreté. Environ un tiers d'entre elles estimaient que leurs exploits avaient été favorisés par la *chance* dans 50 à 75 p. 100 des cas.

Les victimes du CI justifient leurs succès par des généralités («Je sais m'y prendre avec les gens») ou en précisant une circonstance («J'ai obtenu l'emploi parce que le directeur de la société est un ami de la famille»). Certains avouent qu'ils ne savent vraiment pas pourquoi ils réussissent, encore qu'ils demeurent persuadés que leurs aptitudes n'ont rien à voir là-dedans.

Il est vrai que les contacts d'affaires, le charme personnel et un certain opportunisme sont des facteurs qui nous aident à atteindre nos buts. Néanmoins ils ne sont qu'une *aide*, qu'une partie de ce qu'il faut pour réussir. Ils ne nous mèneront pas loin si nous sommes incapables de relever le défi de l'emploi. Or celui qui se croit un imposteur ne saisit pas cette perspective; il estime que ces facteurs sont entièrement, ou pour le moins principalement, responsables de sa réussite.

Plusieurs victimes du CI s'avèrent fort brillantes et talentueuses et disposent d'une gamme d'atouts personnels: efficacité, autodiscipline, capacité de mettre les autres à l'aise, et ainsi de suite. Or, bien qu'elles soient conscientes de détenir ces atouts, elles minimisent leur importance. À vrai dire, elles ne les considèrent pas comme des talents. Pour elles, ce qui vient naturellement et facilement à quelqu'un est un acquis et ne «compte» pas.

Ce qui compte varie d'un individu à l'autre [8]. Or, il s'agit toujours pour la victime du CI de cet *aspect d'elle-même qu'elle considère comme son point faible.* Peu importe les preuves qu'elle détient de sa compétence en d'autres domaines; ces exemples de réussite ont peu de valeur à ses yeux. Une administratrice était sûre de ses capacités au téléphone mais faisait cas de sa faiblesse à l'écrit. Elle prétendait qu'elle arrivait tout juste à se débrouiller en se repliant sur le téléphone, et affirmait que la capacité de produire un bon rapport écrit était pour elle le véritable gage d'un talent de communicatrice. Pour celui qui s'acquitte plus aisément des lettres et des notes de service, ce sont sans doute les communications téléphoniques qui deviennent une garantie de compétence.

Une victime du CI est convaincue qu'on se trompe sur son compte. Elle ne se voit pas comme une personne douée ou habile; elle a réussi à cause d'un certain don naturel ou parce qu'elle a de la chance. Pas question pour elle de tirer satisfaction de son succès; elle est complètement obnubilée par l'éventualité qu'on puisse découvrir son tour de passe-

passe. Nous voici donc rendus au troisième indice: la peur d'être démasqué.

Si vous avez déjà éprouvé la peur d'être dénoncé comme tricheur, vous savez sûrement à quel point cette expérience est pénible. Elle peut engendrer une anxiété capable de perturber sérieusement votre vie quotidienne. Ses symptômes sont faciles à identifier: tremblements, insomnie, mains moites, souffle court, crampes d'estomac, perte d'appétit ou boulimie, diarrhée et migraines. En 1983, le docteur Mary Topping examina l'interaction du complexe de l'imposteur et de l'anxiété [9]. Quiconque a réussi en éprouvant des sentiments de supercherie sait déjà ce qu'elle a découvert. L'un et l'autre sont intimement associés: l'anxiété est le corollaire du sentiment d'être un imposteur.

Une victime du CI sent croître son anxiété dès qu'elle pressent l'imminence du «moment de vérité», selon l'expression même d'une victime. Ce «grand moment» est tout événement qui, selon elle, a le potentiel de démasquer sa supercherie. Pour l'homme d'affaires, il peut s'agir d'un rapport-clé ou d'une présentation décisive devant un client; pour l'étudiant de doctorat, de la soutenance de sa thèse; pour un acteur ou un réalisateur de cinéma, du prochain film à mettre en chantier. Un programmeur d'ordinateur pour une grande entreprise imagina que son «moment de vérité» prendrait la forme d'un logiciel complexe. Celui-ci comporterait tous les traitements informatiques dont il ignorait la mise en oeuvre. Chaque fois qu'on le convoquait pour un nouveau mandat, il balayait d'un regard appréhensif le bureau de son patron pour voir si ce n'était pas son «jour de vérité».

L'idée d'être dénoncé comme un faux jeton ou, à tout le moins, comme n'étant pas à la hauteur de sa réputation peut engendrer des visions effrayantes. Les victimes du CI ne voient pas comment elles pourraient s'en relever. Voici, selon trois d'entre elles, la description des suites de ce malheur:

«Ce serait perdre d'un coup tout ce que j'ai réalisé jusqu'à ce jour. Les fondements de ma carrière en seraient ébranlés. Qu'ils disent de moi: «Il n'a aucun talent» serait si humiliant que j'aurais envie d'entrer sous terre; je ne voudrais plus me montrer au grand jour.»

«On me frapperait d'ostracisme; je serais mis au ban de la société des gens respectables et productifs. Il faudrait que je rentre dans mon petit chez-moi rassurant où je pense m'en tirer assez bien.»

«Un sentiment de perte, de flottement, d'égarement. Je compte sur les expériences passées pour trouver du travail. Si on découvrait que je ne suis «pas bon», je ne sais pas ce que je ferais... Je me tuerais.»

Tout en redoutant d'être démasquées, les victimes du CI partagent souvent une autre peur, celle de l'échec. Selon elles, la moindre faille est le révélateur impitoyable de leur imposture. L'échec n'est pas seulement effrayant pour certains: il les épouvante. Aussi sont-ils portés à le définir comme *toute erreur ou défaut qui les éloigne honteusement de la perfection*. Un résultat qui n'est pas absolument brillant ou impeccable les fait se remettre en question. Par conséquent, tout événement qu'ils jugent significatif — ou, si j'ose dire, tout «événement-performance» — a le pouvoir de provoquer l'effondrement de leurs châteaux de cartes.

Pour qui s'accuse de supercherie, l'idée de l'échec équivaut à une catastrophe irréparable. Voici comment sont décrites les conséquences d'un échec anticipé: «Ils vont me congédier»; «On va me recaler à l'école»; «Tout le monde va se moquer de moi»; «Ce sera l'humiliation publique»; «Je ne pourrai plus jamais travailler»; «Je vais passer pour un moins que rien»; «Ils ne m'adresseront même plus la parole»; «Je finirai sur le chômage »; «Ils auront ma peau»; «Personne ne m'aimera plus»; «Si j'échoue, j'aime mieux mourir.»

Un cadre exprima un sentiment partagé par plusieurs victimes: «L'échec est une situation inacceptable et je ferais l'impossible pour l'éviter. Rien qu'à y penser, la honte et l'humiliation sont intenables. Je ne tiendrais pas le coup.» La victime du CI sait qu'elle a peur de l'échec. Fait curieux, à un autre niveau, il est possible qu'elle redoute tout autant le succès. Nous verrons plus loin ce qui peut motiver quelqu'un à craindre de réussir et en quoi cette peur est associée à l'impression d'être un imposteur.

Le complexe de l'imposteur n'est pas qu'une affaire d'idées et d'impressions. Il peut également influencer la façon d'agir de ses victimes qui adoptent certains comportements pour cacher leurs «tares». Ainsi elles se transformeront en bourreaux de travail, histoire de conjurer par leurs efforts éreintants la dénonciation tant redoutée. Nombre d'entre elles se savent soumises à un conditionnement, mais n'arrivent pas à s'expliquer pourquoi. Au deuxième chapitre, nous ferons la connaissance de plusieurs types d'«imposteurs» et verrons comment leurs modèles de comportement peuvent s'apparenter aux nôtres. C'est en faisant la somme des pensées, des sentiments et des façons d'agir de la victime du CI, que nous pourrons cerner le syndrome du complexe de l'imposteur.

Boris, qui travaille pour une importante agence de la côte Ouest, est un chasseur de jeunes talents. Âgé de quarante-trois ans, il est intelligent, amène et dynamique. Avant de se joindre à cette agence il y a trois ans, il avait travaillé pendant six ans pour une autre société dans un domaine connexe et avait étudié un certain nombre d'offres d'emploi avant d'opter pour son employeur actuel. Sa carrière n'a cessé de progresser et il s'acquitte bien de ses fonctions. Plus d'une fois, l'excellence de son travail a été relevée par la direction.

Malgré tous ses succès, Boris n'en est pas moins convaincu que son travail est de la frime. «Je suis très futé et rapide, et *j'ai l'air* de savoir ce que je fais, explique-t-il; mais, en fin de compte, je ne sais rien, et le jour où les gens vont l'apprendre, je serai fait.»

Il admet qu'il est doué et se dit plutôt créatif quand il le veut bien. Mais il estime que c'est sa personnalité qui lui a ouvert presque toutes les portes de sa carrière. Enfant, on vantait dans sa famille son naturel confiant et expansif. «Je suis le bon gars qui veut que tous ceux qui l'entourent soient toujours contents. Je suis si drôle et j'ai tant de charme que les gens se sentent bien avec moi et recherchent ma compagnie.

«Bien peu de gens déploient autant de charme que moi et aussi souvent, surtout en groupe. Ma présence ne passe pas inaperçue et cela a beaucoup joué en ma faveur. On m'écoute lorsque j'interviens au cours d'une réunion, on me croit intelligent. Avec ce genre de personnalité, les gens sont portés à croire que vous dominez parfaitement vos affaires. Ils ne savent pas que *vous* ne savez pas le moins du monde ce que vous faites.»

Lorsque Boris reçoit des félicitations pour sa participation à un projet, sa réaction est l'appréhension: «J'éprouve aussitôt la crainte de ne pas pouvoir recommencer un bon coup comme celui-là. Je me dis que j'ai bien tiré mon épingle du jeu et que c'est sûrement la dernière fois que j'y arriverai. Je suis rongé par le doute. Lorsqu'on évalue mes projets, j'écoute surtout les personnes qui les regardent de haut. Même si vingt collègues approuvent largement mon travail et qu'une seule personne émet un faible doute, c'est celle-là qui retiendra mon attention.»

Pour Boris, toute sa séduction et ses aptitudes à se lier aux autres ne sont que poudre aux yeux. «J'ai comme un faux moi, avance-t-il, qui me permet de ne pas montrer à quel point je suis vraiment ennuyeux et stupide à l'intérieur.» Derrière sa façade ultrasociable, ajoute-t-il, il y a en réalité une personne réservée et tranquille qui connaît plus d'une façon de se protéger des émotions. «Ma façon de vivre en imposteur me sert énormément. Elle me rapporte, elle marche, voilà pourquoi il m'est si difficile de changer mon comportement. Par contre, *mes sentiments* sont un véritable handicap. Je ne peux pas imaginer que je vais me sentir aussi mal dans quinze ans. C'est impensable qu'à soixante-cinq ans, on puisse encore vivre avec l'impression de berner tout le monde.»

Les signaux invisibles

En dépit du fait que le complexe de l'imposteur représente pour de nombreuses personnes un problème bien réel, il circule souvent incognito, sans être traité, même lorsqu'il est des plus démoralisants. D'emblée, on pourrait expliquer cet état de chose par la nature secrète du phénomène. Une personne qui se croit en position d'imposture ne veut pas que les autres soient mis au fait. Si cela venait à se savoir, redoute-t-elle, c'en serait fait de son poste, de ses amis et, sans doute, de la considération dont elle jouit. Aussi est-il rare que les victimes du CI dévoilent leurs sentiments, même à leur conjoint ou à un ami intime. Elles ne ménagent aucun effort pour dissimuler ce lourd secret.

Une deuxième explication serait que les psychologues, au premier abord, ne reconnaissent pas toujours les signes du complexe de l'imposteur chez l'individu qui vient les consulter. Notre compréhension toute neuve de ce problème en tant que syndrome psychologique distinct demande encore à être éclairée. Du reste, comme nombre d'entre nous l'ont découvert en traitant des victimes du CI, les personnes qui croient être des imposteurs désignent rarement cette impression comme leur principal malaise. Ce n'est que plus tard, au cours de la thérapie, que ces sentiments percent douloureusement.

Le supposé imposteur qui entreprend une thérapie expose le plus souvent un large éventail de problèmes. Il peut s'agir de procrastination, d'insomnie, d'appréhension au réveil, de palpitations cardiaques ou de tension dans la mâchoire, le cou ou les épaules. Ces symptômes peuvent tous résulter du complexe de l'imposteur. Certains seront plus extrêmes encore; mentionnons l'abus d'alcool et l'usage de drogues, les manies et les phobies, les troubles de la faim tels que la boulimie (fréquents excès de nourriture suivis du besoin de vomir).

Bien entendu, ces symptômes ne sont pas exclusifs au complexe de l'imposteur, mais, avec le temps, des sentiments de supercherie alliés à la peur d'être démasqué peuvent déboucher sur de semblables manifestations de stress. Si une victime du CI ne peut pas toujours expliquer exactement ce qui lui arrive, elle est néanmoins en mesure de voir que cela ne tourne pas rond.

Au fait, comment est-il possible qu'on ne puisse cerner soi-même le problème que constituent l'impression d'être un tricheur et la peur d'être démasqué? C'est que les victimes du CI, trait caractéristique, ne conçoivent pas que leurs sentiments d'imposture puissent être modifiés ou traités. Elles ne se disent pas: «J'ai *l'impression d'être* un tricheur», mais plutôt: «Je *suis* un tricheur.» Dans leur optique, elles ont dupé les autres en leur faisant croire à de fausses apparences. Elles sont fermement convaincues de leur imposture; *être* un imposteur est indissociable de leur perception d'elles-mêmes, une composante de leur identité. Si je *suis* un imposteur, quelle intervention en paroles ou en actes pourrait donc y changer quelque chose?

Les victimes du CI ont besoin de comprendre qu'elles ne sont pas des imposteurs. Il demeure cependant qu'elles se *sentent* comme tel. Or ces sentiments peuvent être expliqués et modifiés.

Les nouveaux rôles et l'«imposteur» occasionnel

On peut être affecté du complexe de l'imposteur à divers degrés d'intensité. Certains sont poursuivis par des sentiments de supercherie aigus tout au long de leur vie. Ce sont des cas graves générant beaucoup d'angoisse et d'anxiété. D'autres cas sont plus modérés et, bien que troublants, demeurent contrôlables. Enfin, il y a ceux qui éprouvent à l'occasion de vagues sentiments d'inauthenticité.

Que le sentiment soit faible ou prononcé, rappelez-vous que certaines situations peuvent augmenter votre degré de vulnérabilité. Il y a de fortes chances, entre autres, pour que vos sentiments s'intensifient au début d'un nouvel emploi. Lorsque les situations changent, il faut souvent endosser de nouveaux rôles. Si vous obtenez votre diplôme des Hautes Études commerciales et qu'une entreprise vous engage, votre rôle d'étudiant doit céder devant celui d'homme ou de femme d'affaires; ce dernier porte avec lui de nouvelles tâches, de nouvelles exigences et une nouvelle perception de soi. Mais puisqu'il s'agit d'un rôle que vous n'avez jamais joué auparavant, comment savoir ce que l'on attend de vous?

Placée dans une position semblable, une personne peut croire que son manque de connaissances du rôle confié signifie qu'elle est inapte à le remplir. Elle en viendra peut-être même à penser qu'elle a induit son employeur en erreur quant à ses aptitudes. Elle continue néanmoins à jouer ce rôle... sans douter un instant de sa «supercherie».

Il faut du temps pour qu'un rôle inconnu soit assimilé à l'idée que l'on a de soi. Entre temps, la victime du CI pense que le malaise qu'elle ressent face à son rôle confirme son imposture et son incapacité de s'acquitter de son travail. Elle ne voit pas qu'elle réagit tout bonnement à l'étrangeté d'une situation nouvelle.

Et une situation nouvelle qui exige un rendement assez élevé peut entraîner une bonne dose d'anxiété. De là à se sentir comme un faussaire ou un bluffeur, il n'y a qu'un pas. Tout vous pousse à agir comme si vous saviez précisément ce que vous faites, dans le but de remplir vos fonctions et de satisfaire aux exigences de votre rôle. Ceux qui visent de hautes performances se fixent des normes élevées, ajoutant à tout cela la pression de leurs exigences personnelles. Au fond, ils se demandent s'ils sont en mesure de «livrer la marchandise». Malheureusement, les victimes du CI ont tendance à supposer qu'elles devraient maîtriser leur rôle dès le départ. Mais qui n'a pas dû supporter quelques frustrations lors de l'apprentissage d'un nouveau rôle, jusqu'à ce que celui-ci s'ajuste à soi?

Matthews et Clance ont proposé d'autres situations génératrices de sentiments d'imposture. Au cours de leur enquête auprès de 41 hommes et femmes, elles ont découvert que de tels sentiments pouvaient résulter d'un succès subit ou inopiné; par exemple: une promotion précoce, ou encore le fait d'être la plus jeune personne nommée ou élue à un poste [10].

Peut-être vous souvenez-vous d'un moment particulier de votre existence où vous vous êtes senti comme un imposteur. Pour certains d'entre vous, le CI n'est qu'une expérience passagère qui survient à un moment donné puis disparaît une fois pour toute. Il peut accompagner un nouvel emploi, un avancement inattendu, un bénéfice inespéré, la renommée et la reconnaissance de ses exploits, un prix ou un honneur rendu public.

Quel que soit ce qui a fait survenir l'impression de supercherie, celui qui l'éprouve de façon éphémère n'en ressent pas moins la même chose que la victime chronique du CI. Il a l'impression d'être incompétent et de n'être pas à la hauteur de la situation. Il pense qu'il a dupé les autres en leur faisant croire qu'il était l'homme de l'emploi. L'anxiété et l'appréhension s'installent, puis la peur qu'on découvre ses failles et que celles-ci ne révèlent sa supercherie aux yeux du monde.

Prenons l'exemple de l'individu qui se présente à son nouvel emploi ou qui jouit tout à coup d'une promotion. À son sens, il y a bien plus qu'un emploi en jeu: il y a son salaire, sa réputation, ses projets de carrière ou tout simplement le désir de prouver qu'il sait tirer son épingle du jeu. Ce travail est nouveau pour lui ou plus complexe que son emploi précédent. «Je ne sais pas comment m'y prendre, se dit-il. Regarde-moi tous les autres employés du service: *Eux*, ils savent ce qu'ils font. Je ne suis pas aussi compétent ou aussi doué. Je ne sais pas le quart de ce qu'ils savent au sujet de cette industrie. Je fais semblant.»

Les sentiments d'imposture s'épanouissent maintenant en toute liberté. Il se demande combien de temps il pourra tenir avant de commettre la gaffe fatidique. Il s'interroge sur les raisons de son embauche ou de sa promotion et, à l'instar des autres victimes du CI, la réponse qui lui vient à l'esprit ignore complètement ses aptitudes. «Il y a eu erreur sur la personne»; «J'avais une stratégie imbattable pour les impressionner à l'entrevue»; ou encore: «Le patron m'aime bien parce que je suis aussi amateur de tennis.»

À la longue, bien des personnes finissent par avoir raison de ces impressions. Au fur et à mesure qu'elles maîtrisent leurs nouvelles fonctions, elles se rendent compte que leurs réalisations justifient leur candidature. Le sentiment de supercherie s'efface peu à peu avec d'autres preuves de leurs aptitudes. Le cercle vivieux du succès et du doute de soi est rompu. Le nouveau cadre peut en arriver à accepter son rôle. La compagnie a pu tirer profit de ses suggestions et son patron lui transmet des réactions favorables. Sans doute a-t-il compris que ses collègues peuvent aussi douter d'eux-mêmes et s'interroger sur leur efficacité. Il sait que son travail ne sera pas toujours parfait, mais il sait aussi qu'il l'a bien en main.

J'estime que les expériences occasionnelles du CI sont beaucoup plus répandues qu'on ne le croit. Combien d'entre nous sont sûrs de leurs aptitudes et de leur intelligence *au point* qu'ils n'ont jamais songé un jour avoir «pipé les dés»? Une pensée de ce genre peut nous effleurer au passage ou prendre racine et se développer en un sentiment d'inauthenticité. Même de courte durée, ce sentiment n'est pas moins pénible et troublant pour celui qui l'éprouve. Il peut étouffer son plaisir ou sa satisfaction face aux défis. Mais en s'efforçant de reconnaître les signes précurseurs du CI, on peut venir à bout de ce problème.

Leslie, trente-quatre ans, est une conceptrice graphique indépendante. Des entreprises l'engagent le temps d'un projet pour la conception graphique et la mise en pages de leurs publications, brochures et rapports annuels jusqu'aux feuillets publicitaires et aux couvertures de livres. Avant de s'établir à son compte, elle avait travaillé quatre ans au service d'une maison d'édition. Après six ans de collaboration indépendante, elle a acquis une excellente réputation dans son domaine, au point d'en vivre confortablement.

Leslie se sent néanmoins doublement fautive. D'une part, ses parents étant artistes peintres, et intellectuels de surcroît, elle a grandi dans la vénération des Beaux-Arts. Aussi estime-t-elle que son travail ne peut être qualifié d'«artistique» puisqu'il ne répond pas aux critères familiaux. D'autre part, elle met aussi en doute sa propre créativité et se demande même si son travail satisfait aux exigences de sa spécialité. «C'est plus fort que moi, mais il faut que je me voie et me juge à travers les critères du milieu, dit-elle. Peu importe ce que j'entreprends, il faut que j'y excelle. Or je sens que je n'y arrive pas, que je ne suis pas la meilleure, ni la plus innovatrice. J'ai donc l'impression que je n'ai pas l'étoffe pour ce travail et que je devrais laisser tomber.

«Ce sentiment fait surface plus souvent depuis que je suis à mon compte parce que les projets et les gens avec qui je travaille changent constamment, explique Leslie. Du reste, ce n'est pas d'hier que je sollicite des contrats pour lesquels je n'ai aucune expérience concrète. Cela me fait une étrange impression de savoir que je n'ai rien pour appuyer formellement ma candidature et de me déclarer néanmoins prête à relever le défi. Seulement, le hic c'est que les gens peuvent vous prendre au mot et vous dire: «Eh bien, allez-y.» Dans ces moments-là, vous pensez: «Qu'est-ce que j'ai fait?» Au fond, ce n'est que de la frime.

«Toutes mes bonnes expériences passées n'arrivent pas à me donner confiance. C'est comme si je n'apprenais rien. Mon trac est toujours aussi fort. Cela dépend aussi du contrat: À combien de personnes dois-je soumettre mes maquettes? Qui sont-elles? La peur grossit avec le nombre de personnes concernées.»

Leslie a connu les mêmes doutes au sujet de ses aptitudes dans les postes à plein temps qu'elle a occupés par le passé. «J'étais persuadée qu'ils me croyaient qualifiée pour le poste mais moi, pas du tout. Alors je trimais très très dur au début. Puis, après quelques mois, je voyais que j'étais en possession de mes moyens et que je pouvais me détendre un peu. Ça ne veut pas nécessairement dire que je me trouvais *bonne*, mais plutôt que je savais que je pourrais m'en tirer et qu'on n'aurait rien à redire. Les appréhensions réapparaissaient dès qu'on nous apportait de nouveaux projets.»

De l'avis de Leslie, c'est en partie grâce à son «obsession maniaque du travail» qu'elle remporte un certain succès aujourd'hui. «Pendant quatre ou cinq ans, je me suis révélée, dit-elle, un véritable bourreau de travail. Tellement que je me suis retrouvée compètement brulée, et maintenant je ne peux plus en faire autant. Je suis sans doute encore intoxiquée par mon travail, mais j'ai *l'impression* de m'être arrêtée.»

Leslie interprète les périodes de ralentissement et de pénurie de travail comme la «rançon» d'un certain relâchement. «Je considère que l'on est toujours puni de n'avoir pas assez travaillé. Comme je n'arrive plus à exiger autant de moi qu'auparavant, j'ai la vague impression qu'il y a un lien.»

Outre son acharnement au travail, Leslie croit qu'elle a été favorisée par la chance, de même que par ses rapports faciles et avantageux avec les gens. Ce n'est qu'avec les années qu'elle a découvert le prix élevé de l'approbation des autres, à savoir le refoulement de ses sentiments et de ses besoins personnels. «Il m'arrive maintenant d'avoir une mauvaise rencontre avec des clients et j'en suis toujours stupéfaite. Je ne m'attends pas à ce que ces choses-là tournent mal. Je sais écouter, je sais prévoir les réactions ou encore deviner ce que l'autre recherche. Pendant des *années* je n'ai jamais essuyé une réaction négative. C'est pourquoi je reste abasourdie quand ça m'arrive. Et ça m'arrive beaucoup plus souvent qu'avant. J'en suis franchement déroutée.»

La réussite «à l'américaine»

Considérons la position nord-américaine face à la réussite et à l'exploit. Notre culture accorde un grand prestige au succès et nombreux sont ceux qui se forcent à l'extrême pour l'obtenir. Certains ont grandi avec la conviction que l'échec était une honte et que tout ce qui ne pouvait prétendre à une brillante réussite était inacceptable.

Les Nord-Américains apprennent tôt dans la vie que le succès est à la portée de tous ceux qui veulent vraiment l'atteindre et qui sont prêts à se retrousser les manches. Bien que l'on ait souvent mis en doute l'existence de l'égalité des chances pour tous dans le monde du travail, ce thème n'a jamais cessé de colorer l'histoire américaine. Nous parlons de «promotion des générations» en faisant allusion aux innombrables personnes qui jouissent d'un statut social que leurs parents n'auraient jamais osé revendiquer.

Par ailleurs, il y a l'éthique de travail américaine selon laquelle les Nord-Américains sont *censés* être de grands travailleurs. L'appel est musclé: D'autres l'ont fait, pourquoi pas vous? Allez, ayez le coeur à l'ouvrage et bâtissez votre rêve. Si vous avez du talent, votre succès n'en sera que plus éclatant.

Ces notions sont souvent responsables de nos ambivalences profondes face au degré de réussite à atteindre dans notre vie, face à notre façon de ressentir le succès et face à ce que nous pouvons en attendre.

Daniel, un auteur dramatique dans la trentaine, doute de sa réputation d'artiste créateur. Il remet en question la reconnaissance de ses oeuvres et se demande s'il pourra continuer à se renouveler. Il parle de la signification actuelle du succès pour les gens de sa génération, issus de milieux aisés.

En règle générale, comme le souligne Daniel, chaque génération surpasse la précédente en ce qui a trait aux réalisations matérielles et aux objectifs éducatifs. «Je ramènerais tout cela à l'image du gâteau et de sa crème. Pour une génération, le gâteau c'était tout simplement de posséder une maison et une auto. La crème, c'était une meilleure instruction et un certain succès professionnel. Pour les enfants de cette génération, atteindre le bac représentait le gâteau, tandis que décrocher un doctorat ou un poste épatant, c'était le luxe de la crème. Voilà, je crois, un portrait assez exact de la génération de mes parents.

«Pour nous, cette fois, tout est devenu «gâteau». Plusieurs de nos parents ont déjà fréquenté des écoles de droit et de médecine ou sont devenus des gens d'affaires promus à de hautes responsabilités. Dorénavant, la «crème» consiste à exceller dans ces positions. Il n'y a plus rien d'extraordinaire à devenir docteur en médecine; en revanche, diriger le service de chirurgie dans un grand hôpital, ça c'est de la grosse galette. Pour mes amis, réussir équivaut à jouer sur Broadway. Mais ça ne fait qu'un temps. Bientôt il leur faut un nouveau spectacle sur Broadway. De plus en plus, on perçoit le succès comme un objectif perpétuellement en mouvement.»

Si on croit que la réussite nous est accessible, on peut se sentir motivé pour la rechercher ou même tenu de l'atteindre. Or la course au succès peut occasionner une remise en question de soi qui soulève bien des interrogations: Ai-je la qualité ou la compétence requise par mon poste, au même titre que les gens qui m'entourent? Est-ce que je mérite de réussir? Le fait d'atteindre certains objectifs de notre projet peut engendrer de l'anxiété et un état de confusion quant à notre identité profonde. Est-ce vraiment moi le pauvre gamin qui jouait au football dans la ruelle? Ou suis-je plutôt ce cadre supérieur qui sillonne le pays dans le jet de sa compagnie? Laquelle de ces deux images de moi est «la vraie»?

La question de l'identité peut d'autant plus troubler que le succès est subit. Qui ne connaît pas une histoire de «succès instantané»? En voici un modèle classique: un acteur inconnu débute dans un spectacle sur Broadway et se voit consacré vedette dès la publication des critiques dans les journaux du lendemain matin. Hier artiste besogneux, aujourd'hui star. En moins de vingt-quatre heures, son image publique a changé. Comment sa perception de lui-même en sera-t-elle affectée? Peu de gens atteignent la notoriété de façon aussi spectaculaire mais nombreux sont ceux dont la vie a été transformée par le succès en un laps de temps relativement court. Ce sont là des circonstances propices au développement du complexe de l'imposteur.

Ce que le complexe de l'imposteur n'est pas

Il arrive qu'on me demande si le complexe de l'imposteur équivaut à un sentiment d'insécurité ou à un manque d'estime de soi-même. Se sentir un imposteur, n'est-ce pas une façon de manquer de confiance en soi? Tous ces problèmes ne se résument-ils pas à une piètre opinion de sa personne?

Il existe de fait un lien entre le complexe de l'imposteur et l'insécurité personnelle. Mais l'insécurité est un concept très large. Elle met en jeu toute une gamme de sentiments et de comportements. Elle implique des sentiments de doute de soi et un manque d'assurance tels que peut en éprouver une victime du CI. Par contre, l'insécurité n'est pas un syndrome spécifique aux symptômes identifiables. Je n'ai jamais trouvé de test visant à mesurer le degré d'insécurité d'un individu.

Le complexe de l'imposteur, pour sa part, est un *type distinct* d'insécurité. Il ne s'agit plus simplement d'être «mal assuré»; le CI est un syndrome qui peut être clairement défini et identifié. C'est une série d'impressions précises accompagnées de façons d'agir et de penser bien particulières. Contrairement à une insécurité diffuse, on associe généralement le CI au besoin d'atteindre un but quelconque. Aussi est-il possible d'évaluer l'intensité du CI chez un individu, et plusieurs lignes de conduite ont été tracées en vue de l'aider à surmonter ce complexe.

On peut se sentir insécurisé sans éprouver le sentiment d'être un imposteur. À titre d'illustration, citons le genre d'insécurité qu'est la peur de «tout perdre», l'impression que tout ce qu'on possède va disparaître du jour au lendemain, nous laissant pauvre comme Job. La source de cette peur pourrait bien être un traumatisme subi dans le passé: l'abandon d'un parent, une indigence matérielle soudaine, la guerre ou une persécution. Certaines victimes du CI partagent cette peur, mais, dans leur cas, elle se greffe à l'idée de leur éventuelle dénonciation en tant que faussaires.

Les façons de se comporter face à un problème d'insécurité et face au CI diffèrent également. Lorsqu'on se sent insécurisé, il y a plus d'une façon de réagir. On peut choisir de le montrer ou de le dissimuler dans son comportement, ou encore de s'en ouvrir à des amis sans chercher à le tenir secret. En effet, l'insécurité ne véhicule pas forcément les mêmes connotations de honte, ni la peur que l'on découvre sa supercherie.

Si vous croyez que vous êtes un imposteur, il est probable que vous ayez gardé cela pour vous. La plupart des victimes du CI évitent de trahir leur secret, tant en paroles qu'en actes. Vraisemblablement, elles ne se croient pas en mesure de changer cette face cachée de leur personnalité.

Parce que certaines personnes considèrent qu'elles ne méritent pas leur succès, elles seront sans doute tentées de réduire le complexe de l'imposteur à un simple sentiment de culpabilité. Nous verrons plus loin comment le CI peut effectivement comporter une part de culpabilité. Par contre, celle-ci n'habite pas toujours celui qui se perçoit comme un faussaire. Elle n'est qu'un aspect du sentiment d'imposture.

Et qu'en est-il de l'estime de soi? Plusieurs sont étonnés d'apprendre que le CI et une estime de soi déficiente ne correspondent pas à la même réalité et ne sont même pas reliés de façon significative. Certaines victimes du CI, au surplus, démontrent une estime de soi très élevée. Jusqu'ici les psychologues ont défini et évalué l'estime de soi comme une question de tout ou rien: ou bien vous avez de l'estime pour vous-même dans tous les domaines de votre vie, ou bien vous n'en avez pas, quel que soit le domaine. Ce sentiment de fierté personnelle est habituellement envisagé de façon globale et non comme une suite de petits faits que l'on peut additionner.

Or ce n'est pas le cas des victimes du CI. Quoiqu'elles tirent souvent beaucoup de fierté d'un bon nombre de leurs qualités, elles se sentent néanmoins dénuées d'authenticité dans un *domaine particulier* de leur vie. À leurs yeux, une certaine aptitude leur fait défaut pour tenir leur rôle, qu'il s'agisse de créativité, d'intelligence, d'habiletés administratives ou de quelqu'autre talent relié à leur occupation.

La personne dont l'estime de soi est faible ne manifeste pas, normalement, un tempérament de gagneur. Puisque les victimes du CI se caractérisent par leur besoin de réussir, ce facteur les distingue donc nettement des personnes dont l'estime de soi est très faible. Dans certains cas extrêmes où le sentiment de la valeur personnelle fait cruellement défaut, une personne se livrera peut-être au crime, à la prostitution ou à la drogue. Les victimes du CI n'en arriveraient jamais là. Leur estime de soi est suffisamment forte pour leur permettre d'atteindre des positions supérieures, alors que ceux dont l'estime de soi est déficiente se contentent surtout de postes subalternes.

Par malheur, la seule qualité dont une victime du CI se croit privée se révèle justement être celle qu'elle considère comme la pierre angulaire du talent, la qualité qui «compte vraiment». Quant aux autres atouts qu'elle possède — une aptitude à la communication, une apparence séduisante —, elle suppose automatiquement qu'ils sont les véritables responsables de son succès. Alors qu'elle considère qu'ils vont de soi, elle leur accorde beaucoup *trop* d'importance dans l'explication de son succès. Boris, le chasseur de jeunes talents, reconnaît qu'il a du charisme et s'en réjouit sincèrement. Pourtant, il surestime cet atout en prétendant que sa personnalité chaleureuse explique *à elle seule* son embauche.

Imaginons la victime du CI devant une balance. Sur le plateau gauche se trouve la qualité particulière qui, selon elle, lui vaudrait un succès «authentique» (intelligence, créativité, etc.). Sur le plateau droit reposent tous ses autres atouts personnels. Bien entendu, en plaçant son estime de soi avec tous les atouts de sa personnalité, elle fait pencher la balance de leur côté. Pour rétablir l'équilibre, il lui suffirait de mieux distribuer l'estime de soi.

Il arrive parfois que celui qui souffre du CI témoigne, sans même qu'il en soit conscient, de vifs sentiments d'estime de soi. Un professeur remarquable, d'une rare compétence, se qualifiait elle-même d'«extraordinairement médiocre». Un jour, elle postula trois postes prestigieux hautement rémunérés et fort différents les uns des autres, dans sa spécialité. À la suite des entrevues, les trois emplois lui furent offerts. Voici le commentaire qu'elle me fit: «Je leur en mets plein les yeux avec mon jeu de jambes et je les étourdis de foutaises.» Quand je lui ai demandé comment elle s'y prenait pour impressionner son interlocuteur à tous les coups, elle répliqua: «Si je peux y arriver, c'est que je connais mon numéro par coeur.»

En décrivant son impression d'être surfait, un écrivain ajouta: «Je ne doute aucunement de mon talent, c'est-à-dire de mon métier. Je suis un technicien doué de l'écriture. Mais là où j'achoppe, c'est lorsqu'il faut trouver des idées créatrices. C'est comme essayer d'être brillant, vouloir désespérément être brillant, et s'en sortir tout juste avec des clichés et du rebattu.»

Un conseiller conjugal s'explique: «De temps à autre, je me dis: «Qui suis-je pour pontifier comme je le fais sur la vie des autres?» Non que je dise réellement aux gens ce qu'ils doivent faire, mais les clients s'attendent à être guidés. Alors, parfois, il faut faire comme si nous savions, alors que c'est de la frime; notre rôle l'exige. Je sais qu'il s'agit davantage d'une impression que d'un fait réel et, à un certain niveau, je sais que je suis parfaitement qualifié pour mon travail.»

Alors que je commençais ma recherche sur le complexe de l'imposteur, plusieurs de mes collègues ont soulevé la même question: Le CI correspondait-il en fait à une estime de soi déficiente? Au moment où j'examinais les 36 étudiants des programmes *honors*, j'ai résolu de regarder cela de plus près.

J'ai évalué par deux moyens différents les concepts du CI et de l'estime de soi. Les étudiants ayant rempli l'Échelle Harvey du CI, je leur ai également distribué l'Échelle Rosenberg, une série d'affirmations qu'ils pouvaient endosser ou rejeter. Ce dernier test sert à mesurer l'estime de soi. (Comme dans mes autres études, les étudiants ignoraient ce que les tests visaient à évaluer de sorte qu'ils n'étaient pas incités à chercher la «meilleure» réponse.) Par la suite, ils répondaient librement à des questions ouvertes; plutôt que de cocher des réponses à choix multiples, ils pouvaient s'exprimer à leur façon.

Les résultats ont démontré que le complexe de l'imposteur et une estime de soi déficiente ne sont pas nettement reliés. Bien peu d'étudiants éprouvant d'intenses sentiments d'imposture manifestaient simultanément une piètre opinion d'eux-mêmes. De la même façon, très peu d'étudiants ayant peu d'estime pour eux-mêmes avaient fortement ressenti le complexe de l'imposteur. En langage statistique donc, seulement 9 p. 100 des différences de l'un trouvait une explication dans les différences de l'autre, cependant que 91 p. 100 restaient sans explication ou justification. En d'autres termes, *certaines* victimes du CI ne s'estiment guère, mais ce n'est pas le fait de la majorité. Inversement, certaines personnes qui ne s'apprécient guère sont affligées du CI, mais ce sont des cas particuliers. Ainsi, les deux concepts sont bel et bien distincts l'un de l'autre.

Mon expérience comme «imposteur»

J'ai rédigé le présent ouvrage à titre de psychologue ayant étudié le complexe de l'imposteur et traité des personnes qui en souffraient. Or je connais aussi ce phénomène sous un autre angle, l'ayant moi-même vécu.

En tant que victime, j'ai eu de la chance. Dans mon cas, le complexe de l'imposteur ne s'est pas installé puisque j'ai su en venir à bout. Je n'en ai pas moins éprouvé la douleur morale d'une victime du CI. Laissez-moi vous conter mon histoire.

Comme un grand nombre de victimes du CI, j'ai toujours eu le goût des belles réussites. J'ai commencé par rapporter de bons bulletins de l'école élémentaire et secondaire et je n'ai pas lâché prise jusqu'à l'université. Lorsque j'ai obtenu mon bac en journalisme, j'étais la première de ma famille à décrocher un diplôme universitaire.

Peu après mon premier cycle universitaire, je me suis mariée, puis les enfants sont venus. Dès lors, j'ai dû mettre mes activités intellectuelles en veilleuse pour me consacrer à ma jeune famille. Tant bien que mal, je continuais d'écrire à la maison en m'isolant dans une petite pièce à l'étage quelques heures par jour. Mais ce travail était pour moi bien davantage un passe-temps qu'une carrière. Je passais le plus clair de mon temps avec mes enfants à fréquenter les terrains de jeux, à surveiller les siestes et à écouter *Sesame Street.* Je lisais encore, des romans surtout, mais j'étais tout à fait retirée de la vie universitaire.

Dès que le benjamin a eu ses quatre ans, j'ai décidé de retourner travailler. Nous avions récemment emménagé dans une autre ville et je voulais rencontrer des gens, m'engager dans de nouvelles activités. Je me suis donc proposée comme volontaire dans un hôpital psychiatrique où l'on appliquait la philosophie de la «communauté thérapeutique». Tous les membres du personnel y bénéficiaient d'une formation pratique et devaient s'engager dans la dynamique de la thérapie.

Je suis ensuite passée dans une service d'écoute téléphonique pour personnes en crise. Je travaillais avec l'équipe de nuit, de 22 heures à 9 heures du matin. Quelle que soit l'heure, des gens nous appelaient pour nous confier leurs problèmes, de la paranoïa à la dépression, sans oublier les états suicidaires. Peu à peu, j'apprenais ce que c'était que d'aider les gens à s'aider.

Grâce à ces emplois, j'ai su que je voulais devenir psychologue. Ayant fait une demande en ce sens, la Temple University m'a admise dans son programme de maîtrise en psychologie. Lorsque j'ai commencé à Temple, je n'avais aucune formation «académique» en psychologie. Je ne connaissais ni le lexique spécialisé ni les techniques de recherche. Il y avait des années que je n'avais plus fréquenté une salle de cours. En dépit de toutes les expériences de travail que j'avais accumulées, j'avais le sentiment d'en savoir beaucoup moins que quiconque sur le sujet. Les autres avaient étudié la psychologie au premier cycle et maniaient déjà aisément le jargon du milieu et les statistiques. Au surplus, je craignais que les autres étudiants soient tout bonnement plus futés que moi. Je me suis donc convaincue que pour survivre à l'université, il fallait que je paraisse en savoir autant que tout le monde. C'est alors que j'ai commencé à me sentir comme un imposteur.

Ce sentiment a pris des proportions alarmantes à l'occasion d'un des séminaires auxquels je participais. Étant donné que l'inscription était libre, je me suis retrouvée, moi nouvelle venue en maîtrise, avec des étudiants de doctorat. Ceux-ci s'exprimaient avec aisance et me paraissaient très savants. Je ne saisissais qu'une partie de leurs discours (mes études n'étant évidemment pas aussi avancées). Qu'à cela ne tienne, je suis restée en feignant de comprendre absolument tout.

À la fin du trimestre, nous devions présenter un exposé devant toute la classe. Cette perspective me terrifiait. Je me répétais que mon discours devait être parfait et que ma performance devait l'être aussi. Quoique j'aie pu obtenir de passer la dernière, j'ai commencé à y travailler ferme bien avant les autres étudiants.

En prévision du grand jour, j'ai inscrit sur des fiches tout le contenu de l'exposé pour le mémoriser. Puis j'ai enregistré le tout sur magnétophone, en essayant d'y imprimer un ton naturel, détendu. Enfin, j'ai préparé un bref synopsis à l'intention des étudiants, soulignant les points essentiels de mon raisonnement.

Il ne fallait pas que la moindre faille puisse laisser entrevoir mon imposture. Histoire de réduire au minimum la période subséquente de questions, j'ai même étoffé l'exposé à l'excès. En effet, pourquoi donnerais-je aux autres l'occasion de déceler une faiblesse dans ma connaissance du sujet? Au pis aller, j'avais prévu une stratégie pour le traitement des questions: les étudiants seraient amenés à discuter entre eux plutôt qu'avec moi. Je soumettrais la question à certains intervenants: «Justement, n'avez-*vous* pas déjà avancé quelque chose à ce propos?» Comme cela, la discussion irait bon train sans même que j'y sois mêlée. J'ai également choisi pour la circonstance mon ensemble le plus flatteur en m'avisant qu'à défaut d'un bon exposé, ils auraient à tout le moins quelque chose d'agréable à regarder. En un mot, cette tâche représentait pour moi «le moment de vérité», celui qui risquait de dévoiler ma médiocrité.

Le matin du grand jour, je suis partie deux heures à l'avance pour l'université (au cas où ma voiture tomberait en panne et où surviendrait quelqu'autre désastreux imprévu). J'avais en main toutes mes fiches pour pallier un éventuel trou de mémoire par une lecture appliquée. J'avais la nausée.

Dès le début de mon exposé, j'ai compris que je me passerais facilement des fiches. Je possédais bien mon sujet — et même trop bien. À loisir, je me suis mise à changer certaines des phrases que j'avais si patiemment répétées. Puis, au milieu de mon développement, une main s'est levée. Un étudiant voulait poser une *question* — une question qui avait le terrible pouvoir de révéler mon ignorance et de dénoncer ma présence frauduleuse dans ce programme de deuxième cycle. Je n'ai pas interrompu l'exposé, feignant de ne pas voir cette main et priant pour que l'étudiant renonce à sa question. Mais la main s'imposait fermement et toute la classe eut tôt fait de la remarquer. Pas moyen de l'éviter: je devais laisser la personne poser sa question. Celle-ci s'est révélée des plus simples et des plus évidentes et j'ai pu y répondre sans peine. D'autres étudiants ont levé la main et toutes leurs questions m'ont paru élémentaires. Je prenais alors conscience de la démesure de ma préparation; pas un des étudiants du groupe n'avait réfléchi — ni ne s'était intéressé — aux multiples détails savants que j'avais étudiés avec tant de zèle. Même les questions du professeur me semblèrent plutôt banales.

Mon temps «de scène» s'est écoulé trop vite. L'expérience m'a valu un A+. Cependant, elle m'a laissée en proie à une vive déception. Un taux élevé d'adrénaline avait été sécrété en vain; mon cerveau avait emmagasiné un luxe d'informations superflues. C'était comme si après m'être préparée contre un violent ouragan je n'avais eu affaire qu'à une petite bourrasque.

On remarquera sans doute dans cette anecdote la présence des trois signes du CI. J'étais sûre d'être une tricheuse, ayant laissé entendre que j'étais plus intelligente que je ne l'étais vraiment. J'attribuais mes succès à un travail acharné plutôt qu'à mes capacités intellectuelles. Et j'appréhendais à tout moment que ma supercherie soit dénoncée.

Par bonheur, ce sentiment d'imposture céda dès l'année suivante. Je maîtrisais le lexique de la psychologie et je saisissais dorénavant les raisonnements des étudiants les plus avancés. J'arrivais même à discerner que certains ne savaient pas exactement ce qu'ils disaient, alors qu'ils employaient des mots savants. Mon complexe d'infériorité à leur égard était guéri et j'ai cessé de rougir de ne pas tout connaître. J'ai pu assumer mon rôle d'étudiante de maîtrise et m'affranchir du complexe de l'imposteur.

Quoiqu'elle fût plutôt brève, je garde encore le souvenir de cette expérience du CI. Je me souviens de l'anxiété qu'elle m'a causée, de l'énergie et du temps qu'elle m'a dérobés, sans parler de la simple satisfaction que j'aurais pu tirer de ces débuts universitaires.

Au cours de ce chapitre, j'ai voulu esquisser à grands traits ce qu'est l'expérience du complexe de l'imposteur, dont il reste beaucoup à dire. Dans les prochains chapitres, nous verrons comment les victimes du CI s'y prennent pour protéger leur «lourd secret» et nous tenterons de cerner de plus près leurs pensées et leurs sentiments dans leur vie professionnelle et privée. Vous serez en mesure de juger si, et comment, le complexe de l'imposteur vous affecte personnellement et d'en identifier les causes. Finalement, nous verrons comment il est possible de se libérer du sentiment de supercherie.

Mais reste encore à déterminer combien de personnes partagent la conviction d'être des imposteurs. Où que j'aille, il se trouve toujours quelqu'un pour m'interroger sur le complexe de l'imposteur. Lorsque je commence à expliquer ce que ressentent ses victimes, il n'est pas rare que l'on sursaute en disant: «Mais c'est tout à fait moi!» D'autres s'étant reconnus en restent abasourdis. Mais tous veulent connaître la raison d'être du CI, ce qui le fait surgir et comment y réagir.

Ce livre tentera de donner une réponse à toutes ces questions. J'espère qu'il pourra aussi soulager ceux qui souffrent de ce phénomène, en leur apportant une meilleure connaissance du problème et en leur faisant voir qu'ils ne sont pas seuls. C'est ainsi qu'ils pourront briser les chaînes du CI pour enfin jouir des succès qu'ils auront acquis et grandement mérités.

Chapitre II

Un secret inavouable

Le sentiment d'être un faussaire n'est qu'un aspect du complexe de l'imposteur, car notre façon d'agir et notre façon de penser sont également affectées. Les personnes qui veulent cacher le «lourd secret» de leur imposture ont tendance à adopter certains modèles de comportement. Dans ce chapitre, nous verrons en quoi ceux-ci consistent et pourquoi une victime du CI éprouve tant de difficulté à s'en défaire.

Certains comportements ont été identifiés dès le début des recherches effectuées sur le CI, notamment dans les travaux des docteurs Clance et Imes. D'autres ont été extraits de ma propre recherche et de mes observations. Pour faciliter leur description, je les ai classés par «types». À mesure que vous en prendrez connaissance, vous reconnaîtrez peut-être d'autres signes du complexe de l'imposteur en vous, ou chez quelqu'un de votre entourage.

Ne soyez pas surpris de vous reconnaître dans plus d'un type de comportement; en effet, ils ne s'excluent pas mutuellement et une victime du CI peut en adopter plusieurs à la fois. D'après les observations de Clance et Imes, cependant, il est rare qu'une personne les emprunte tous. Le plus souvent, elle en privilégie un, sinon un amalgame de plusieurs [1]. Plus vous coïncidez avec l'un d'entre eux, plus vos sentiments d'imposture risquent d'être prononcés.

N'oublions surtout pas que ces modèles sont à la fois comportement et pensée. Un sentiment de supercherie ne saurait être perpétué par la seule façon d'agir. Ces habitudes ont aussi une composante cognitive.

En somme, ce que fait une personne est intimement lié aux pensées qui déterminent ses actes. Ces modèles de comportement influencent alors une troisième dimension: les sentiments et les émotions qu'une personne nourrit envers elle-même. Malheureusement, les habitudes serviront uniquement à renforcer les sentiments de supercherie et à les rendre de plus en plus difficiles à déraciner.

Les différents types du complexe de l'imposteur

Le bourreau de travail

Nous avons tous entendu parler de cette pulsion qui pousse un individu à travailler si fort qu'on croirait qu'il est assujetti à son travail au même titre que l'alcoolique est sous la dépendance de l'alcool. Certes, tous les bourreaux de travail ne souffrent pas du complexe de l'imposteur, mais être esclave du travail est l'un des modèles de comportement du syndrome du CI.

Pour le bourreau de travail souffrant du CI, les longues heures de travail et les efforts soutenus sont la justification même de sa réussite, sa *seule* explication. Aussi se prépare-t-il tôt, bien avant ses pairs, en vue d'une «tâche-performance». Le directeur de service commence à élaborer son rapport avant les autres administrateurs; l'étudiant potasse un examen avant même que ses compagnons ne s'en inquiètent; le rédacteur craint de ne pas pouvoir respecter l'échéance et, longtemps à l'avance, devant sa machine à écrire, peine en attendant l'inspiration.

Cet asservissement au travail ne se limite pas aux tâches professionnelles ou universitaires. Le bourreau de travail du CI à qui on a confié l'organisation d'un souper de Noël commence à en planifier le menu et les décorations dès le mois d'août; la jeune femme qui veut paraître à son avantage lors d'une soirée mondaine s'inquiète des jours, voire des semaines, à l'avance de sa coiffure, de ses vêtements et de son maquillage.

Si les bourreaux de travail du CI abordent projets et situations de la sorte, c'est qu'ils croient que chaque «événement-performance» sera déterminant pour eux. Qu'il s'agisse d'un rapport, d'un test ou d'un dîner, l'événement a le potentiel d'être «le moment de vérité», celui qui les dénoncera comme faussaires à ceux-là mêmes qu'ils cherchent à impressionner.

Vincent, un expert-conseil en gestion de l'entreprise, décrit son sentiment: «Je me sens perpétuellement tenu de maîtriser chaque aspect de mon travail. Chacune de mes consultations chez un client nécessite des heures de préparation, alors qu'un collègue pourrait très bien s'en passer; il déciderait plutôt de rencontrer son client et d'écouter ce qu'il a à dire. Quant à moi, je me suis toujours bâti une sorte de scénario pour la bonne raison que j'ai peur que le client me questionne et me croie automatiquement stupide si je n'ai pas la réponse.»

Les bourreaux de travail du CI réussissent habituellement dans ce qu'ils entreprennent grâce à leur talent et à leur compétence. Le chef de service est félicité pour son rapport dont les propositions suscitent l'établissement d'un nouveau programme; l'étudiant obtient une excellente note; l'hôte et l'hôtesse sont félicités parce qu'ils ont donné la fête la plus remarquable de la saison. Mais la joie que cette réussite occasionne est de courte durée. Ces bourreaux de travail n'arrivent pas à se reposer sur leurs lauriers. Presque immédiatement, ils commencent à se préoccuper de leur *prochain* exploit, en se demandant s'ils pourront conserver l'aura de succès dont ils se sont entourés. *Cette fois-ci*, ils ont pu s'en tirer indemnes, mais la prochaine fois ce sera peut-être «le moment de vérité». Combien de temps encore pourront-ils soutenir leurs efforts démesurés?

Il n'y a pas une tâche qui ne mérite, selon un bourreau de travail du CI, qu'on ne lui accorde le meilleur de soi. Pas question de doser l'effort ou de se ménager d'une manière ou d'une autre. Puisque son asservissement au travail ne connaît aucun répit, il ne voit pas que le succès n'exige pas des efforts soutenus *à chaque fois* et pour *tous* les projets. La part du travail acharné est donc prépondérante, sinon disproportionnée, dans sa conception du succès et ce, au détriment des aptitudes, du talent, des capacités intellectuelles ou de la créativité.

Les bourreaux de travail du CI sont prisonniers d'un cercle vicieux. Ils constatent tout d'abord que leurs efforts titanesques et leur surmenage perpétuel mènent infailliblement au succès. Puis, la composante cognitive de leur façon d'agir entrant en jeu, ils supposent qu'ils manquent de compétence ou de talent *du fait qu'ils doivent trimer si dur pour réussir.* De là à déduire qu'ils n'auraient jamais atteint leurs objectifs sans tous ces excès de travail, il n'y a qu'un pas.

«Je crois bien que si je suis là aujourd'hui, c'est surtout grâce à mon ardeur au travail et parce que j'ai un certain charme», explique Sara, une orthophoniste de trente-huit ans. Chez nous, toutes les femmes ont eu le coeur à l'ouvrage, ma mère en particulier. Les hommes se sont laissé dorloter parce que les femmes ont toujours pris soin de tout. On s'attendait à ce que je sois aussi forte et travailleuse qu'elles, alors vous pensez bien que le travail ne me fait pas peur... je n'ai connu que ça. Pourtant, je pense parfois que si j'étais *vraiment* douée, je n'aurais pas à travailler aussi fort. J'imagine que si je continue à travailler au même rythme, c'est que tout repose là-dessus. Je crains que tout l'édifice ne s'effondre, si je m'arrête.»

Les bourreaux de travail du CI se disent volontiers des «mordus du succès», sous-entendant par là que la mesure de succès qu'ils obtiennent reflète moins leurs aptitudes naturelles qu'une somme de travail supérieure à la moyenne. Au premier chapitre, j'ai cité une étude menée par Jeanne Stahl et ses collègues auprès de 41 étudiantes noires spécialisées en sciences, de niveau secondaire. Cette étude signalait que 55 p. 100 de ces jeunes filles attribuaient d'emblée leurs succès scolaires à des facteurs autres que l'intelligence; par exemple, le travail intense et assidu.

Lorsque les enquêteurs leur avaient demandé si elles croyaient que leurs professeurs ou leurs parents avaient déjà surestimé leurs capacités intellectuelles, 79 p. 100 d'entre elles avaient répondu dans l'affirmative pour les professeurs, et 68 p. 100 pour les parents. «Il ressort clairement, notaient Stahl et ses collaborateurs, que ces femmes se considèrent comme des «mordues du succès» et que leurs réalisations sont le fruit du travail et de la chance, et non de l'intelligence que d'autres pourraient leur reconnaître.» [2]

Pour mieux comprendre le modèle du bourreau de travail du CI, il est utile de se référer au «principe de covariance» [3] du psychologue Harold H. Kelley. Ce principe établit que l'homme de la rue a recours à la même méthode que le scientifique pour vérifier la validité de ses hypothèses sur les causes d'un événement donné. De même qu'un scientifique multipliera les variables expérimentales pour voir si l'effet d'un phénomène demeure constant, la plupart des gens changeront systématiquement les circonstances d'une situation pour voir s'il existe un lien causal entre elles.

Voyons comment ce principe pourrait s'appliquer dans nos vies. Un conférencier, à l'occasion, s'aidera de ses nombreuses notes lors d'une allocution et, d'autres fois, parlera d'abondance à son public; s'il est invariablement bien reçu, il sera de plus en plus assuré qu'un talent d'élocution véritable est la cause des applaudissements. Une maîtresse de maison préparera des repas tout simples à certaines occasions et composera un menu fin à d'autres; si elle s'aperçoit que ses invités aiment venir chez elle dans les deux cas, elle fera de plus en plus confiance à ses qualités d'hôtesse. Un étudiant mettra les bouchées doubles quand il le faudra, tout en éprouvant le besoin de tirer au flanc de temps en temps; s'il réussit à obtenir d'excellentes notes quoi qu'il arrive, il saura compter de plus en plus sur ses capacités intellectuelles.

Les bourreaux de travail du CI, en revanche, ne manifestent pas cet instinct qui pousse à faire varier les circonstances; ils négligent de se conduire en bons scientifiques. Ils préféreront accumuler des liasses de notes *chaque fois* qu'ils devront parler en public, préparer des menus recherchés pour *chaque* dîner entre amis, s'assommer d'étude *quel que soit* l'examen. Ils ne se décident pas à modifier leur comportement pour voir ce qui pourrait en résulter.

De ce fait, ils déprécient leurs dons naturels dans l'explication de leurs succès et, parallèlement, gonflent l'importance de leur constant labeur. Bien entendu, personne ne peut nier que l'ardeur au travail est un facteur crucial de la réussite; pour le bourreau de travail du CI, cependant, c'est le *seul* facteur. Il ne semble pas comprendre qu'un travail acharné ne peut pas garantir *en soi* un succès durable. À cause de ses habitudes de travail contraignantes, il se prive sans le savoir de découvrir la place qu'occupent les aptitudes, la compétence et le talent dans sa réussite.

Le penseur magicien

Certains bourreaux de travail du CI sont aussi des «penseurs magiciens»; mais n'importe qui pourrait se reconnaître dans ce modèle de comportement. «La pensée magique» est une expression utilisée par les psychologues pour désigner la croyance qu'ont certaines personnes que leurs pensées peuvent modifier la réalité. Ce mode de pensée n'est pas conforme au raisonnement logique; bien au contraire, un individu espère (ou craint) pouvoir modifier le cours des événements tout simplement par ce qu'il pense.

Pour les victimes du CI, la pensée magique revêt l'aspect d'une inquiétude constante et rituelle au sujet de leur rendement ou de l'exercice de leurs fonctions. Le «penseur magicien» a des visions d'échec intenses et persistantes au moment où il s'apprête à accomplir une tâche. Étant donné qu'elles sont souvent naturellement douées, ces victimes du CI arrivent habituellement à leurs fins. Mais le rituel des incertitudes et des tourments n'est pas moins soudé, dans leur esprit, à l'idée du succès et ce n'est pas elles qui manqueraient de les respecter. Elles ne se permettraient pas, par exemple, de nourrir des pensées optimistes face au succès, craignant justement que celles-ci n'entraînent un échec. Elles sont portées à croire que l'inquiétude a le pouvoir d'un talisman contre l'échec.

Les «penseurs magiciens» entretiennent religieusement leur pessimisme devant un succès à venir. L'avocat prépare sa cause en songeant aux attaques de la partie adverse contre les faiblesses de son argumentation. Tout en remplissant sa demande de subvention, le scientifique anticipe un refus. Alors que son directeur lui confie un nouveau projet, le jeune cadre entrevoit déjà de piètres résultats. Celui ou celle qui sollicite un rendez-vous imagine une humiliante rebuffade.

Cette forme d'inquiétude devient un rituel qui précède chaque «tâche-performance» du «penseur magicien». Une appréhension opprimante vient assombrir ses préparatifs; il s'interdit toute pensée optimiste face au succès. Chaque mois, Anne doit rédiger un compte rendu à l'intention de son patron. «Pas un mois ne passe sans que j'aie l'impression que, cette fois, je ne pourrai pas y arriver, dit-elle. J'y suis arrivée la dernière fois, mais je ne sais pas comment. Chaque nouveau rapport est meilleur que le précédent et pourtant cela ne me facilite pas les choses, au contraire. Je me dis: «J'ai eu de la chance pour les derniers. Cette fois-ci, il n'en ira pas de même.» C'est la même histoire chaque fois que je commence *quoi que ce soit.*»

Carrie est décoratrice d'intérieurs à Boston, elle se spécialise dans l'aménagement des bureaux. Même si ses clients se sont toujours montrés satisfaits de son travail, elle commence chaque nouveau contrat en redoutant qu'il ne révèle son manque de talent. «Je n'ai jamais entrepris un boulot sans craindre de rater mon coup. J'en deviens superstitieuse. Lorsque je suis au volant, je me dis: «Si le prochain feu ne change pas avant que j'arrive à l'intersection, tout va bien marcher, ils ne vont pas critiquer ce que j'ai choisi.» J'essaie de me convaincre qu'on ne va pas me renvoyer ou, si ça ne marche pas, que ce ne sera pas la fin du monde, que ça ne sera pas forcément de ma faute. Ça me fait peur.»

En toute logique, le «penseur magicien» sait fort bien que l'inquiétude n'est pas ce qui engendre le succès. Toutefois, quand l'émotivité s'en mêle, il croit que le fait d'anticiper de bons résultats peut faire se retourner le destin contre lui en le privant de son succès. Du reste, puisque le rituel *semble* bien fonctionner jusqu'ici, pourquoi donc renoncer à une valeur sûre?

Le «penseur magicien» du CI trahit quelques-unes des caractéristiques obsessionnelles décrites par le psychologue David Shapiro de la

UCLA dans son étude sur les genres de personnalités et de caractères. Dans son ouvrage *Autonomy and Rigid Character*[4] («L'autonomie et le tempérament rigide»), Shapiro démontre comment certains caractères obsessionnels s'obligent délibérément, par un acte de volonté, à appréhender les pires infortunes. Sur ce type de personnalité, Shapiro écrit: «Toute autre attitude lui paraîtrait irresponsable et négligente, d'une nonchalance à s'attirer des ennuis, ou reviendrait, selon l'expression d'une personne de ce groupe, à se bercer de douces illusions.»

Shapiro poursuit ainsi sa description de l'inquiétude rituelle: «C'est la manifestation d'une volonté soumise et coercitive qui s'oblige, sans répit, à imaginer le pire, à le regarder bien en face, à en épuiser toutes les possibilités. On oserait même avancer que, pour certains, se faire du souci peut devenir aussi contraignant et inévitable que le travail pour d'autres.» Shapiro établit un autre lien entre certains individus obsessionnels et les «penseurs magiciens» du CI. D'après ses observations, il apparaît que ces individus n'arrivent pas à adhérer fermement aux désastres qu'ils inventent, car, si cela était le cas, ils se comporteraient autrement et s'entoureraient de précautions plus réalistes. À titre d'exemple, la personne qui appréhende constamment de perdre son poste ne se met pas, en réalité, à la recherche d'un autre emploi. «Ce genre de personne, écrit Shapiro, ne croit pas tout à fait à la vraisemblance de ses visions de malheur, mais, étant douée d'une conscience très sensible, elle ne peut ni les exclure ni en faire fi.» Il en va de même pour le «penseur magicien» du CI.

La superstition et les rituels ne sont certainement pas des phénomènes récents. On en trouve des traces dans les cultures les plus diverses tout au long de l'histoire. Plusieurs d'entre nous entretenons différentes sortes de rituels dans nos vies. Peut-être que le vôtre est un «rituel matinal» qui vous conditionne pour la journée (le café d'abord, *ensuite* la douche, mais jamais l'inverse). Nombre d'entre nous croient à certaines formes de superstition, ou du moins les tolèrent. Nous acceptons, entre autres, que les édifices soient conçus «sans» treizième étage parce que le chiffre treize est censé porter malheur. Et combien d'adultes choisissent de contourner une échelle dressée plutôt que de passer en-dessous, histoire de ne pas tenter le destin? Enfin, en prononçant l'expression «toucher du bois», pouvez-vous résiter au rituel du geste?

La théorie psychanalytique considère que l'attitude superstitieuse est un vestige de l'enfance, tout comme des temps primitifs. Connaissez-vous l'ancienne chansonnette américaine «*Step on a crack, break your mother's back*» («Si tu marches sur les fissures du pavé, tu blesses gravement ta mère»)? Voilà un exemple de rituel de l'enfance. Même si l'enfant sait rationnellement que le fait d'éviter les fissures et les lignes du trottoir ne garantit nullement sa mère contre les blessures, ses émotions l'incitent à obéir à ce rituel parfaitement inutile.

Pour l'enfant, ces rituels sont souvent un moyen de nier ses propres sentiments d'agressivité, d'envie, de jalousie et d'hostilité. Parfois, un enfant évitera les fissures du pavé pour «protéger» sa mère, alors qu'il cherche en fait à la garantir contre son propre désir inconscient de lui faire mal. En effet, quoi de plus terrifiant pour l'enfant que de découvrir de tels sentiments en lui et de ne pas arriver à les maîtriser. Les rituels offrent alors un moyen de les conjurer.

Le «penseur magicien» du CI est également poussé à obéir à des rites, en l'occurrence à entretenir une appréhension. Cette appréhension n'est pas constructive: elle n'aidera pas à conserver un emploi ou à conclure une transaction importante. Pourtant, le «penseur magicien» craint de rompre avec le rituel de l'inquiétude. La superstition a prise au niveau des émotions, quel que soit le potentiel intellectuel de la personne.

L'aimable timide

«L'aimable timide» est une expression qui pourrait décrire certaines victimes du CI d'une réserve extrême, sans prétention, et peu disposées à accepter les éloges. Que quelqu'un s'avise de les complimenter pour leur travail, leur bon goût ou leur souci des autres, elles résisteront spontanément à ces égards. Répondre par un «merci» tout simple leur est peu naturel. Au contraire, elles se croient tenues de relever les moindres défauts de ce qu'elles ont fait, les subtiles omissions, tout ce qui gagnerait à être amélioré. Elles se comparent volontiers avec ceux qui se révèlent «véritablement» doués, créatifs, séduisants, altruistes, etc.

«Qu'on me félicite pour mon travail, mon apparence, ou mes chaussures neuves, je réponds invariablement quelque chose comme: «Mais non, non, pas vraiment...», confie une jeune femme. Je rougis et baisse piteusement la tête. Je ne dirais jamais: «Merci, c'est vrai.»

Dans certains cas, l'aimable timide aura appris par expérience qu'il est inconvenant de refuser les compliments en raison de la gêne que cela occasionne. Il s'efforcera alors de murmurer: «Merci», puis se taira. Mais il aura livré un dur combat contre lui-même pour ne pas contester le compliment. Ainsi, même s'il est capable de faire bonne figure aux louanges en public, il continuera à les nier intérieurement. «Au départ, me dit un homme, j'ai eu beaucoup de mal à accepter les compliments. J'estimais que mon travail n'était jamais aussi bon qu'il aurait dû l'être et j'en percevais dès lors les faiblesses. Je me demandais d'ailleurs pourquoi je n'avais pas vu ça au moment où je le faisais. De toute façon, aujourd'hui je me contente de dire merci.»

En son for intérieur, l'aimable timide croit que toute démonstration de fierté de sa part sera vraisemblablement punie par un cuisant échec. Peut-être craint-il d'éveiller des sentiments de jalousie chez certains, au point que ceux-ci se mettraient à espérer la dénonciation de sa médiocrité et de son incompétence. L'humilité et la modestie sont ses boucliers contre la dénonciation qu'il redoute. «Bienheureux les humbles», voilà sa devise inavouée.

L'aimable timide du CI a souvent une peur panique d'être jugé arrogant, car il redoute les représailles. S'il bombe un peu trop le torse, les autres ne vont-ils pas l'exclure de leur cercle, médire de lui sournoisement ou se mettre à rivaliser avec lui? En refusant les compliments ou les éloges, il cherche donc à se protéger contre toutes attitudes ou apparences d'arrogance.

S'il acceptait les louanges, l'aimable timide craindrait de se mettre ainsi en avant et d'accélérer automatiquement sa disgrâce. Mais, s'il ne peut recevoir le jugement favorable des autres, il ne peut non plus l'utiliser pour se faire une idée de lui qui englobe l'image du succès. Renier les éloges et les réactions favorables accroît le doute de soi plutôt que l'assurance.

Ces personnes, du reste, réagissent aux compliments de multiples façons. Elles peuvent ressentir de l'anxiété, de la gêne ou de la méfiance envers celui qui les complimente. Ou encore, elles supposeront tout bonnement que leur interlocuteur n'a pas pris conscience de la part du hasard dans leurs réalisations. D'autres considèrent qu'une approbation non mitigée ne doit jamais être prise au sérieux; il faut que celle-ci s'accompagne de propos critiques pour être valide. «Si quelqu'un me félicite pour mon travail, j'ai une sorte de mouvement de repli et je me demande ce qu'il veut de moi», explique Mélissa, une assistante à la recherche dans un laboratoire d'analyses. «Est-ce qu'il m'encense pour mieux me préparer au coup de grâce? Ou est-ce qu'il chante les louanges de mon travail parce qu'il n'y a pas d'autre poire sur qui laisser tomber le prochain sale boulot? Extérieurement, j'ai cessé de résister aux bonnes paroles de peur qu'ils s'aperçoivent de mes doutes face à mon travail.»

Des timides, à un certain niveau, estiment qu'ils méritent l'admiration et la reconnaissance des autres. Cependant, le moment des éloges venu, ils n'arrivent pas à les accepter tout à fait. Associée dans un cabinet d'avocats, Louise connaît sa valeur professionnelle. Un jour, l'associé principal du cabinet a grandement apprécié un dossier juridique qu'elle avait rédigé. Il a informé les autres avocats que c'était l'une des meilleures causes dont il avait pris connaissance, et formulé le souhait que les dossiers du cabinet soient toujours aussi irréprochables. Voici en quels termes Louise a décrit sa réaction: «Je *savais* que ce dossier n'était pas bon. Il n'était pas mauvais, mais ce n'était *rien* en comparaison de ce dont j'étais capable. Il avait été si facile pour moi de le faire que je m'en suis tirée très vite, et c'est un peu pourquoi il n'avait pas tant d'importance à mes yeux. Compte tenu du niveau de difficulté, je considérais que ça ne valait pas grand-chose. Je me disais: «Oh, il dit ça parce qu'il m'aime bien; pauvre de lui, je gage qu'il n'a jamais vu un bon dossier de sa vie.»

L'aimable timide fera l'impossible pour refuser un compliment. Il sait nier les preuves objectives de sa compétence de plus d'une façon: en dénigrant la valeur de sa production ou en exagérant ses faiblesses, en se dissociant du mérite attribué à ses réalisations, en dévaluant les opinions des experts qui les apprécient. Ceux qui correspondent à ce modèle de l'aimable timide saisissent rarement avec netteté ce qui soustend ce comportement. En fait, leur refus instinctif des compliments traduit le besoin inconscient d'éviter une certaine notoriété et tous les désavantages qui, craignent-ils, sont liés au fait d'être reconnu pour son succès.

Le charmeur

Le charmeur du CI a le goût de l'exploit et de la réussite tout en se révélant séduisant, sympathique, sociable, spirituel, chaleureux, voire, dans certains cas, flirteur. Grâce à sa personnalité, il produit une impression très favorable chez les autres. On recherche volontiers sa compagnie.

D'habitude, la personnalité avantageuse de ces individus remonte à l'enfance. À l'école secondaire, ils étaient populaires et appréciés — sans doute président du conseil étudiant, animateur d'activités parascolaires ou athlète vedette de l'école. Ils ont toujours eu des rapports faciles avec les autres. En ce qui a trait au savoir-faire en relations humaines, ce sont des chefs de file.

Bien entendu, toutes les personnes charmantes n'ont pas nécessairement l'impression de jouer un jeu. Ce qui distingue le charmeur victime du CI, c'est ce qu'il *pense* de sa propre adresse en relations sociales. Les charmeurs croient qu'ils s'en tirent en exerçant leur charme, ou qu'ils montent en grade *à cause* de leur charme et non à cause de leurs «vraies» aptitudes. Leurs relations d'affaires, leurs emplois, leurs amis ont été obtenus, croient-ils, par l'effet de leur charme. Mais ils soupçonnent que, sans leur entregent, les offres d'emploi se feraient rares, et les amis aussi. Ils expriment une ambivalence lorsqu'il s'agit de faire la part de cette habileté sociale dans leur succès. Les charmeurs se décriront comme ayant un certain «flair» ou un certain «style», en laissant supposer que cette enveloppe dissimule un contenu décevant.

Lucie, agent d'importation, a toujours passé dans sa famille pour une «Miss personnalité». Maintenant adulte, elle n'ignore pas que son aisance sociale joue un rôle dans l'établissement de contacts d'affaires ou la conclusion des accords pour sa compagnie. Malgré tout, elle demeure très sceptique quant à la valeur de cette habileté et s'interroge sur sa «pertinence». «Lorsque votre spécialité professionnelle implique que vous ne voyiez les gens qu'une ou deux fois par année, commente-t-elle, la personnalité est un facteur-clé de votre succès. Or même si je sais cela, je continue à penser que mon charme naturel est sans intérêt et même légèrement irritant.»

Pour Lucie, exercer son charme sur autrui équivaut à une forme de manipulation. «C'est tout simplement amener les gens à faire ce que vous voulez. J'imagine que je suis portée à sous-estimer ce qui m'est facile et à surestimer ce qui me préoccupe davantage. Tout est si simple que j'ai l'impression que ça ne peut pas être correct, que ce n'est probablement pas un vrai talent.»

Quoiqu'elle mette en doute le fait que son charme soit une habileté réelle ou un talent, Lucie considère qu'il aide à dissimuler son manque d'aptitudes dans l'exercice de sa profession. «Je crois que c'est important en affaires d'être une personne avec qui il est agréable de travailler. Par contre, si le charme et la personnalité sont les seuls fondements de ta carrière et qu'un jour ils commencent à te faire défaut, ça peut devenir assez inquiétant. Ce qui fait que les patrons médiocres sont médiocres, selon moi, c'est qu'ils deviennent patrons par le seul biais de leur personnalité. En fait, il faut avoir accumulé beaucoup de connaissances et avoir quelque chose de significatif à transmettre.

«Il m'arrive, si j'ai une affaire urgente à régler, de fixer le mur de mon bureau en pensant que je ne m'en sortirai jamais et que je vais me mettre dans de beaux draps. Les gens vont commencer à douter de moi et ce sera le début de la fin.»

Si vous avez toujours été engageant, populaire, tout en remportant des succès dans votre carrière, vous avez le choix entre deux explications pour rendre compte de la relation de cause à effet entre vos réalisations et votre charme personnel. Si vous ne vous considérez pas comme un imposteur, vous pouvez vous dire que la personnalité peut aider à établir d'importants contacts, ou à décrocher un premier contrat ou un premier poste. Vous supposez, par contre, qu'à long terme votre réputation se fonde sur la qualité de vos services. Vous êtes une personne qualifiée, douée, compétente qui atteint chaque fois ses objectifs et qui, de plus, dégage beaucoup de charme. Ce qui est sûr, c'est que peu d'employeurs ou de clients cèdent au charme au point de garder à leur compte quelqu'un qui n'arrive pas à fournir ce qui est exigé. Ce serait au-dessus de leurs moyens.

Par ailleurs, si vous êtes une personne chaleureuse, charmante, mais qui éprouve des sentiments d'imposture, vous voyez probablement la chose d'un autre oeil. Vous craignez peut-être que votre habileté dans les relations sociales ait jeté un voile trompeur sur vos faiblesses. Ceci est l'aspect cognitif de ce modèle.

Le doute s'installe lorsque le charmeur du CI se convainc que les séductions et le petit côté sympathique de sa personne l'enveloppent d'une sorte d'«aura» qui brouille jusqu'au jugement des experts. Ses doutes sur son talent et sa compétence s'affirment tout particulièrement quand on le félicite pour son travail que l'on considère comme une réussite. Le moindre éloge est immédiatement désavoué et réduit à une surestimation fondée sur des apparences trompeuses.

Les schèmes de pensée du charmeur l'empêchent d'accepter et d'intégrer les éloges. Les commentaires favorables qui devraient le stimuler tombent, en réalité, dans l'oreille d'un sourd. Et le cercle n'est pas rompu.

Bien que le charmeur du CI puisse être homme ou femme, certains aspects de ce modèle concernent plus particulièrement les femmes. On ne saurait nier que notre culture valorise grandement l'attrait physique chez les femmes et que, en conséquence, plusieurs d'entre elles s'efforcent de correspondre à un idéal de beauté. Dès l'adolescence, si ce n'est plus tôt, elles investissent beaucoup de temps, d'argent et d'efforts pour se rendre plus attrayantes.

En outre, même si les attitudes sociales évoluent sensiblement, bien des femmes grandissent avec la conviction qu'elles ne doivent pas exprimer trop d'agressivité, pour ne pas perdre leur féminité et se rendre indésirables aux yeux des hommes. Comme solution de rechange, on leur a inculqué (directement ou indirectement) qu'il faut faire du charme pour arriver à ses fins.

Rien de surprenant à ce que certaines femmes ayant recours à ces moyens estiment que leur apparence et leurs agissements comportent quelque chose de fabriqué. Elles auront peut-être l'impression de faire semblant, de jouer un personnage, ou de déguiser leur «vrai moi». Le fait qu'elles se sentent en contradiction avec ces comportements transmis comme étant «convenables» et désirables pour une femme ne peut qu'augmenter leur culpabilité et leur confusion.

Ce terrain peut se révéler particulièrement glissant pour la femme d'affaires souffrant du complexe de l'imposteur. L'employée dotée d'une belle apparence est appelée à se demander si ses promotions n'ont pas été motivées par son charme, son physique ou sa sexualité, plutôt que par les mérites de son travail. De nombreuses femmes m'ont effectivement confié qu'à un moment ou l'autre, elles ont soupçonné que des occasions d'affaires ou d'avancement leur avaient été offertes à cause de leur charme ou de leur beauté.

Voilà une situation à double tranchant. Si une femme attribue tout le mérite de ses réalisations à de telles qualités, c'est qu'elle ignore sans doute que le talent et les aptitudes sont essentiels au succès. En revanche, si elle choisit d'affadir sa beauté ou sa vivacité naturelle afin de se soustraire au problème, elle se prive d'atouts parfaitement légitimes.

Se trouver prise dans un tel engrenage peut devenir un sérieux problème pour la jeune femme douée qui veut jouer la carte du mentor masculin en vue d'une carrière prometteuse (il en va de même pour les jeunes hommes qui auraient trouvé un mentor féminin). Imaginons, par exemple, l'étudiante de maîtrise qui désire gagner l'attention d'un professeur homme. La disponibilité des meilleurs professeurs étant assez limitée, les étudiants sont tenus de se disputer leur temps comme ils le peuvent. Les étudiantes les plus séduisantes essaieront peut-être de flatter, d'amuser leurs professeurs ou de flirter avec eux, éveillant parfois l'envie des compagnons ne jouissant pas des mêmes avantages physiques ni du même entregent.

Par le charme et les coquetteries, on parvient souvent à obtenir une invitation toute spéciale à prendre un café ou une bouchée. Une fois seule avec son professeur, la jolie étudiante peut s'appliquer à l'intéresser à son travail de recherche; elle peut tout au moins bénéficier d'un préjugé favorable, à condition que sa technique de séduction ne soit pas trop appuyée (et parfois même, malgré la lourdeur de cette dernière).

Je n'avance pas que l'étudiante dont la production universitaire est faible pourra ainsi s'en tirer avec une mention honorable. Je signale simplement qu'elle a choisi de profiter de certains atouts de sa personnalité pour prendre de l'avance sur ses «compétiteurs» étudiants, tout comme une jeune cadre stagiaire pourrait utiliser la même tactique dans le but d'attirer l'attention d'un membre du conseil de la direction. Pour celle qui se croit une faussaire, cependant, le recours à de tels procédés ne sert nullement sa cause. Lorsqu'on lui accorde le temps, l'attention et l'approbation qu'elle recherche pour ses idées et son travail, elle n'est jamais tout à fait certaine que son charme, son apparence ou sa personnalité n'ont pas leurré son professeur (son patron ou son mentor) sur la qualité de ses connaissances ou sur son intelligence.

On comprend mieux pourquoi Yvette, une jolie et attachante jeune femme qui croit «tirer profit» de son charme, n'arrive pas à oublier l'incident suivant. Elle venait de passer une entrevue où elle s'était présentée devant un comité de sélection en vue d'un emploi. Plus tard, on lui avait appris qu'après son départ, l'un des interviewers avait fait cette remarque: «Charmante comme elle est, qui ne voudrait pas l'embaucher!»

Il peut certes arriver qu'une relation avec son patron, son professeur ou son mentor prenne une tournure romantique ou sexuelle. Mais ceci n'est pas nécessairement le résultat d'une manipulation. D'habitude, la protégée idéalise son partenaire au point qu'elle en devient amoureuse, ou qu'elle croit le devenir.

Pour la victime du CI cependant, l'aboutissement de la relation est prévisible. Elle se demande si elle ne perpétue pas la vieille routine du «chantage sexuel». Elle redoute l'envie ou le mépris de ses collègues de travail ou d'études («Celle-là, elle négocie ses promotions à l'horizontale!») et s'imagine qu'ils guettent le faux pas qui entraînera sa déconvenue. Pour compenser, elle vise un haut degré d'excellence, exigeant d'elle-même un rendement supérieur à celui de ses pairs. Elle éprouve le besoin de prouver aux autres — et d'abord à elle-même — que sa réussite ne tient pas uniquement à sa situation privilégiée.

Qu'il soit homme ou femme, le charmeur victime du CI se caractérise par sa façon d'interpréter l'influence de sa sociabilité sur ses succès. Il sait qu'il a une grande facilité à se lier avec les gens, mais il ne s'interroge pas moins sur la valeur de cette disposition. Une fois de plus, il n'applique pas la méthode du bon scientifique: il affirme sans preuve que sans cette disposition à établir des liens il n'aurait pas accompli grand-chose.

Le caméléon

Dans le film *Zelig*, Woody Allen incarne un personnage qui change d'apparence et de personnalité — voire de race ou de nationalité — pour se confondre avec la personne qu'il accompagne. En se métamorphosant ainsi pour ressembler aux autres, Zelig espère être aimé et accepté. Je n'insisterai pas sur le fait que, dans la vie, personne n'arrive à se transformer d'une façon aussi miraculeuse et radicale que Zelig. Néanmoins, certaines personnes, qui se croient des imposteurs, adoptent exactement la même attitude. Pour gagner la faveur d'autrui, elles gomment leur personnalité pour emprunter celle d'un autre.

Ce sont ces personnes que je désignerai sous le nom de caméléons du CI. À la manière de ces reptiles qui changent de couleur de peau pour se marier harmonieusement à leur environnement, elles s'adaptent aux circonstances angoissantes en épousant la personnalité des autres. Elles se confondent avec l'autre, se mettent en accord avec ses manières de penser et d'être. Lorsqu'un caméléon recherche l'approbation de quelqu'un en particulier, il peut aller jusqu'à imiter sa façon de se vêtir ou adopter son passe-temps favori.

En devenant presque semblable à la personne qu'elle accompagne, cette victime du CI cherche à se protéger. Elle s'invente un camouflage pour cacher ses imperfections — imperfections jugées néfastes. Par ce tour de passe-passe, personne ne saura reconnaître la personne incompétente et bornée qu'elle croit être.

Maxime, directrice de production dans une compagnie de produits conditionnés, évoquant sa façon de traiter avec les gens parle d'un style caméléon. «En règle générale, je m'entends plutôt bien avec les gens, dit-elle. Je saisis d'abord superficiellement ce qu'ils sont et j'essaie d'être suffisamment comme eux pour qu'on puisse s'entendre. Je les écoute beaucoup; je parle probablement moins que la moyenne et je suis moins tranchante dans mes opinions. J'essaie d'écouter ce que tous les autres ont à dire et j'en tiens compte. J'imagine que je manipule les gens jusqu'à un certain point en les écoutant. J'ai gagné bien des batailles en laissant la bobine se dérouler en écoutant et en écoutant encore, tout en faisant de petits signes de tête. Après un certain temps, ils se fatiguent et s'arrêtent d'eux-mêmes! Si vous n'en dites pas trop, ils pensent que vous êtes vraiment au courant. Vous n'avez pas trahi votre ignorance. D'après mon expérience, ceux qui parlent beaucoup ne font que révéler jusqu'à quel point ils sont ignorants, alors qu'avec ceux qui réussissent à se taire, impossible d'être jamais sûr de rien.»

S'ils ne partagent pas l'avis de la personne dont ils désirent l'approbation, les caméléons font taire leur conscience et énoncent leur accord de vive voix. Sinon, ils optent tout simplement pour le silence.

Imaginons un cadre lors d'une importante réunion. S'il est du type caméléon, il est peu probable qu'il prenne la parole si son opinion diffère de celle d'un chef de service ou du directeur, de la firme. Quoique son point de vue soit solidement étayé, il craint de l'exprimer. Ses raisons? «Si je suis en désaccord avec mon directeur, il se peut que je fasse erreur. Toute l'assemblée sera alors en mesure de voir le vice caché de mon raisonnement et je passerai pour un idiot. D'ailleurs, si je lui donne tort, le patron va m'en vouloir.»

Ce qui ne manque pas d'arriver dans ces circonstances, c'est qu'un autre participant — qui n'éprouve aucun sentiment d'imposture — «vole» la primeur au caméléon. L'intervenant expose l'argument qui, à l'instant, faisait tergiverser le caméléon et se voit attribuer tout le mérite pour son point de vue éclairant et bien structuré.

À certaines occasions, il peut s'avérer pratique et réaliste de se rallier au patron, quel que soit le fond de notre pensée. Il n'empêche qu'un employé peut se faire valoir en apportant des idées neuves, et même en aidant le directeur à voir qu'il fait peut-être fausse route. Pour certaines personnes, toutefois, être en désaccord avec un supérieur paraît un trop grand risque; elles craignent que le cadre ne se sente menacé et qu'il ne sévisse contre elles. D'autres calculeront: «Peut-être le patron va-t-il adopter mon idée ou suivre mon plan pour tel projet. Mais si les choses tournent mal, c'est moi qui vais écoper. Le patron et tous les employés s'apercevront que ma suggestion était stupide et se repentiront de m'avoir écouté.»

Les caméléons peuvent faire montre de beaucoup plus d'audace quand il s'agit de promouvoir la cause d'un autre. Ils font de bons disciples et de fidèles adeptes, jusqu'à devenir des calques parfaits de ceux qu'ils admirent.

À trente-neuf ans, Francine est la première femme à occuper un poste de direction dans le service des ventes de l'entreprise où elle travaille à Cleveland. Ayant atteint ce statut en affaires, elle raconte comment elle a commencé à faire siennes les valeurs (les «couleurs» selon son expression) de ses collègues masculins. «J'ai voulu m'adapter à eux, explique-t-elle. Au début, je sortais avec les gars prendre un verre le vendredi soir. Je me suis laissée couler dans le moule d'abord, et cela n'avait rien de bien étrange pour moi parce que j'aime faire la fête et m'entourer de gens. Au début donc, c'était correct. Mais vous finissez par occuper une certaine position où il *faut* que vous fassiez telle chose, cela est exigé de vous. C'est le milieu qui le veut et vous n'avez rien à redire. Si ça ne vous convient pas, vous ne faites plus partie de l'équipe.»

Avec le temps, Francine a trouvé qu'elle devenait de plus en plus comme eux. «Mes vieux amis du début de ma carrière ont remarqué des changements chez moi, qui sont, je le sais, tout à fait réels. Une certaine dureté, un certain cynisme. J'ai toujours eu le sens de l'humour, mais dorénavant il a une pointe acide.«

Dans les rôles de sa vie privée, l'attitude accommodante du caméléon cache souvent la peur d'exprimer de la colère. Certains caméléons évitent de s'opposer ou de discuter avec un ami de peur de perdre son amitié. S'ils sont délaissés, c'est qu'ils auront été de «mauvais» amis. La femme qui craint de ne pas être une «bonne» épouse peut être amenée à croire qu'il est de son devoir d'approuver son mari en public, ou du moins de garder le silence, même si son point de vue est totalement divergent. Bien entendu, elle a conscience de cette divergence, laquelle engendre un sentiment intime d'inauthenticité.

L'aspect cognitif de ce modèle de comportement est particulièrement difficile à exorciser. Le caméléon du CI qui emprunte des comportements factices est parfaitement conscient d'adopter des attitudes ou d'exprimer des opinions qui ne sont pas les siennes. Voilà qui donne une bonne prise à son impression d'imposture. Or, en se regardant agir ainsi, il conclut de façon erronée qu'il n'en serait pas arrivé là s'il était vraiment intelligent, compétent, ou s'il avait tout simplement quelque valeur.

Ce que le caméléon du CI doit comprendre, c'est que la tactique qui consiste à «se confondre avec son milieu» — à se mettre en accord, à se montrer conciliant ou à garder le silence — n'est pas une preuve d'incompétence, mais une façon de faire face à son anxiété. Cette victime du CI «change de couleur» pour se munir d'un camouflage protecteur contre tout ce qu'elle redoute: la dénonciation, le rejet et l'attaque personnelle. Ses façons de réagir sont des moyens de défense contre l'hostilité et les critiques qu'elle anticipe, voire contre l'autocritique.

À la vérité, de telles méthodes sont inefficaces puisque ce modèle de comportement engendre à lui seul plus d'anxiété et de culpabilité que n'en produiraient les désaccords, l'expression personnelle, la défense de ses idées et de ses valeurs.

Le bon génie

Tout comme la lampe, dans le conte des *Mille et Une Nuits*, qu'Aladin frottait pour faire apparaître un génie qui comblait tous ses désirs, les victimes du CI que j'appellerai les «bons génies» exaucent les voeux — des voeux d'ordre psychologique cette fois, plutôt que matériel.

Ces personnes sont douées d'une intuition extrêmement fine et d'une sensibilité très développée. Elles sont passées maîtres dans l'art de déceler les besoins psychologiques les plus subtils chez ceux dont elles recherchent l'estime. Contrairement au caméléon du CI qui imite quelqu'un d'autre, le bon génie se concentre uniquement sur ce qu'une autre personne voudrait qu'il soit pour s'efforcer d'y correspondre exactement. S'il faut *dire* l'objet de son désir au génie d'Aladin, le bon génie du CI peut, quant à lui, le deviner. C'est comme s'il jouissait d'une connaissance intime et divinatrice des besoins des autres, comparable à celle d'une mère pour son enfant.

Une fois qu'il a déterminé le besoin ou le désir de quelqu'un — ce qu'il arrive à faire très rapidement —, le bon génie se consacre aussitôt à le combler. Les psychologues diraient qu'il opère en complémentarité, c'est-à-dire qu'il perçoit par intuition et comble le manque quel qu'il soit. Il incarne alors la satisfaction du besoin de l'autre, il devient son «complément».

Prenons, à titre d'exemple, le bon génie qui recherche l'approbation de son nouveau patron. Il pressent d'abord les qualités valorisées par ce dernier et cherche à gagner son attention en les faisant valoir dans son travail. Si le patron a besoin de quelqu'un capable de le défier plutôt que de refléter sa propre pensée, le bon génie dédaigne «le léchage de bottes» pour conquérir son estime à coup de défis. Le patron se sent-il incompris à la maison? Le bon génie lui offre son soutien et tend une oreille sympathisante. Le patron apprécie-t-il l'effet stimulant d'un échange d'idées? Qu'à cela ne tienne, le bon génie provoque des controverses aussi passionnantes que soutenues.

«Par une sorte d'intuition, je sais tout de suite à qui j'ai affaire, avance Roch, directeur artistique. Je suis porté à essayer d'être le genre de type que cette personne recherche. Si je sens qu'elle aime quelqu'un de calme, je m'efforce d'épouser ce modèle, au point de devenir une personne très maniable. Alors je me demande qui je suis vraiment, puisque je correspond à tant de personnages à la fois. Certains me préfèrent du genre rigolo, alors je m'arrange pour les amuser. D'autres me demandent d'être efficace et je m'exécute. Je suis résolu à leur donner ce qu'ils veulent côté personnalité, mais il en résulte que le travail que je fais me paraît accessoire.»

Dans certains cas, le bon génie va jusqu'à répondre aux besoins sexuels de la personne dont il sollicite désespérément la faveur. Ou il préviendra le désir de quelqu'un d'autre par soif de chaleur et d'affection. J'ai demandé à une personne qui souffre du CI en quoi elle se sentait le plus douée alors qu'elle se préparait à choisir sa voie professionnelle. C'était une jolie jeune femme de race noire, douée d'une grande intelligence et manifestant de nombreux talents. Sa réponse me laissa bouche bée: «Je suis très bonne en amour: je devine les besoins des personnes qui me sont chères et je m'arrange pour les satisfaire.»

Viviane, une analyste financière, explique en ces termes comment elle entre en rapport avec les gens: «J'ai parfois l'impression d'avoir une étrange facilité à trouver exactement les mots qu'il faut dans une situation donnée, de sorte que celle-ci évolue à mon gré et que l'autre personne s'y trouve aussi très bien. Même enfant, j'avais le sentiment d'être affreusement précoce parce que j'arrivais toujours à manoeuvrer les choses de façon à faire croire à tout le monde que tout allait comme sur des roulettes.»

Dans les rôles de la vie privée également, il y a nombre de situations où la personne qui se croit un faussaire emprunte le comportement du bon génie, dans l'espoir qu'on lui reconnaisse une certaine validité. La mère affligée de sentiments d'imposture essayera peut-être de pourvoir au moindre besoin de son enfant, en anticipant ses demandes; elle cherche ainsi à faire valider sa conception personnelle de la «bonne mère». Un autre sera à l'affût de chaque désir de son amante pour le combler aussitôt, espérant lui épargner les frustrations et les insatisfactions de la vie; en agissant de la sorte, il cherche à faire valider sa vision personnelle de l'amant parfait, bienfaiteur de l'être adoré. La personne qui passe des heures tourmentées à chercher le cadeau idéal pour un ami veut sans doute faire la preuve qu'elle coïncide avec l'image idéalisée de ce qu'un bon ami doit être.

Qu'il soit en présence d'un patron, d'un mentor, d'un client, d'un ami ou d'un amant, le bon génie considère qu'il est de son devoir de satisfaire les besoins de l'autre. À première vue, on pourrait croire qu'il néglige ainsi ses besoins personnels; en réalité, son comportement vise surtout à se mériter un jugement favorable dans un domaine quelconque. Malheureusement, à l'instar des autres modèles du CI, ce type de comportement a un effet contraire à celui qui est escompté.

Comme l'avaient observé Clance et Imes, certaines victimes du CI qui s'appliquent à satisfaire les besoins d'un mentor dans un milieu d'affaires espèrent en fait que celui-ci reconnaisse leurs aptitudes, leur talent et leur intelligence. Elles veulent recevoir, pour ainsi dire, le sceau qui les authentifie. Pourtant, lorsqu'elles sont enfin saluées et admirées, les victimes du CI n'arrivent pas à y croire; elles considèrent cette évolution comme le résultat de leurs prétendues machinations et non comme le fruit de leur mérite [5].

En réfléchissant quelque peu à son expérience, le bon génie du CI s'aperçoit qu'il est dans une impasse. Si l'appréciation et l'admiration qu'il sollicite ne lui sont pas accordées, il cesse de se voir comme un «être d'exception», car il a failli à son idéal. La vérité est qu'il a permis que sa perception de lui-même dans un certain rôle soit tributaire du jugement d'autrui, ou de l'absence de jugement. Si c'est le cas, il se mettra à douter de lui-même et à penser: «Je ne suis vraiment ni doué ni talentueux. (Je ne suis ni une bonne mère, ni un bon amant, ni un bon ami.)» Par ailleurs, si les personnes sollicitées le gratifient d'éloges, de reconnaissance et d'amour, le bon génie interprète ces récompenses comme le résultat de tactiques mesquines et non comme la preuve de sa valeur. «M'apprécient-ils, m'admirent-ils et m'aiment-ils réellement pour ce que je *suis*, se demande-t-il, ou simplement parce que je réponds à leurs attentes?» Une fois de plus, un modèle du CI ne fait que miner la confiance personnelle.

Chapitre III

Se sentir faux dans sa vie privée

Tout petit, il vous semblait que chacun autour de vous détenait un secret fondamental auquel vous n'aviez pas accès. Les autres paraissaient savoir ce qu'ils faisaient. Cette conviction devenait un peu plus ferme à chaque nouvelle école fréquentée. D'année en année, les mutations professionnelles de votre père faisaient de vous l'éternel «petit nouveau» et, chaque fois, toute une ribambelle d'usages était à maîtriser. La couleur de votre bicyclette ne convenait jamais, ni celle de vos chaussettes... Ce n'est qu'au collège, où tout le monde fait peau neuve, que vous avez commencé à «piger» comment on se fait des amis et des relations utiles. Vous y deveniez expert, mais vous sentiez qu'il s'agissait d'un talent fraîchement acquis, alors que d'autres y excellaient naturellement. Finalement, vous avez réussi à faire marcher tout le monde, mais en craignant toujours un peu que quelqu'un ne découvre votre manège ou qu'on ne vous dénonce comme un imposteur dans le cercle social.

Jay McInerney, Bright Lights, Big City.

Jusqu'ici, nous nous sommes contentés d'examiner le complexe de l'imposteur attaché aux rôles que les gens jouent dans leur travail ou dans leurs études. C'est sous cet angle que le CI a d'abord été révélé aux psychologues: des personnes nous ont confié les sentiments de supercherie qu'elles éprouvaient par rapport à leur carrière ou à leur projet d'études. Les recherches menées dans ce domaine se sont donc concentrées sur des personnes dans le contexte de leur emploi. C'est dans le milieu du travail que nous avons pu identifier et mieux cerner le complexe de l'imposteur.

Mais, par la même occasion, j'ai pu relever une particularité nouvelle: mes patients et d'autres victimes du CI m'apprenaient qu'ils se sentaient également inauthentiques dans leur vie privée, dans des situations qui n'ont donc rien à voir avec leur travail. Ils se voyaient en imposteurs dans leur rôle d'ami, d'amant, de conjoint, de parent, ou en tant que fils ou fille. Ils disaient même avoir usurpé la qualité d'adulte, ayant l'impression de n'être au fond qu'un enfant qui «joue à la grande personne». Leur prestance, leur sociabilité, leurs liens familiaux, leur amour pour les autres, leur statut social, tout cela, à leurs yeux, était de la frime. L'authenticité de leurs gestes charitables et altruistes, voire leur humanité fondamentale, était remise en question.

J'ai entendu les mêmes réflexions qu'avaient émises d'autres victimes du CI au sujet de leur rôle professionnel: «Je ne suis vraiment pas la personne que je parais être. Je fais semblant et j'ai peur qu'on ne le découvre autour de moi.» J'ai eu tôt fait de me rendre compte que le complexe de l'imposteur embrassait beaucoup plus que le monde du travail. Il est temps, pour nous psychologues, de redéfinir le complexe de l'imposteur de manière à y inclure la vie privée.

Pour comprendre comment s'infiltre le complexe de l'imposteur dans les rôles privés, voyons encore une fois en quoi consiste un rôle. Lorsque j'emploie le mot «rôle», je fais allusion au comportement pertinent et prévu qui est associé à la position ou au statut d'un individu. Nous sommes tous appelés à jouer divers rôles au cours d'une journée. Il arrive souvent que, sans même le savoir, nous passions presque instantanément d'un rôle à un autre. «Jouer un rôle» n'est pas synonyme de «faire semblant» ou d'agir de façon empruntée.

Si vous êtes une épouse et une mère qui travaille à l'extérieur, dès votre lever vous aidez probablement vos enfants à se préparer pour l'école; de 7 à 8 heures du matin, vous jouez votre rôle de mère. Vers les 9 heures, vous êtes à votre bureau dans votre rôle de femme d'affaires. À 18 heures, vous allez prendre un verre avec une copine de longue date, ce qui vous fait passer au rôle d'amie. Au souper, à 20 heures, en compagnie de votre mari, vous retrouvez enfin votre rôle d'épouse.

Ces rôles ne comportent certes rien de faux ni d'emprunté; ce sont les facettes d'une identité personnelle. Grâce à ces rôles, nous parvenons à établir un certain ordre dans nos interactions sociales. Du reste, à chaque rôle correspondent des règles de conduite propices à son accomplissement. En habillant vos enfants pour aller jouer dans la neige, vous portez peut-être une robe de chambre, mais, un moment après, pour rencontrer un nouveau client potentiel vous vous présenterez tout autrement.

Nous endossons un certain nombre de rôles simultanément. Lorsque vous et votre conjoint dînez au restaurant, vous ne faites pas que tenir vos rôles d'époux; vous assumez également les rôles de «clients de restaurant». Vous commandez votre repas, vous mangez, vous acquittez l'addition et partez. Voilà la ligne de conduite de votre rôle. Il n'est pas question d'apporter avec soi la nourriture et les couverts, de disposer les meubles à son goût et de laver la vaisselle après le repas (à moins que vous n'ayez essayé de sauter l'étape «paiement»).

Les choses se compliquent au moment où quelqu'un commence à se demander s'il s'acquitte assez bien, ou avec suffisamment de sincérité, de son rôle personnel — même si personne dans son entourage ne semble en douter. Il est beaucoup plus difficile de mesurer le succès dans nos entreprises personnelles. Aucun repère — du genre salaire, titre de fonction, décorations ou prix — ne vient nous rassurer au long du parcours. De nombreuses personnes n'en nourrissent pas moins bien des préjugés sur ce qu'elles *devraient* ressentir et sur le comment elles *devraient* se comporter dans leurs divers rôles.

Nous sommes parfois en mesure de juger par nous-même que nous exerçons bien notre rôle: quand ce ne sont pas les autres qui nous en portent témoignage! Cependant, si nos sentiments profonds contredisent nos actes, nous nous mettons à douter de notre sincérité et à imaginer que nous nous «jouons la comédie». Les sentiments de supercherie éprouvés dans certains rôles personnels s'accompagnent, de façon typique, de sentiments de culpabilité. C'est que ces rôles impliquent des interactions directes avec notre entourage, le plus souvent des proches qui nous sont chers. Or, si vous estimez que vous trompez quelqu'un avec qui vous avez des liens étroits, vous en éprouvez sans doute de la culpabilité et de la honte.

Ceux qui souffrent du complexe de l'imposteur dans leur vie personnelle ont habituellement une explication pour rendre compte de leur «réussite» en tant qu'ami, amant, parent, etc. D'ailleurs, ils n'attribuent pas leur succès au même genre de facteurs que les victimes du CI dans le contexte du travail. La chance, le travail acharné ou le sens du moment opportun n'ont plus cours désormais. Lorsqu'il s'agit de rôles de la vie privée, ils parlent plutôt de «soigner la façade». Les victimes croient que leurs actes sont en contradiction avec leurs vrais sentiments, avec ce qu'elles sont véritablement, sous le masque.

Il ne suffit pas de se sentir médiocre ou coupable dans un secteur de sa vie personnelle pour être affligé du complexe de l'imposteur. Trois facteurs distinguent la personne qui souffre de ce syndrome relativement à un rôle personnel:

1. Elle croit que ses sentiments intimes ou que ses faiblesses doivent être gardés secrets.
2. Elle estime que la dissimulation de ses sentiments est une attitude frauduleuse; celle-ci augmente sa culpabilité face à ce qu'elle considère comme son hypocrisie ou son inauthenticité dans son rôle.
3. Elle redoute toute situation pouvant mener à la révélation de ses sentiments secrets.

Tout comme les sentiments d'imposture éprouvés dans le contexte du travail, le sentiment d'être «faux» dans un rôle personnel est d'intensité variable suivant l'individu. Les rôles personnels englobent toutes sortes de situations, de comportements et de sentiments. Le rôle de «fils», par exemple, diffère grandement de celui d'«ami». Pour comprendre comment le complexe de l'imposteur peut miner les rôles personnels, il serait opportun d'examiner ces rôles un à un. J'ai sélectionné plusieurs des rôles les plus répandus, ainsi que ceux qui entraînent le plus souvent des sentiments d'inauthenticité.

Le complexe de l'imposteur et l'amitié

Plusieurs personnes m'ont avoué qu'elles ne se croyaient pas des amis authentiques. Selon elles, un ami se doit d'adopter une certaine façon d'agir et d'éprouver certains sentiments. Même si elles *agissent* comme «elles le devraient», elles n'éprouvent pas toujours les *sentiments* «qu'il faudrait» en posant de tels gestes. À leurs yeux, elles ne sont tout simplement pas à la hauteur du portrait idéal qu'elles se font d'un ami.

Bien des images peuvent surgir lorsqu'on essaie de déterminer ce qui fait un ami idéal. Certains verront un ami comme quelqu'un d'agréable à fréquenter, toujours prêt à accueillir les autres avec chaleur et sympathie, ou quelqu'un qui ne saurait refuser un service à un ami dans le besoin. En poursuivant dans ce sens, on pourrait facilement conclure que, pour être un ami authentique, il faut être fidèle à cette image. La conception de ce qu'est un ami idéal devient alors le critère qui permet d'évaluer sa valeur en tant qu'ami.

Mais tout comme tel individu peut sentir qu'il «joue la comédie» dans son rôle de vice-président de compagnie, tel autre peut avoir l'impression qu'il ne fait que simuler son rôle d'ami.

Supposons que ce soit samedi après-midi et que vous ayez une série impressionnante de commissions à faire. Au moment où vous alliez sortir, une amie vous téléphone et vous demande de l'accompagner dans les magasins afin de l'aider à choisir une toilette pour le mariage de son cousin. Comme c'est la seule journée de la semaine qui vous permette de voir à vos affaires, vous préféreriez ne pas y aller.

Si vous ne vous interrogez pas sur l'authenticité de votre amitié, plusieurs solutions s'offrent à vous. Vous pouvez vous excuser en expliquant que vous avez trop à faire; ou vous pouvez dire à votre amie que vous la rencontrerez plus tard, une fois que vous serez débarrassée de vos courses et qu'elle aura pu courir rapidement quelques magasins. Enfin, vous pouvez lui donner tout de suite rendez-vous en reportant allègrement vos commissions à la semaine suivante, un point c'est tout.

La situation risque de n'être pas du tout la même si vous doutez d'être une amie véritable. Vous répondrez: «Mais bien sûr, je me ferai un plaisir de te rencontrer.» Vous *voulez* sincèrement venir en aide à votre amie et vous exécutez avec le sourire. Au fond de vous-même pourtant, vous savez que vous préféreriez vaquer à vos propres affaires; aussi commencez-vous à vous sentir coupable parce que votre entrain n'est pas entièrement sincère. «Une amie vraie ne penserait pas autant à elle, songez-vous; moi, je fais semblant d'être une amie. Je me moque même de ce qu'elle va porter à ce fichu mariage. Je dois être franchement détestable; il ne faut pas que qui que ce soit s'en doute.» Vous essayez ainsi de vous montrer digne d'une image idéalisée de l'amitié. Parce que vous n'êtes pas infailliblement disposée à prêter main-forte à une amie, vous croyez manquer d'une qualité morale essentielle et vous vous accusez d'être fausse dans votre amitié.

Ces personnes qui interrogeaient devant moi l'authenticité de leur sentiment d'amitié sont souvent les compagnons les plus obligeants et les plus attentifs que l'on puisse souhaiter. Elles se donnent du mal pour aider les autres, écouter leurs problèmes, être disponible à toutes heures du jour et de la nuit. Mais, à l'occasion, elles remarquent que certains de leurs sentiments intimes démentent leurs actes; leurs émotions se soulèvent contre le comportement qui leur vaut des commentaires du genre: «N'est-ce pas qu'elle est merveilleuse?» ou «Quel type formidable!»

Renée, vingt-sept ans, est secrétaire dans un grand centre hospitalier. Les employés de son service forment une sorte de petite famille et elle entretient avec eux des liens étroits. Voilà quelques années, au printemps, Renée se porta volontaire pour organiser le pique-nique annuel de son service. Elle se montra si experte à trouver un bon site, à tenir les comptes et à planifier le menu dans le détail, que ses collègues lui demandèrent de s'en charger de nouveau au printemps suivant.

Elle avait acquis la réputation de quelqu'un qui se saigne aux quatre veines pour les amis, qui sait leur rappeler de façon engageante ce qu'ils doivent apporter — et qui s'en occupe elle-même au dernier moment si l'un d'eux oublie ou semble débordé. Les employés s'amusaient tant à ces pique-niques qu'ils en étaient venus à compter sur ses bons services chaque année.

Bien qu'elle aime recevoir les témoignages enthousiastes de ses collègues, Renée a bientôt senti naître en elle du ressentiment. Il lui semblait que ses services étaient maintenant quelque chose d'entendu. D'une année à l'autre, elle assumait l'organisation de la sortie, mais elle en retirait de moins en moins de plaisir; au contraire, des sentiments d'amertume s'installaient, drainant son énergie, et entraînant fatigue et dépression.

En dépit de cela, Renée continuait à prendre cette tâche en charge bon an mal an. Elle s'empêchait de la refuser ou de la déléguer à quelqu'un d'autre, de peur de dévoiler à tous qu'elle n'était pas l'amie dévouée qu'ils croyaient. Elle ne voulait pas que les autres voient «la preuve» de son égoïsme, de sa colère et de son hypocrisie. Elle avait en horreur les sentiments négatifs qu'elle éprouvait parce qu'ils semblaient l'accuser de ne pas être une amie véritable.

Renée ne tenait aucunement compte de ce que pouvaient représenter tous les efforts qu'elle avait consacrés à ses amis pendant des années. Ce qu'elle *ressentait* avait plus de poids pour elle que ce qu'elle avait *accompli*. Ses sentiments n'étant pas tout à fait positifs, elle préférait les taire et les laisser couver. Puisqu'*elle* minimisait tout ce qu'elle avait fait pour ses collègues au cours des ans, elle était certaine qu'ils feraient de même. Il ne faisait pas de doute dans son esprit qu'une fois qu'ils auraient découvert ses sentiments négatifs, ils jugeraient qu'elle n'était pas l'amie qu'ils croyaient connaître.

Cécile, trente-trois ans, adorait voyager avec son amie Alix. Toutes deux avaient fait ensemble de nombreux voyages de détente depuis l'époque du collège en Nouvelle-Angleterre. Après leurs études, elles s'étaient établies à Seattle, la ville natale d'Alix. Avec les années, et grâce à de meilleurs salaires, elles ont pu s'offrir des voyages plus coûteux et exotiques: séjour de ski en Suisse, tour du Japon et de l'Inde.

C'est à Cécile qu'incombait toujours la planification de ces voyages, car les consultations avec les agents de voyages et le rituel des réservations ennuyaient Alix. Cécile mettait donc plusieurs mois à organiser leurs expéditions annuelles. Elle s'y plaisait au début: elle aimait échanger et se documenter sur l'endroit qu'elles avaient choisi, rechercher les restaurants susceptibles de leur plaire, dénicher les boutiques originales. C'était une façon d'anticiper le plaisir du voyage lui-même.

Une année, Cécile s'était épuisée à travailler d'arrache-pied pendant plusieurs mois; l'idée d'un voyage ne l'emballait guère cette fois et elle aurait apprécié qu'Alix se charge des premières démarches de la planification. De son côté, Alix continuait de s'en remettre à son amie et, comme Cécile ne lui demandait rien, elle ne lui proposa pas son aide. Cécile se mit donc à s'occuper des détails du voyage, mais elle n'éprouvait plus le plaisir et l'enthousiasme habituels, elle ressentait maintenant de la colère et de l'animosité envers son indolente amie. En fin de compte, elle trouva l'endroit parfait au bon prix, mais le forfait exigeait que le voyage ait lieu le mois suivant. Alix annonça qu'elle ne pouvait pas partir aussi tôt à cause de la maladie de son frère et de son rétablissement incertain.

Cécile était en colère, puis devint abattue. Elle se sentait étouffée par des émotions troubles. Elle évitait d'exprimer son ressentiment et sa déception à Alix, de crainte que celle-ci ne découvre le côté «enfant gâtée» qu'elle se reprochait et ne la considère plus comme une «vraie» amie, mais plutôt comme une sorte d'usurpatrice, une femme qui entend n'en faire qu'à sa tête, ne concédant rien aux autres. Cécile se résolut à annuler le voyage. Elle dit seulement à Alix qu'il était préférable qu'elles le remettent jusqu'à ce que son frère soit rétabli.

Quoique pénibles, de tels sentiments de rancoeur n'ont rien d'anormal. Il n'en demeure pas moins que les victimes du CI interprètent sévèrement leurs ambivalences, ou tout décalage entre leurs sentiments intimes et la reconnaissance dont elles bénéficient pour leur comportement «public». Ce décalage est jugé comme une preuve de leur hypocrisie, de leur amitié factice et ce, en dépit des marques d'estime qu'elles reçoivent. Elles n'exigent d'elles-mêmes rien de moins que d'être en tout temps des amis parfaits, en intentions comme en actes.

À trente-six ans, Lloyd est un psychologue californien qui se voit comme «un type affable», quelqu'un sur qui on peut compter. «Je suis même sans doute plus conciliant que de raison, et parfois plus que je ne le voudrais vraiment. Je suis probablement apprécié autant que je crois l'être parce que je suis un peu spécial. Si j'étais aussi morose, aussi changeant et, à l'occasion, aussi égoïste que l'est, je crois, «le gars ordinaire», alors je deviendrais tout aussi ordinaire, et l'affection et le respect dont je suis entouré se dissiperaient rapidement.»

Lloyd a compris ce qu'il pouvait gagner à soigner cette image d'ami conciliant et fiable, et pourquoi il devait hésiter à y renoncer. «Au plus profond de moi, expliquait-il, c'est un investissement dans mon image personnelle. Je mise énormément sur le fait d'être quelqu'un de «spécial». Je crois d'ailleurs que c'est plutôt ainsi que mes amis et mes pairs me perçoivent, et j'appréhende que cette particularité puisse être compromise. J'ai peur que ma perception de moi-même comme personne aimée et respectée ne se dissipe un jour. Je ne crois pas *vraiment* que cela puisse arriver mais, jusqu'à un certain point, je *sens* que cela peut arriver. Voilà pourquoi j'ai si peur d'être mis à nu.»

Comme cet homme, bien des gens considèrent qu'entretenir l'image de l'ami idéal les autorise à se sentir «uniques». Ils craignent de perdre cette impression d'être «hors du commun» le jour où ils décevront quelqu'un, où ils ne seront pas disponibles, accommodants et entièrement au service de leurs amis. Lloyd a su s'affranchir de cet esclavage avec le temps; il a appris qu'un refus ne veut pas nécessairement dire qu'il est un ami médiocre et qu'il va lui en coûter l'amour, l'admiration et le respect d'autrui. Quant à Renée et Cécile, elles avaient l'impression que leurs «défauts» sauteraient aux yeux si elles n'étaient pas des amies parfaites en tout temps. Il leur en coûterait, selon elles, leur réputation de bonne amie, au point d'être rejetées et exclues.

À partir de ces exemples, nous pouvons voir que le complexe de l'imposteur opère à peu près de la même façon dans les rôles personnels et professionnels. Les victimes du CI dans les rôles personnels, dont celui d'ami, sont reconnues par tous comme étant «parfaitement aptes» à exercer leur rôle. Elles se sentent alors contraintes de maintenir ce niveau de haute estime.

Paulette évoque ses années de collège où on l'avait surnommée «la parfaite confidente». Des amis venaient lui confier leurs problèmes en toute confiance. «J'étais ce que tout un chacun voulait que je sois — et on voulait que j'écoute, raconte-t-elle. J'en étais venue au point où je ne pouvais plus vraiment écouter personne. Je restais assise sans bouger et je faisais semblant de suivre.» Malgré ses penchants personnels, Paulette n'en continuait pas moins de faire ce que les autres attendaient d'elle (comme le «bon génie» décrit au deuxième chapitre). Elle feignait de leur donner ce qu'ils réclamaient.

Bien des «confidents» sont modelés depuis l'enfance. Même dans leur famille, on leur savait gré d'être compréhensifs avec discrétion. Empathiques, ils aidaient les autres à exprimer leur pensée et à trouver des solutions à leurs problèmes. Ils étaient reconnus comme le genre d'ami à qui on peut confier ses secrets. Avec la maturité, ce trait est devenu une part importante de l'image qu'ils ont d'eux-mêmes en tant qu'amis. Ils hésitent à la modifier de quelque façon que ce soit; à cause d'elle, ils se sentent uniques, utiles, aimés. Un confident peut aussi être décrit comme une sorte d'«ange gardien», quelqu'un qui, sans intervenir, aide les autres à se développer, qu'il s'agisse de jeunes soeurs ou frères ou d'un parent.

À l'occasion, toutefois, ces individus meurent d'envie d'être ceux qu'on écoute, mais ce désir suscite un conflit interne: ils craignent de perdre leur statut spécial en devenant des «demandeurs» plutôt que des «donneurs». Ils se cramponnent donc à leur rôle plus familier de confident, renonçant à la douceur de laisser un autre leur rendre la pareille. Évidemment, des sentiments de privation et d'amertume en résultent, mais la victime du CI préfère conserver son image de «confident» de façon à garder sa réputation d'ami attentif. S'il n'est pas indéfectiblement tout oreilles (ce qui est parfaitement impossible), il sent qu'il usurpe la réputation qui lui est si chère.

Certains amis se font apprécier pour leurs bons conseils. On vient à eux pour être éclairé et guidé dans les moments de confusion ou de conflit personnel. Cette réputation est également lourde à porter: qui, en effet, peut trôner en sage en tout temps? Un ami prit dans cette situation voudra peut-être sauvegarder sa réputation de personne «avertie» parce que c'est ainsi que son entourage le voit. Il se sent néanmoins comme un faussaire, conscient qu'il est de la complexité des problèmes des autres. Un homme s'explique ainsi sur ce point: «Parfois on vient vous demander conseil et, compte tenu de votre propre insécurité, vous vous sentez faux. Pourquoi tous ces gens me questionnent-ils? Je ne suis pas du tout certain de mes réponses. Qu'est-ce qui fait que je suis si avisé à leurs yeux?»

Un autre aspect du CI en amitié est de croire que vous donnez l'impression d'être un meilleur ami que vous voudriez l'être en réalité. En effet, une personne peut se trouver engagée dans une relation à un degré d'affection moindre que l'ami; elle peut alors estimer qu'elle triche en feignant de partager le même intérêt que lui pour le maintien de cette amitié. À la vérité, elle est peut-être peu soucieuse d'entretenir cette relation, ou n'en valorisera qu'un aspect, l'humour par exemple, si son compagnon démontre un sens de la repartie très divertissant.

Dans un tel cas, il faudra que cette personne élucide franchement ce que cette relation signifie pour elle. Son comportement est légèrement factice en ce qu'elle essaie d'égaler l'affection de son ami par des faux semblants. Ce leurre la rend coupable, à ses yeux, d'être un faussaire alors qu'elle ne souhaite qu'épargner les sentiments de l'autre. Elle ne se donnerait pas tant de peine si elle se moquait de son ami...

Il n'y a rien de fondamentalement répréhensible à poursuivre une amitié avec quelqu'un qui est plus attaché à vous que vous à lui. Les relations ne sont pas toutes faites sur mesure et nous n'aimons pas tout le monde de la même façon ou avec la même ardeur. Par ailleurs, il est fort probable que l'autre personne bénéficie de cette amitié de quelque façon, à moins qu'elle ne soit masochiste. Après tout, il lui est tout à fait loisible de mettre fin à cette situation quand bon lui semble.

Le complexe de l'imposteur et l'amour

L'amour romantique, que l'on soit lié ou non par le mariage, est un autre terrain propice aux sentiments d'imposture. Plusieurs témoignages m'ont révélé chez certains la peur de tromper l'autre sur la qualité de leur amour, autrement dit, ils doutent de la sincérité de leur sentiment amoureux. Ceci vaut particulièrement pour ceux qui tendent vers un amour si entier et si accompli qu'ils pressentent intuitivement les besoins de l'être aimé pour s'appliquer à les combler, quoi qu'il en coûte.

Cette idée se vérifie plus facilement au début de l'aventure amoureuse. Dans une situation romantique nouvelle, la plupart des gens cherchent à se mettre en valeur et à produire une bonne impression. Bien entendu, les victimes du CI n'y échappent pas, mais à leurs yeux ce comportement est entaché de fraude. À l'occasion, deux partenaires amoureux éprouvent aussi des sentiments ambivalents l'un envers l'autre. Ils seront irrités par des détails banals («Est-il vraiment nécessaire que tu inondes la salle de bains *tous* les matins?»), ou se demanderont parfois s'ils désirent vivre sous le même toit que l'autre. Les victimes du CI interprètent souvent ces sentiments comme la preuve que leur amour n'est pas «authentique». Et pourtant, leurs actes comme leurs sentiments amoureux traduisent un attachement profond. Bref, leur amour est sans doute authentique, mais non pas parfait ou idéal.

Comme nous avons pu le constater, ceux qui souffrent du complexe de l'imposteur ont tendance à être très conscients des contradictions entre leurs pensées et leurs actes. Par ailleurs, ils veulent se montrer dignes d'une image idéale et tolèrent difficilement que tout ce qui dépend d'eux ne soit pas parfait, au point de buter sur le seul point qui puisse leur donner l'impression d'être factice. L'amour porteur d'une imperfection est automatiquement taré. La victime du CI exagère cette imperfection jusqu'à douter de son amour, jusqu'à se demander s'il n'est pas qu'une illusion destinée à mystifier autrui.

Outre le perfectionnisme, un second aspect dans une relation peut aussi amener quelqu'un à douter de la qualité de son amour. Dans une relation amoureuse intense, les partenaires sont souvent très sensibles aux besoins de l'autre et aspirent à le protéger et à l'assister dans son développement personnel. Ils chercheront peut-être à compenser un manque dans la vie de l'autre, comme cette femme qui pouvait pressentir les moments où son mari réclamait une tendresse que sa mère n'avait jamais pu lui donner. Elle percevait son besoin d'être «materné» et pouvait le combler sans qu'il se sente diminué ou traité comme un enfant.

De la même façon, un homme de cinquante-trois ans pouvait deviner que sa partenaire avait été privée d'affection paternelle dans son enfance. Ils vivaient une relation amoureuse adulte et équilibrée, faite d'une franche camaraderie, d'intérêts communs et d'une relation sexuelle épanouissante; de temps à autre, il l'enveloppait aussi d'une sollicitude paternelle sachant que cela l'aidait à se sentir chérie et féminine.

Conscients d'adopter des comportements maternel et paternel, certains partenaires amoureux doutent parfois de l'authenticité de ce genre d'amour. Ils peuvent avoir l'impression, jusqu'à un certain point, qu'ils trompent ou manipulent leur partenaire en percevant ses besoins psychologiques intimes et en tentant de les satisfaire. Sont-ils aimés en retour pour la simple raison qu'ils comblent ces besoins profonds? Leur relation amoureuse n'est-elle qu'une contrefaçon de la relation mère/fils, père/fille?

Ce type de relation doit être examiné avec attention avant d'être taxé de tromperie. Le désir de combler les besoins les plus intimes de l'être aimé est habituellement un indice de sollicitude et de dévouement. De plus, le fait de se comporter comme un parent protecteur n'est qu'*un* trait caractéristique de la relation globale. Si cet arrangement est viable et que personne ne s'en trouve offensé, pourquoi chercher plus loin? L'amour romantique est une entité complexe où se superposent plusieurs niveaux d'émotions.

Par ailleurs, certaines victimes du CI s'inquiètent de ne pas être à la hauteur de l'amour de l'autre. Une femme s'explique: «Vous pouvez vous mettre dans de bien mauvais draps en vous faisant passer pour quelqu'un d'autre, alors qu'au fond vous savez que vous êtes différente de ce que vous présentez aux gens. C'est à ce moment-là que vous commencez à vous sentir artificielle. Dans une situation romantique, indépendamment de ce qu'un homme peut vous dire pour vous complimenter, si vous vous sentez comme une rien-du-tout, vous pensez: «Oh, il dit ça parce que j'ai soigné mon maquillage ou à cause de cette robe épatante, mais il ne voit pas en moi sinon il pourrait constater à quel point je suis affreuse.»

Les mêmes sentiments de supercherie peuvent hanter les personnes qui endossent les rôles de mari et femme. Des épouses qui se sentent mal à l'aise devant les exigences de leur rôle se résignent néanmoins à le jouer. Ou encore, elles satisfont à ces exigences en surface seulement; en réalité, leurs sentiments ne concordent pas toujours avec leurs actes.

Certains aspects des rôles de mari et femme impliquent de s'exposer en société en tant que «couple». L'épouse du cadre supérieur d'une grande entreprise, par exemple, aura peut-être l'impression de n'être pas à la hauteur de l'image qu'elle projette. Elle aura beau donner d'élégants dîners pour le président de la société et sa femme, briller par sa grâce et son charme durant les rencontres mondaines, en son for intérieur, elle sera toujours la jeune fille de province qu'elle était au début de son mariage. Elle craint qu'un faux pas ne trahisse son bluff ou, si elle possède son rôle à la perfection, elle ne s'y sent pas à l'aise parce qu'il n'exprime pas son «moi véritable».

Le second mari d'Élise a déjà gravi tous les échelons d'une importante société de San Francisco. Aussi est-elle souvent appelée à exercer son rôle de «femme de P.D.G.». Voici ce qu'elle en dit: «Je me compose un personnage pour le monde extérieur, surtout lorsqu'il s'agit des affaires de mon mari. Je suis parfaitement consciente de jouer un rôle; parfois il m'amuse et d'autres fois, il m'assomme. Je décide comment je vais me comporter et comment je vais me présenter. C'est une façon d'être très étrange, très bizarre pour moi. J'ai toujours peur de ces gens, mais je sais qu'ils ont également peur de moi, et c'est pourquoi je me donne beaucoup de peine pour être aimable, accessible et très comme il faut.»

Christina, vingt-cinq ans, originaire du Midwest américain, a dû déployer beaucoup d'efforts pour s'adapter à la famille conservatrice de son ami, établie dans un État du Sud. Elle se sentait très différente d'eux et devenait de plus en plus consciente du désaccord entre le rôle qu'elle s'imposait et ses sentiments intimes. «Lorsque j'ai fait la connaissance de sa famille et que nous avons commencé à sortir tous ensemble, le choix de ma toilette me mettait hors de moi parce que je n'avais jamais le vêtement qui convenait. C'était un supplice: quoi que je choisisse de porter, je découvrais à mon arrivée chez eux que ce n'était pas le bon choix.

«Je me suis toujours sentie incroyablement marginale dans la famille de mon ami, pas du tout dans mon élément. Non que je ne me croyais pas assez «bien» pour eux, mais je n'étais tout simplement pas «conforme». Je n'étais pas comme eux et je n'arrivais pas à m'intégrer. Leurs valeurs différaient passablement des miennes. Je n'arrivais pas à être moi-même avec eux, j'étais obligée de jouer un rôle.»

Christina se sentait prise au piège; elle estimait qu'elle ne pouvait se présenter sous son vrai jour. Ses motivations étaient sincères, bien intentionnées, mais en essayant de se conformer à la famille de son ami, par souci de lui plaire, elle sentait qu'elle se trahissait elle-même, qu'elle présentait un «faux visage».

J'ai reçu en thérapie conjugale des couples qui projetaient une image d'harmonie autour d'eux. Pourtant, ils estimaient cette image factice à cause d'une faille secrète dans leur mariage. Dans un cas, le couple, uni depuis près de trente-cinq ans, avait établi des liens solides. Lorsque les conjoints paraissaient en public — à l'occasion de soirées ou d'obligations sociales —, l'affection qu'ils se témoignaient l'un à l'autre était authentique et sincère. On ne manquait pas de remarquer combien ce couple était tendre et bien assorti, et combien chacun semblait se plaire avec l'autre. Qu'il n'en ait pas toujours été ainsi dans leur intimité ne signifie pas que leur comportement n'était que pure façade! Il n'y a pas deux personnes qui puissent se plaire ensemble sans relâche.

Hughes, marié depuis vingt-sept ans, décrit ainsi ses sentiments: «Il m'arrive de considérer le fait que je sois marié depuis longtemps comme une tricherie. Parfois vous sentez que vous ne voudriez plus être marié et que vous vivez un mensonge. Vous vous laissez prendre au jeu et vous avez l'impression de tricher parce que vous posez des gestes que vous jugez raisonnables, mais sans plus vraiment y croire.» À la longue, toutefois, Hughes a pu constater qu'il avait fait un choix judicieux en respectant son rôle d'époux dans les moments de doute. Par ce choix, il avait protégé la relation conjugale. Bien sûr, peu de gens sont constamment heureux d'être mariés, mais est-il nécessaire de tout abandonner aux premiers signes d'inconstance? Pour atteindre un objectif lointain, il faut parfois s'astreindre à des choses qui ne nous tentent guère sur le moment.

Outre l'aspect romantique, on connaît évidemment bien d'autres formes sous lesquelles se présente l'amour. Ces types de sentiments sont aussi exposés au complexe de l'imposteur. Nous pouvons craindre que ceux qui nous aiment découvrent un jour que nous ne sommes pas ce que nous semblons être, et que cette découverte nous coûte leur amour.

Trudy n'a jamais cessé d'entretenir un lien étroit et affectueux avec ses deux neveux, aujourd'hui âgés de quatorze et seize ans. Accompagnée de son mari, chargée de cadeaux, elle fait régulièrement deux heures de route pour leur rendre visite, leur offrant souvent d'agréables sorties. «Je suis leur tante «branchée». Je travaille à Hollywood et je fréquente une foule de gens célèbres. Les garçons et moi, on s'amuse énormément ensemble; ils me voient comme quelqu'un d'incroyablement intéressant, une femme excitante qui balaie tout sur son passage pour venir les voir.» Mais pour Trudy, tout cela n'est qu'apparences trompeuses.

L'été dernier, les neveux de Trudy sont venus habiter chez elle pendant une semaine. Son mari travaillait à l'extérieur de la ville et cela faisait des années qu'elle n'avait pas été seule avec eux pendant plusieurs jours d'affilée. «J'avais l'impression tenace qu'ils n'allaient plus m'aimer comme avant après ce séjour, dit-elle. Je me disais qu'ils allaient découvrir qui j'étais vraiment — une personne ennuyeuse et moche. Le jour où ma soeur est venue les reprendre, l'un d'eux a laissé sa chambre dans un état lamentable. D'abord j'ai été furieuse puis, parce que j'étais en colère, j'ai pensé qu'il me détestait et que ne pas nettoyer sa chambre était une façon détournée de me dire que je n'étais plus quelqu'un d'exceptionnel pour lui.»

Le complexe de l'imposteur et les parents

Un autre rôle capable de faire naître le sentiment d'imposture est celui de père ou de mère. Il n'y a pas de préparation comme telle à ce rôle puisque chaque stade de développement de l'enfant nous introduit dans un monde de comportements nouveaux. Un sentiment d'inauthenticité peut s'emparer d'un parent qui se croit incapable d'exercer son rôle avec compétence tout en s'obligeant à donner l'impression contraire; il en va de même s'il croit qu'il donne l'impression d'être un meilleur parent qu'il ne l'est en réalité.

Il n'est pas rare qu'un père ou une mère s'interroge sur la façon dont il ou elle éduque son enfant, sur le bien-fondé de ses décisions. Mais ils ne s'accuseront pas pour autant d'être des «parents-imposteurs». Par contre, si un parent juge qu'il est préférable de taire ses doutes personnels pour protéger l'image fausse qu'il a créée, il y a des chances qu'il se perçoive comme un faussaire.

Les parents doutent d'eux-mêmes pour de multiples raisons, surtout s'il s'agit d'un premier enfant. Lorsqu'on a toujours été conscient d'être soi-même l'enfant d'un autre, il peut être difficile de se voir tout à coup comme une «vraie» mère ou un «vrai» père. Des années durant, au cinéma, au théâtre ou dans les romans, l'on s'est identifié aux personnages incarnant les fils ou les filles. Ce n'est donc pas si simple de s'identifier subitement aux mères et aux pères.

Sans trop savoir pourquoi, un homme peut avoir le vague sentiment que son propre père est le «vrai» père; et que lui, quand il a un enfant, n'est qu'un semblant de père. Une femme peut éprouver de la difficulté à concilier les rôles de fille et de mère dans l'image qu'elle se fait d'elle-même. L'étrangeté du nouveau rôle, alliée à la familiarité de l'ancien, pourrait lui donner l'impression d'une feinte. Mais tout ceci devrait se dissiper avec le temps. L'intégration de la part de nous-même qui est encore un fils ou une fille au rôle parental n'est évidente pour personne.

Même pendant sa grossesse, une femme doit envisager des choix qui peuvent l'amener à s'interroger sur son instinct maternel. Optera-t-elle pour l'accouchement naturel en renonçant aux drogues anesthésiques? Quelque chose lui manque-t-il si elle préfère une naissance sans douleur avec anesthésiques? À l'arrivée de l'enfant, il se peut qu'elle se sente bizarrement «déplacée» aux réunions de la Ligue La Leche mais qu'elle s'y tienne coite, comme le ferait un «caméléon.» Peut-être a-t-elle hâte d'en finir avec l'allaitement au sein (ou a-t-elle choisi d'emblée le biberon). Il y a aussi chez l'enfant ce besoin constant d'attention qui pousse la mère à vouloir se distraire ou sortir de la maison à tout prix. Aux prises avec de tels sentiments, une femme est susceptible de douter de ses aptitudes pour la maternité, voire de s'imaginer qu'elle doit «cacher» de semblables instincts «contre nature». Est-elle une «vraie» mère, se demande-t-elle, ou simplement un imposteur qui manque de tout pour s'acquitter de sa mission? Si elle confiait à quelqu'un l'état de sa confusion, elle aurait peur qu'on lui rétorque: «Mais quelle drôle de mère tu fais!»

Nicole est une jeune femme séduisante qui vit avec son mari et son fils de trois ans. Sans pouvoir en parler, elle ne cessait de se faire du mauvais sang parce qu'une amie lui avait fait comprendre qu'elle et son fils n'étaient pas très «liés». Il faut dire que, dès le départ, elle avait eu des doutes sur son rôle de mère. Lorsque son fils pleurait dans la rue, elle avait l'impression que tout le monde l'observait, la critiquait mentalement pour son manque d'instinct maternel. S'il fallait qu'elle réprimande son fils en public, elle s'inquiétait de ce qu'on la juge trop cruelle, ou trop indulgente lorsqu'elle réagissait spontanément. À la plage, en bâtissant des châteaux de sable avec lui, elle se demandait si les autres pouvaient voir qu'elle ne s'amusait pas toujours. C'était comme si elle jouait seulement à celle qui sait prendre soin de son enfant.

En dépit de tous ses efforts pour camoufler son sentiment d'incompétence maternelle, Nicole persistait à croire qu'elle passait pour une vraie mère uniquement parce qu'elle avait un enfant. Elle se sentait souvent enfant elle-même, et la pensée que des étrangers, l'observant avec son fils, puissent constater qu'elle n'est pas une vraie mère l'effrayait.

Nicole croyait en outre que la majorité des mères aimaient rester à la maison à plein temps avec leurs enfants, et qu'elles ne décidaient de travailler à l'extérieur qu'en cas de besoin. Pour sa part, elle n'avait nullement apprécié de rester chez elle toute la journée avec son fils et avait éprouvé de l'ennui et de l'exaspération durant les périodes où cela avait été nécessaire. Elle se croyait seule à rêver d'aller travailler et à ne pas hésiter à laisser son enfant durant le jour.

L'image que Nicole se faisait d'une «vraie» mère, ou de la mère «idéale», était fort éloignée de la réalité. Son instinct était habituellement sûr, mais elle manquait tant de confiance qu'elle préférait calquer son comportement sur celui d'une «hypothétique» mère idéale plutôt que de se fier à cet instinct.

Ce malaise d'être mère s'explique par le passé de Nicole. Sa propre mère avait eu une longue maladie; elle était dépressive et peu disponible à son enfant, de sorte que la petite Nicole avait grandi toute seule, sans que personne lui recommande de se laver les dents ou de s'habiller convenablement pour aller à l'école. Ce modèle de mère déficient avait donc contribué au sentiment d'incompétence de Nicole, de même qu'à sa difficulté de se voir en «vraie» mère.

D'autres pressions sur les parents peuvent aussi entraîner des sentiments d'imposture vis-à-vis de ce rôle. Lorsque des parents divorcés décident de se remarier, la fusion des familles fait parfois jaillir de vives émotions. Luc, qui avait eu deux enfants de son premier mariage, s'est remarié avec une femme qui avait deux enfants également. Leurs enfants se sont durement opposés les uns aux autres. La fille aînée de Luc en voulait tout particulièrement à ses «demi-soeurs», invoquant qu'elles avaient une plus belle chambre qu'elle, plus de vêtements, et qu'elles accaparaient toute l'attention des parents. Elle refusait jusqu'à manger à la même table qu'elles.

En son for intérieur, Luc estimait que tous ces déchirements étaient attribuables à son incompétence de père. Loin de lui la pensée que sa fille exprimait ainsi son insécurité et sa peur face à la nouvelle situation familiale. Du reste, son rôle de beau-père le laissait perplexe: était-ce à lui de punir les enfants de sa femme ou devait-il lui laisser cette tâche? Il n'en savait rien et considérait que c'était sa faute si les enfants ne s'entendaient pas. Les solutions qu'il avait mises à l'essai n'avaient eu aucun effet. Il n'avait pas l'impression d'avoir le contrôle de sa famille, «de tenir le gouvernail», comme il pensait devoir le faire. Tout en s'efforçant d'agir avec une certaine assurance, il se sentait néanmoins comme un père faussaire.

Dans sa jeunesse, Luc n'avait pas connu de modèle paternel; son père, un homme faible et passif, avait abandonné sa mère alors qu'il était âgé de sept ans. Dès lors, il formula ses propres critères sur ce que devait être un père à partir d'un idéal inaccessible. Pour lui, un «vrai» père se devait d'être résolu, meneur, sûr de lui. Il désirait se montrer digne de cette image. Comme il n'y parvenait pas, il concluait qu'il était un raté.

Le nombre croissant des familles où les deux parents travaillent à l'extérieur soulève encore plus de questions sur ce qu'est un «bon» parent. La confusion des rôles règne partout. Qu'est-ce qu'un père est «censé» faire dans la société actuelle? Il est fort probable que son propre père ne lui a jamais changé ses couches ni préparé sa purée de légumes, et il juge sans doute ces tâches peu viriles. Quoi qu'il en soit, on encourage les hommes d'aujourd'hui à partager ces activités avec leurs compagnes. Un homme pourra donc se sentir incompétent en tant que père parce qu'il se juge inapte à prendre soin de son enfant; ou encore, coupable de s'en remettre entièrement à sa femme pour ce qui est de ce programme de petits soins. Il commencera à penser qu'il est un imposteur s'il essaie de dissimuler ces émotions derrière une façade assurée et enthousiaste.

La «superfemme» — épouse-mère-professionnelle — qui assume parfaitement toutes ses responsabilités est un sujet de conversation très en vogue. Toutefois, lorsqu'une femme essaie d'atteindre le niveau d'excellence de la superfemme, elle a souvent le sentiment de mal s'acquitter de chacun de ses rôles. Ce sentiment se transforme même en complexe d'imposture lorsqu'elle a l'impression de faire accroire aux autres qu'elle est une femme parfaite; au fond d'elle-même, elle craint plutôt de ne pas être à la hauteur de ses responsabilités, tout en cherchant à gommer tout signe extérieur de doute.

Comptable agréée dans une agence de voyages et mère de deux enfants, Renata veut exceller dans sa carrière comme dans sa vie familiale. Malgré tous ses efforts cependant, elle avoue qu'elle se sent coupable d'une double imposture. «Je ne fais rien qui vaille nulle part. Je me sens comme une faussaire au travail et à la maison. Parce que je suis tellement fatiguée, je fais peu de lectures pour me perfectionner dans ma spécialité et je ne jouis pas du temps qu'il me reste le soir avec mes enfants.»

En réalité, Renata consacre un temps fou à essayer d'être une mère parfaite pour ses enfants. Elle sort rarement le soir et passe tous ses week-ends avec eux. Elle participe activement au comité de parents de leur école, cherche souvent à se libérer pour rencontrer leurs professeurs, propose son assistance lors d'excursions et demeure disponible pour toutes les activités parascolaires.

Si cette jeune mère décide de se coucher plus tôt ou de s'accorder un peu de répit après une dure journée de travail, elle se sent nécessairement coupable. Elle a le sentiment d'être un imposteur, car *les autres* l'observent et admirent son zèle. En effet, plus d'une mère recherche son avis sur la façon de s'y prendre avec ses enfants. C'est pourquoi elle interprète ses moments d'irritation et d'impatience avec les siens comme une trahison de son rôle de «mère modèle». Elle y voit la preuve qu'elle ne correspond pas à son image publique. Son perfectionnisme l'amène même à penser que sa vie est un fiasco bien camouflé et un mensonge.

La volonté d'atteindre la perfection dans son rôle parental plonge souvent ses racines dans la façon de voir ses propres parents. Elle peut résulter d'un extrême ou d'un autre: une femme qui a idéalisé sa mère, ou un homme qui a vénéré son père, peut sentir qu'elle ou il n'arrivera jamais à égaler cette figure mythique, surhumaine. Une femme m'a décrit sa mère comme étant «belle, chaleureuse, douée, généreuse, unique — impossible à imiter».

Le perfectionnisme peut aussi être fondé sur la volonté d'être tout ce que nos parents n'étaient *pas*. Si nos parents nous ont souvent négligés — à tout le moins si c'est notre sentiment —, il se peut que nous cherchions à compenser ces lacunes en devenant nous-mêmes des parents parfaits. Celui qui affirme: «Je ne crierai *jamais* après mes enfants comme mon père a crié après moi» se sentira humilié le jour où il faiblira et perdra son calme devant eux. Une femme qui jure qu'elle ne critiquera *jamais* sa fille comme sa mère l'a elle-même critiquée sera catastrophée de s'entendre reprocher à sa petite de trois ans: «Mais je viens à peine de te changer de vêtements. Pourquoi ne peux-tu pas rester propre cinq minutes?»

Il nous arrive à tous de dire ou de faire des choses sans y penser et de le regretter aussitôt. Mais dans le contexte d'une relation parent/enfant, de telles maladresses peuvent être jugées comme autant d'accrocs à l'image idéalisée du parent parfait.

Le complexe de l'imposteur et l'adulte «enfant»

Un adulte se sent parfois un imposteur alors qu'il se comporte en «enfant dévoué» envers ses parents. Hormis certaines circonstances inhabituelles, le rôle d'un enfant à l'égard de ses parents se définit sans peine: il est censé aimer ses parents et leur être reconnaissant de lui avoir donné la vie. *Ne pas* les aimer paraît être une anomalie mais, à la vérité, plus d'une personne éprouvent des sentiments ambivalents envers ses parents. Elles les aiment tout en éprouvant de la colère et du ressentiment pour certains événements familiaux passés.

Le second aspect du rôle de l'adulte envers ses parents est celui du devoir. Le fils et la fille devenus adultes sont censés appeler «à la maison» régulièrement, assister aux réunions de famille et s'intéresser au bien-être de leurs parents. Si ces derniers tombaient malades, il leur incomberait peut-être d'assumer la responsabilité des soins.

Compte tenu de l'ambivalence de ses sentiments envers ses parents et de ses obligations à leur endroit, l'adulte peut commencer à se sentir faux dans son rôle de «bon» enfant. Un sentiment d'inauthenticité naîtra s'il a l'impression que ses démonstrations d'affection jettent de la poudre aux yeux. Peut-être qu'il téléphone chez ses parents toutes les semaines pour prendre de leurs nouvelles en ayant soin de parler sur un ton joyeux, alors qu'intérieurement il a honte de ces appels et de sa «fausse» sollicitude. Ne devrait-il pas *vouloir* leur parler? Encore une fois, l'impression d'être un peu insincère équivaut pour cet adulte à trahir son rôle et à se présenter sous des dehors trompeurs. De plus, il croit qu'il doit cacher son «secret». Certaines personnes se sentiront coupables de leurs sentiments contradictoires envers leurs parents mais seront soulagées d'avoir accompli leur devoir filial, alors que celui qui se croit un imposteur s'en trouvera encore plus accablé: il estimera qu'il s'est rendu coupable d'un acte de fraude.

Victor, un homme dans la quarantaine avancée, gardait des liens solides avec sa mère. Même s'il n'habitait pas près de chez elle, il lui rendait visite assidûment à mesure qu'elle prenait de l'âge, puis lorsqu'elle devint malade. «Je l'aimais tendrement, confia-t-il, mais je me sentais indigne parce que je ne me donnais pas assez de mal pour elle. Et je ne parle pas que de sa maladie, mais de toutes les fois où dans sa vie elle a eu besoin de mon aide. Mon frère, qui demeure dans son voisinage, a dû la prendre entièrement en charge au moment de sa maladie.

«J'avais coutume de dire à ma mère: «Viens donc vivre chez moi.» Mais, au fond de moi-même, je me demandais: «Est-ce que je le veux vraiment?» D'ailleurs, advenant qu'elle aurait accepté, comment m'y serais-je pris? Nos modes de vie étaient si différents... Je me sentais comme un faussaire parce que même si une part de moi-même était sincère, une autre ne savait pas comment elle pourrait s'y prendre si tout se concrétisait *vraiment.* J'étais presque soulagé que mon frère demeure dans les environs, qu'il s'occupe d'elle et que je n'aie pas à assumer cette responsabilité. Bien sûr, c'est vrai qu'il était tout près d'elle et que j'habitais à environ cinq heures de route, mais je ne me sens pas moins égoïste pour cela. Il y a des fois où vous dites et faites certaines choses, puis après vous vous posez des questions. Vous ne savez pas si vous dites ou faites ces choses-là parce que c'est les choses à dire ou parce que c'est ce qu'il *faut* faire. Vous vous sentez dénué d'authenticité lorsque vous savez que vous ne pensez pas à cent pour cent tout ce que vous dites.»

Victor éprouvait des tiraillements et des doutes au sujet de ce qu'il *aurait fait* dans une situation qui ne s'est jamais présentée. Cette situation aurait représenté «le moment de vérité» pour lui — celui qui aurait pu exposer au grand jour ce qu'il y avait derrière le masque. À la longue, il a compris qu'une part de lui voulait vivre avec sa mère tandis qu'une autre ne le voulait pas. Or il avait accordé plus de poids à la part qui ne voulait pas. Il a donc pu en conclure: «Oui, j'aimais sincèrement ma mère, mais je ne voulais pas que cela chamboule ma vie.»

Le sujet d'inquiétude de Victor n'était qu'une situation hypothétique. Il imaginait simplement comment il aurait agi dans cette situation. Dans les faits, cependant, il s'avérait que son frère *était* plus disponible pour prendre soin de leur mère. Victor ne pouvait pas vraiment savoir comment il aurait agi dans d'autres circonstances.

De nombreux adultes ont dû faire face à ce genre de situation à mesure que leurs parents prenaient de l'âge. Lorsque la mère de Mia s'est fracturé la hanche, elle est venue en convalescence chez sa fille pendant trois mois. Mia était submergée par la honte et la culpabilité. «Je déteste que ma mère soit près de moi, à plus forte raison dans ma maison. Je ne supporte pas qu'elle me regarde avec des yeux implorants, elle qui a toujours été si dure avec moi quand j'étais petite, si sévère. Je ne l'aime vraiment pas, mais je me sens méchante. Voilà quelqu'un qui est ma *mère* et moi je suis son enfant unique. Elle ne me laisserait jamais tomber si c'était moi qui étais dans ses souliers. Or je n'arrive qu'à voir mon propre égoïsme.»

Mia vivait péniblement sa peur d'être démasquée. Elle a dû «serrer les dents» pendant trois mois pour cacher ses sombres sentiments à sa mère. Cette situation aurait pu être son «moment de vérité». Son choix consistait à adopter cette attitude associée à un sentiment d'imposture, ou à blesser profondément sa mère. Si Mia n'avait été la fille dévouée qu'elle est, elle aurait préféré opter pour le second choix.

Le complexe de l'imposteur et les rapports sociaux

Les occasions sociales peuvent facilement provoquer des sentiments d'imposture. Ces sentiments surgissent parfois au cours d'une soirée parmi un groupe de personnes que vous rencontrez pour la première fois. Vous vous montrez sans doute charmant, spirituel et amusant. Intérieurement, cependant, vous ne vous sentez pas ainsi et toute une série de questions se mettent à clignoter dans votre tête: « Est-ce que je fais bonne impression? Ces gens me trouvent-ils ennuyeux ou stupide?»

Bien des gens ne se sentent pas à l'aise en société. Si vous avez l'impression de jouer pour la galerie un personnage qui ne reflète nullement ce que «vous êtes vraiment», alors vous commencez peut-être à vous sentir comme un faussaire. Vous percevez une sorte de dissonance entre le rôle que vous jouez et votre état intérieur, dissonance qui tend à s'amplifier et à confirmer votre sentiment d'inauthenticité. La personne qui se croit un imposteur en société se caractérise souvent par sa timidité, sa nervosité et sa gaucherie, qu'elle tente de dissimuler sous des dehors décontractés.

Gérard, vingt-neuf ans, se croit «un imposteur social» depuis qu'il est adolescent. Lorsqu'il sortait avec des amis de son âge, il frémissait d'appréhension en lui-même et craignait que cela ne devienne visible et révèle à tous qu'il était différent, qu'il ne cadrait pas, n'était pas au diapason du groupe, bref qu'il était socialement un raté. De plus, comme il était porté à dédaigner ceux chez qui il détectait son propre malaise, il supposait qu'on réagirait de même à son égard.

Même en présence d'une ou deux personnes seulement, Gérard se croyait tenu de faire beaucoup d'esprit, de parler sans arrêt, d'être le point de mire. S'il exécutait bien son numéro, il jugeait qu'il s'amusait et qu'il était maître de la situation. Un événement social, à son sens, était une occasion de briller; aussi s'imposait-il toujours d'évaluer sa performance. Lorsqu'il ne s'amuserait pas — c'est-à-dire lorsqu'il n'avait pas bien exécuté son numéro —, il tombait dans un état de torpeur et de dépression pendant des jours, se considérant comme une nullité.

Affligé d'une timidité extrême, Gérard croyait que tous les regards se braquaient sur lui en société. Il se sentait fortement contraint de cacher son terrible secret, cette impression d'être «bizarre» et d'être une nullité sur le plan social. Il devait déployer tant d'énergie pour briller en société qu'il ne savait plus ce que c'était que «d'avoir du plaisir». Désormais, le plaisir n'était plus une émotion naturelle mais un pourcentage établi selon une échelle de critères objectifs qu'il avait élaborée.

L'importance que Gérard attachait au succès social et à la décontraction remontait à son passé. Sa mère et son frère manifestaient une grande sociabilité que la famille idéalisait. Son père, en revanche, était une personne renfermée et timide que les membres de la famille évitaient; il avait en outre souffert d'une série de désordres psychologiques qui avaient considérablement nui à ses relations sociales. Gérard craignait donc que son introversion et sa timidité ne le conduisent, comme son père, à être banni de son entourage.

Il arrive que des sentiments de timidité refoulés donnent à quelqu'un l'impression qu'il joue un faux personnage. Certaines personnes sont si expertes dans le camouflage de leur timidité, qu'aux yeux des autres, elles paraissent parfaitement extraverties.

Dans son ouvrage intitulé *Shyness*[1], («La timidité»), le docteur Philip Zimbardo, professeur de psychologie sociale à la Stanford University, examine les traits distinctifs du timide «public» et du timide «privé». La personne timide en public n'arrive pas à cacher son embarras aux autres et éprouve un grand malaise face à ses sentiments. La personne timide dans le privé, par contre, parvient à déguiser ses difficultés dans les situations sociales. Ces personnes timides dans l'intimité, observe Zimbardo, évitent souvent d'être repérées en dissimulant leur gêne au moyen d'un savoir-faire en société bien assimilé, ou en fuyant les situations difficiles à maîtriser.

Zimbardo laisse entendre que «les timides se montrent trop souvent préoccupés de savoir si oui ou non leurs actions reflètent leur moi *véritable*». Ce même sentiment anime aussi ceux qui souffrent du CI. Toutefois, l'impression d'être un «imposteur social» n'empêche certainement pas quelqu'un de mener une vie sociale très remplie. Il lui suffit simplement de taire ses impressions sur cet aspect de lui-même.

Nina, quarante-quatre ans, reçoit fréquemment chez elle. Ses efforts pour paraître parfaite ont eu tant de succès qu'elle a découvert que ses amies hésitaient à lui rendre ses politesses de peur de ne pas être à la hauteur. «Je force tellement la note lorsque je reçois mes amis qu'ils n'ont tout bonnement pas l'impression de pouvoir me rendre la pareille, explique Nina. Au fond, j'ai l'impression que si je n'en fais pas deux fois plus que quiconque, on va s'apercevoir que je ne suis vraiment bonne à rien.

«J'essaie de tenir compte de certaines réalités, mais, la plupart du temps, ça ne change pas ma façon d'agir. Je fournis habituellement deux ou trois fois plus d'efforts et d'énergie que la majorité des gens ne le feraient. Ce n'est pas que je sois si formidable, mais plutôt que je sois un peu timbrée. J'ai peur qu'en en faisant moins, on pense que je suis tout à fait maladroite, que je n'arrive même pas à réussir un dîner.»

Nina considérait qu'elle devait être une hôtesse idéale, qu'elle devait surpasser tout le monde pour masquer ses sentiments d'inaptitude.

Le complexe de l'imposteur et l'apparence physique

Pour certaines victimes du CI, une belle apparence contribue de façon significative à leur image publique. Généralement, ces personnes jouissent d'attraits naturels qui ont déjà plus ou moins attiré l'attention. Peut-être ont-elles accumulé des preuves de leurs charmes en se faisant élire reine du carnaval, en gagnant des concours de beauté ou en devenant mannequin. Pourtant, elles croient que leur belle apparence n'est qu'artifice et façade, une illusion forgée de toutes pièces dans le but de soutenir leur réputation de personne attrayante. Elles se sentiront nues et désarmées sans coiffures sophistiquées, sans maquillages et garde-robes au goût du jour. Sans ce «camouflage» elles craignent d'être perçues comme laides ou simplement ordinaires. Parfois, un bouton sur le visage suffit pour qu'elles restent à la maison en attendant d'être de nouveau «parfaites».

Christiane, une jeune femme dans la vingtaine, avait un physique naturellement attrayant. Bien que son poids était maintenant normal pour sa taille, elle n'arrivait pas à effacer ses souvenirs d'enfant grassouillette. Ces années d'embonpoint l'avaient marquée au point qu'elle était incapable de changer cette perception d'elle-même. Pour déguiser la personne corpulente qu'elle croyait être, elle se maquillait avec une grande application et portait des toilettes du dernier chic. Elle s'était même endettée en achetant beaucoup plus de vêtements qu'elle n'en avait besoin. Entre autres, dans son placard, quarante-cinq paires de chaussures étaient alignées.

Lorsqu'on la complimentait sur son apparence ou qu'on l'invitait à une sortie, elle avait le sentiment d'avoir dupé les autres avec tous ses faux-semblants. Elle redoutait le moment où une relation deviendrait assez intime pour qu'on la découvre sans ses beaux vêtements, ses jolis souliers et ses fards. Sans doute appréhendait-elle qu'on ne la perçoive comme cette fille grosse et laide qu'elle avait encore l'impression d'être.

Irène, cinquante ans, se rappelle combien elle a perpétuellement été préoccupée par son apparence. Quoique belle femme, elle avait néanmoins l'impression qu'il lui fallait porter un masque en société à grand renfort de préparatifs aussi fastidieux qu'interminables. Ces préparatifs, à ses yeux, dénonçaient sa supercherie. «Pendant des années, j'ai consacré trois heures à ma toilette quotidienne. Il n'était pas question que je sorte de la maison sans maquillage, je me trouvais si vilaine. Si le moindre de mes cils n'était pas en place, ou si ma coiffure n'était pas irréprochable, je n'étais tout simplement pas prête à me montrer au grand jour, et je ne sortais pas. Je me disais: «Je maquille la tricheuse que je suis.» Sans tous ces «supports», personne ne ferait attention à moi, ni ne m'aimerait; on ne serait pas attiré par moi, on ne me verrait même pas.

«J'arrivais immanquablement en retard à toutes les soirées; il me manquait toujours du temps pour composer ma toilette. Pour la moindre occasion, il me fallait acheter une robe, faute de me contenter de celles que j'avais déjà. J'avais besoin de cette robe neuve pour me donner de l'aplomb. Peut-être que la plupart des femmes ne poussent pas la chose aussi loin que moi, mais je suis convaincue que bien des femmes ont besoin de certains soutiens de nos jours pour se présenter en société.»

Les soins méticuleux qu'Irène apportait à sa mise dataient de son adolescence, mais son but n'était guère de séduire son entourage. Elle voyait plutôt les choses ainsi: «J'avais le sentiment que je ne pouvais pas me présenter au monde sans masque. Si je ne devenais pas cette «autre» personne, je ne me permettais même pas de mettre le pied dehors.»

Avec les années, Irène est arrivée à comprendre et à surmonter son sentiment de supercherie, de même que l'anxiété qu'elle éprouvait à se présenter dans le monde. Avec le recul, elle attribue une part du problème aux normes esthétiques traditionnelles auxquelles sont soumises les femmes de notre culture et aux techniques de marketing qui misent sur la vulnérabilité des femmes face à leur apparence.

«À mon sens, quand notre société nous vend tous ses cosmétiques et ses soins esthétiques, elle nous façonne en quelque sorte. Et si on se sent obligé de se laisser imposer tout ce rituel, alors quand on reste naturel, on ne peut pas ne pas se dire: «Sans mon personnage social, les gens vont découvrir la personne qui s'y cachait derrière et ne s'intéresseront plus à moi.» Aujourd'hui, il faut une tenue spéciale pour chaque occasion: pour la discothèque, une tenue disco; dans le milieu des affaires, une tenue de coupe classique; pour la gym, une tenue de sport . Si vous ne vous pliez pas à ces règles, vous êtes quelqu'un de louche. La plupart des gens sont si peu sûrs d'eux qu'ils n'oseraient jamais déroger à ces lois. Nous nous imposons ces règles vestimentaires parce que, au fond, nous avons le sentiment d'être des faussaires. Même enfants, lorsqu'on allait à une fête d'Halloween, il fallait à tout prix avoir son déguisement.»

Certaines femmes reporteront le souci de leur apparence sur leur maison. Dès lors, il deviendra essentiel pour elles que leur intérieur soit impeccable avant d'inviter qui que ce soit. Elles s'inquiéteront à l'idée d'une visite imprévue quand tout n'est pas parfaitement rangé.

Le sentiment de supercherie concernant l'apparence n'est pas obligatoirement lié à l'idée de beauté. Un jeune diplômé universitaire aura l'habitude de se voir vêtu d'un pull et d'un jean, tenue adoptée durant ses années d'études. Du jour au lendemain, le voici parachuté dans le monde du travail, habillé d'un complet et armé d'un attaché-case. Il accepte cette mise parce qu'elle est conforme à son nouveau rôle; mais il lui faudra du temps pour cesser de se considérer comme un adolescent qui s'amuse à se costumer. Il lui faudra intégrer ce nouveau rôle dans son répertoire.

Le complexe de l'imposteur et la mobilité sociale

Le succès peut introduire un changement radical dans un mode de vie et bouleverser, du même coup, la perception qu'une personne entretient d'elle-même. Le fait de pouvoir s'offrir une nouvelle résidence, la voiture de l'année, des voyages exotiques et une garde-robes fournie n'est pas seul en cause: le succès peut aussi aboutir à un changement de statut social. La réussite financière ou la reconnaissance de ses réalisations dans sa spécialité sont souvent à l'origine d'un tel changement.

L'adaptation peut s'avérer particulièrement pénible pour celui qui vient d'un milieu ouvrier ou d'un milieu défavorisé. Une promotion ou un mariage dans un groupe socio-économique supérieur propulse la personne dans un monde sans points de repère. Dans pareille situation, les victimes du CI ont tendance à se sentir poussées vers un nouveau rôle social qui semble incompatible avec leur perception d'elles-mêmes. Des années peuvent passer avant qu'elles ne s'ajustent à leur nouveau statut; dans certains cas, elles peuvent encore s'interroger sur leur intégration plusieurs dizaines d'années plus tard.

À soixante-sept ans, Virgile parle encore du décalage entre ses modestes origines et son présent statut social. «Ma famille immigrante était de condition très humble, explique-t-il. Aujourd'hui, je vis dans ce quartier huppé qu'est Beverley Hills, et un très long parcours me sépare du passé. Pourtant, il y a des jours où je me demande si je suis vraiment à ma place ici; je ne suis pas loin de me sentir comme un faussaire à certains moments. Vivre dans une maison comme celle-ci et dans un tel voisinage, c'est comme toucher un but, le rêve d'une existence, c'était un exploit inimaginable pour quelqu'un de mon milieu. Mais, à l'occasion, ça fait ressortir toutes mes insécurités et j'ai l'impression de jouer une comédie.

«Évidemment, à la réflexion, je me rends bien compte que la majorité des résidants de ce quartier ne sont pas nés ici. Mais dans les moments de doute, il faut que je me demande: «Est-ce que je suis vraiment à ma place ici?» Ma femme et moi sommes aussi membres d'un club de loisirs très fermé..., l'endroit idéal pour se sentir faux! Et voilà que je me redemande: «Est-ce vraiment ma place?» Oui, bien sûr, c'est ma place, mais il y a bien des moments où je le remets encore en question.»

Au fil des ans, Virgile a pu relativiser son impression de non-appartenance: il s'agissait d'un doute de nature émotionnelle et non rationnelle. «Je suis persuadé que je ne suis pas seul à ressentir les choses de cette façon, surtout dans notre société américaine où les gens réussissent en grand nombre, par un coup de chance, par un coup de maître ou par un travail acharné. Et je suis certain qu'arrivés au sommet, bien des gens doivent se poser la question: «Suis-je bien à ma place ici?» Il est probable qu'ils passent beaucoup de temps sur le divan d'un psychanalyste.»

Le complexe de l'imposteur et la «bonne âme»

Alors que divers interlocuteurs me confiaient leurs sentiments d'imposture, un cas fut fréquemment cité comme étant la cause d'une douleur morale profonde. Il s'agit du cas de la personne «aimable», de la «bonne âme». Ces personnes racontent que, tout en étant perçues comme des êtres fondamentalement bons ou obligeants, elles ont souvent le sentiment profond d'être indignes, mesquines, hostiles, égoïstes, envieuses, voire parfois malfaisantes. Si elles sont aimées ou appréciées par autrui, c'est, croient-elles, qu'elles leur ont fait accroire qu'elles n'ont que des sentiments aimables et des comportements louables; les émotions et les pensées détestables, elles les refoulent en elles comme un secret honteux.

Une femme s'est expliquée en ces mots: «Ça n'a jamais été facile pour moi d'accepter que les gens m'estiment ou qu'ils aient une bonne opinion de moi. Je suis tout à fait consciente de mes pensées malveillantes, abominables, et je ne cesse d'avoir peur qu'on les devine et qu'on s'aperçoive que je ne suis pas «la bonne âme» qu'on croit, mais plutôt quelqu'un de cruel et de sinistre.» Les gens qui nourrissent de tels sentiments d'imposture supposent, à un niveau émotif, que leurs pensées sont plus «vraies» que leurs actes. Ils ont beau se comporter en personnes aimables, charitables ou dévouées, dès la moindre pensée mesquine ou égoïste, ils donnent plus de poids à cette dernière.

Amélie a grandi avec la conviction qu'elle ne pourrait jamais être jalouse. Lorsqu'elle a épousé un homme qui avait une fillette de son précédent mariage, elle a déchanté en s'apercevant qu'elle prenait ombrage des attentions dont il entourait l'enfant. Très attaché à sa petite de six ans, il s'arrangeait pour être avec elle le plus souvent possible. Amélie n'arrivait plus à contenir sa jalousie à cause du temps, des soins, des largesses dont il gratifiait la fillette. Même si elle gardait ses sentiments pour elle, elle s'est mise à prendre en horreur ce qu'elle appelait sa «jalousie perverse». Comment pouvait-on couver une telle amertume à l'endroit d'une petite enfant, se demandait-elle. Elle se voyait comme une hypocrite dont l'image publique bienveillante cachait «une vraie chipie».

Le fait qu'Amélie ait été enfant unique explique en partie sa façon de réagir à ses sentiments: elle n'avait jamais eu à rivaliser avec un frère ou une soeur. C'est à l'âge adulte que ces sentiments de compétition l'ont assaillie et l'ont prise de court; elle n'était pas préparée à y faire face.

Voici comment Anita, quarante-quatre ans, a décrit ses sentiments: «J'ai l'impression que je dois payer pour tout ce que je reçois. Si quelqu'un me donne quelque chose ou fait quelque chose pour moi, je suis immédiatement obnubilée par l'idée qu'il faut que je le dédommage. C'est parce que je me sens indigne, parce que je ne suis pas celle qu'ils croient. Si j'étais telle, je mériterais cette faveur, mais ne l'étant pas, je ne la mérite pas. Quand quelqu'un me donne quelque indication dans la rue, j'ai le sentiment qu'il faut que je coure chez moi pour lui préparer un gâteau.»

Certaines victimes du CI ne se contentent pas d'être «humaines», elles se font aussi un devoir d'être «aimables». Elles ne supportent pas l'idée que l'on puisse les considérer autrement qu'absolument aimables en tout temps. Cette obsession peut affecter n'importe qui, mais je l'ai fréquemment observée chez des gens — surtout des femmes — reconnus pour leur gentillesse depuis l'enfance et qui se sont fortement identifiés à cette manière d'être.

De façon caractéristique, la réputation d'amabilité de ces individus s'est fondée sur leur capacité de ne jamais paraître en colère. Un enfant pourra se faire apprécier parce qu'il est le plus doux et le plus délicat de la famille et qu'il ne laisse jamais exploser ses sentiments d'exaspération ou de rage. En mûrissant, il prend l'habitude de retenir sa colère de façon à conserver son image. Peu à peu, il présume, à tort, que les gens vraiment aimables ne se mettent *pas* en colère, et il tente donc de soutenir sa parfaite réputation de «personne aimable».

Ce genre d'individu est compréhensif, généreux, sensible et empathique. Il sait prêter une oreille attentive au récit des peines d'un ami quelle que soit l'heure du jour ou de la nuit, et n'hésitera pas à remuer ciel et terre pour venir en aide à sa famille, à ses amis, à son patron, à ses collègues de travail et même à des étrangers. Il est très important pour lui que son entourage continue à le voir comme une personne obligeante. Qu'importe la poudrerie ou l'orage, il est heureux d'aller en voiture à l'aéroport accueillir la tante d'une amie. Vous vous apprêtez à recevoir douze convives pour l'Action de Grâce? Bien qu'invité dans sa propre famille, il s'offre pour aller chercher les fleurs, le vin et votre robe chez le nettoyeur. Rien n'est trop coûteux ni trop terre à terre pour lui.

À l'occasion, cette personne concédera un peu plus que des petits services. Lorsqu'elle discute avec un ami du film qu'ils iront voir, elle finira par se ranger à l'avis de cet ami. Elle ne voudrait surtout pas paraître revêche en opposant un refus ou en imposant son point de vue à l'autre. Il est beaucoup plus sage, à ses yeux, d'assister à une représentation qui l'indiffère que de risquer de mécontenter un ami.

Transposé dans le monde du travail, ce modèle de comportement peut entraîner de graves conséquences. L'employé «aimable» sera sans doute conscient d'être sous-payé pour un contrat d'une série d'articles, mais ne se résoudra pas à demander davantage ou à refuser le travail. Il en résultera que sa rétribution ne sera pas à la hauteur de son talent, ce qui affectera à la fois son revenu et son ambition personnelle.

Miriam, chercheuse-analyste, raconte comment elle s'est trouvée aux prises avec son image de «personne obligeante» au travail: «Quand j'ai commencé à travailler, je me souciais peu de faire valoir mes droits. Des expressions comme «Je veux», «Il me faut», «Ne faites pas ça», n'étaient pas miennes. Si quelqu'un me disait: «Voici un dollar, allez bosser pour la valeur de dix», je ne refusais jamais. L'idée ne me serait jamais venue de rétorquer: «Pour qui me prenez-vous, c'est dix dollars que vous me devez!» J'aurais plutôt murmuré: «Avec plaisir, et vos chaussures ont-elles besoin d'être cirées?» J'ai donc été largement sous-payée et exploitée et je n'ai jamais tenu le bon bout, dans le sens professionnel du terme. C'était ma faute, et celle de personne d'autre.»

En évoquant ses manières «gentilles» qui datent de son enfance, Miriam conclut: «C'est maintenant une habitude, cela fait partie intégrante de ma personnalité. Je ne cherchais pas à me venger de ceux qui abusaient de moi. Je me sacrifiais. J'appréhendais peut-être que ma colère ne soit si violente, le jour où je la laisserais sortir, qu'elle serait démesurée, aussi grotesque et cruelle qu'elle l'était en imagination. En apprenant que la colère n'est pas insensée, que vous n'êtes ni cruelle ni monstrueuse, vous devenez capable de l'exprimer de plus en plus.»

L'entourage de la «personne aimable» ignore parfois qu'il abuse d'elle. Elle semble toujours si ravie de dépanner... Quand elle n'offre pas ses services avant même qu'on les lui demande! Ses amis et ses collègues ne l'estimeraient pas moins si elle leur refusait un service, ou si elle n'était pas toujours si empressée à se proposer pour une tâche. Or, elle refuse de croire à leur clémence, puisqu'elle estime avoir établi sa réputation sur son amabilité.

Tout compte fait, la personne décrite ici s'avère effectivement aimable, mais elle craint que ne perce, derrière sa gentille façade, une personne détestable, sinistre et malveillante. À la longue, le désir d'être *l'éternelle* «bonne âme», le chic type sur lequel on peut invariablement compter, devient de plus en plus stressant. La personne se croit tenue d'aider tout un chacun, quelles qu'en soient les contraintes. Cette situation engendre une colère refoulée: colère contre ceux qui attendent toujours quelque chose d'elle et colère contre elle-même, pour ne jamais s'y soustraire. Ceux qui peuvent reconnaître cette colère jouissent d'une longueur d'avance. En effet, un bon nombre ne supportent même pas l'idée qu'ils puissent éprouver un tel sentiment. Mais les plus lucides ne voient pas dans cette colère l'indice d'une situation anormale, ils y voient plutôt la preuve qu'ils ne sont pas aussi aimables qu'ils «s'évertuent» à l'être.

De tels doutes remontent souvent à la surface chez des personnes qui décident de subir une psychanalyse. La psychanalyse est une forme de psychothérapie intensive qui suppose que l'on revive les émotions de son enfance. Durant ce traitement, les patients peuvent redécouvrir des sentiments et des visions enfantines qu'ils tiennent pour véritablement néfastes — qu'il s'agisse de l'attrait sexuel pour un parent ou du désir occasionnel de voir s'éloigner son père ou sa mère pour toujours. Ces sentiments étant trop puissants ou trop effrayants pour qu'un enfant les intègre, ils sont refoulés dans son inconscient. Au cours d'une thérapie, ce rejet involontaire peut devenir conscient. Jusqu'à ce qu'elles puissent se pardonner d'avoir éprouvé de tels sentiments, de nombreuses personnes continueront de croire qu'elles cachent une véritable malignité sous leur image publique.

Le complexe de l'imposteur et la personne adulte

Le rôle personnel que j'ai sans doute le plus souvent entendu mentionner relativement aux sentiments d'imposture est celui de la personne adulte, de la «grande personne». Une femme a résumé ainsi son problème: «Je représente une grande personne mais, en réalité, je crois que j'ai échoué à l'examen de l'âge adulte.»

Malgré de nombreuses preuves physiques, sociales et économiques démontrant le contraire, plusieurs d'entre nous se sentent encore comme des enfants au dedans. Nous voulons croire qu'il existe quelqu'un de «puissant» quelque part qui prendra soin de nous en cas de besoin, ou qui se fera notre éclaireur en cas de doute. Il est parfois difficile d'accepter que nous sommes dorénavant seuls aux commandes; nous devons prendre des décisions et nous tirer de mauvais pas du mieux que nous le pouvons.

Outre le fait d'être responsables de nous-mêmes, un bon nombre d'entre nous avons également des personnes à charge. Ce constat peut inspirer une certaine frayeur et inciter plusieurs à vouloir, inconsciemment, en nier la réalité. Or ce déni devient particulièrement difficile à vivre en certaines périodes de la vie, notamment celle où l'on devient parent. Il n'est pas toujours aisé de concilier ce nouveau rôle avec l'image encore vivace que nous conservons de notre moi enfantin.

À la mort de nos parents, nous endossons leurs habits pour ainsi dire. Nous sommes forcés de constater qu'ils ne sont plus à nos côtés pour «s'occuper de tout», quel que soit notre état de faiblesse ou d'impuissance. Même si dans les faits nous avons vécu jusque-là en adultes tout à fait autonomes ayant rarement fait appel à eux, ce constat peut néanmoins ébranler notre confiance. Il peut faire remonter à la mémoire nos sentiments d'«enfant désarmé».

Je me souviens de cas précis où je me suis sentie désarmée comme une enfant alors que mes propres enfants étaient encore jeunes, et où j'ai dû me comporter comme une grande personne pour qu'*ils* ne soient pas effrayés. Ces sentiments me traversaient le temps d'un éclair, mais ils me troublaient beaucoup. Je pense à cette excursion en auto durant laquelle nous nous sommes égarés dans une forêt dense en pleine nuit.

Ou à cette autre fois alors que notre chien était introuvable, que j'avais peur de le retrouver frappé par une auto, ou de ne plus le retrouver du tout: comment l'annoncerais-je aux enfants?

Dans de semblables circonstances, je faisais mon possible pour agir de façon conforme à ce que j'étais censée être — l'adulte responsable — tout en me montrant calme et rassurante. Je ne *sentais* pas que je savais vraiment ce que je devais faire mais j'étais certaine qu'il était indiqué et nécessaire de paraître ainsi. À l'occasion, on doit agir «comme si», tout bonnement parce que c'est la meilleure chose à faire.

Une lettre, qui m'a été adressée par un cadre supérieur accompli, résume parfaitement une autre facette du sentiment d'être un imposteur en tant que «grande personne». Voici ce qu'il écrit: «Je ne suis pas une personne adulte, en dépit du fait que j'ai plus de quarante-cinq ans et que mes enfants sont aujourd'hui des adolescents. Ce n'est pas facile d'incarner une grande personne, mais ma profession et mon mode de vie l'exigent. À l'heure actuelle, je suis un adolescent d'environ quinze ans, prisonnier de l'existence et du corps d'un professionnel de plus de quarante-cinq ans ayant des enfants, une maison, etc.

«Tout mon succès tient à une escroquerie assez subtile que j'ai mise au point, et qui consiste à mimer le plus habilement possible les faits et gestes d'un adulte normal lorsque nécessaire. Et c'est absolument nécessaire environ cinquante heures pas semaine. Si nous allons à un cocktail, ma femme sait que je peux tenir le coup environ quatre-vingt-dix minutes et parler avec des personnes adultes en faisant semblant d'être l'un d'eux. Ensuite, je dois m'excuser et filer dehors pour aller manger des crèmes glacées et jouer à des jeux vidéo... J'arrive à m'acquitter de mon travail et des cocktails, mais il me faut absolument du temps libre pour me remettre de la fatigue qu'impose le rôle de l'adulte professionnel à peu près normal.

«Chose un peu bizarre, tout ça ne me dérange pas. Je n'ai jamais considéré la situation comme un problème — tout simplement comme une réalité avec laquelle je dois composer; certains d'entre nous sont pris avec une chose et d'autres avec autre chose. Évidemment, cela peut entraîner un peu d'anxiété. Ce n'est jamais facile de prétendre être quelqu'un qui n'est pas vous, du moins est-ce mon cas. Par ailleurs, je crois m'amuser et profiter davantage de la vie que plusieurs de mes amis qui sont des adultes. Qu'on découvre ma supercherie ne m'inquiète pas beaucoup, parce que je pense pouvoir jouer la comédie encore assez longtemps pour sauver la face.»

Pour certains, comme cet homme, le sentiment d'être un faussaire en tant qu'adulte n'est pas des plus troublants. Pour d'autres, cela ressemble davantage au sentiment qu'une femme m'a décrit comme ceci: «J'ai l'impression que je joue à être une grande personne alors que je ne suis, en réalité, qu'une gamine effarouchée.»

Deux concepts psychologiques peuvent nous aider à comprendre la façon dont le complexe de l'imposteur arrive à se frayer un chemin dans notre vie. Bien qu'ils concernent également le monde du travail, ils démontrent comment le CI peut arriver à nous atteindre dans nos rôles personnels. L'un est appelé l'idéal du moi; l'autre est l'idée du moi véritable versus le moi factice.

L'idéal du moi

L'expression «idéal du moi» a été créée par Freud vers 1914 [2]. En termes simples, il s'agit d'une norme intime par laquelle une personne s'évalue et vers laquelle elle tend. L'idéal du moi est un modèle auquel nous croyons devoir être fidèles; tant consciemment qu'inconsciemment, nous aspirons à l'égaler. L'idéal de notre moi se forme tôt dans la vie, alors que nous nous identifions à nos parents et à tous ceux qui représentent quelque chose pour nous.

Ceux qui sont victimes du complexe de l'imposteur entretiennent un idéal du moi fort exigeant et peu réaliste. Lorsqu'ils s'aperçoivent qu'ils ne peuvent pas satisfaire à leurs propres critères inaccessibles, ils se sentent souvent coupables et honteux. Ils attendent la perfection d'eux-mêmes, rien de moins. À défaut de cela, ils se taxent de ratés et craignent que d'autres ne se rendent compte qu'ils ne sont pas à la hauteur du propre idéal qu'ils se sont fixé.

Une jeune femme observa que le perfectionnisme dont elle faisait preuve dans son travail s'étendait jusqu'à ses relations personnelles avec les hommes. «J'éprouve le même sentiment dans ce domaine, à savoir que si vous n'êtes pas parfait, vous serez rejeté. Il ne me viendrait jamais, au grand jamais, à l'esprit d'attendre la perfection de quelqu'un d'autre, mais je l'exigerai toujours de moi-même.»

Au fond, il est impossible d'atteindre l'idéal de son moi. Nous pouvons tendre vers lui, mais sans arriver à le réaliser. Les victimes du CI, cependant, se blâment de ne pas pouvoir toucher au but. Si quelqu'un qui croit être un imposteur dit: «Je ne suis pas un *véritable* ami, amant, parent, adulte, etc.», il faut traduire: «Je ne suis pas un ami, un amant, un parent, un adulte *idéal*.» Il confond la réalité de son rôle avec la norme perfectionniste de l'idéal de son moi, il se mesure à quelque chose qui ne peut *pas* exister; pourtant, il se déclare un raté parce qu'il ne se sent pas à la hauteur.

La notion de l'idéal du moi se révèle également fort importante en ce qui a trait aux objectifs professionnels fixés par les «gagneurs» qui s'estiment comme des faussaires. Selon eux, ce qui est «moins que parfait» équivaut à un échec; de ce fait, les éloges et l'approbation des autres sont des «méprises» découlant de leur «supercherie». Ils exigent rien de moins d'eux qu'un rendement impeccable.

Nous essayons tous de réussir dans nos carrières et nous avons tout à fait raison d'y consacrer nos meilleurs efforts. Mais on peut se demander à quel moment précis ce désir d'exceller se transforme en un souci obsessionnel de perfection et devient une source de tourment émotif. «Il faut que j'écrive le grand roman américain avant de mourir sinon je vais claquer malheureux», a confié un écrivain dans la quarantaine. «Le grand roman ou je fais hara-kiri.»

Collégienne brillante et jolie, Véronique démontrait aussi des dons artistiques et s'engageait dans des activités politiques locales. Un problème la poussa un jour à me consulter: la boulimie. Depuis le début de ses études collégiales, elle s'obligeait à vomir après des excès de table. Malgré qu'elle eût connu un problème de poids presque toute sa vie, elle avait toujours pu se débarrasser des kilos superflus; au collège, elle se replia sur la solution la plus rapide: vomir.

Au dire de Véronique, il n'y avait que son problème d'embonpoint pour l'abattre. Mais au fil des rencontres, elle avoua qu'elle éprouvait de la difficulté à étudier. Lorsqu'elle se sentait particulièrement frustrée et anxieuse, elle faisait des crises de larmes: «Je deviens hypersensible et paranoïaque», dit-elle. Elle craignait de ne pas arriver à organiser ses travaux de façon à respecter les échéances.

Lors d'une visite, elle se montra spécialement angoissée à l'idée de rencontrer son directeur qu'elle connaissait à peine en vue de solliciter sa référence pour une école de commerce. Interrogée sur ce qui l'effrayait, elle répliqua d'abord: «C'est un misogyne.» Puis: «J'ai peur qu'au cours de notre conversation il s'aperçoive que je ne suis pas vraiment douée. Jusqu'ici, il n'a vu que mes notes, qui m'avantagent plutôt, mais quand il va découvrir que je n'en sais vraiment pas assez, il ne voudra pas me recommander.»

L'attitude de Véronique contrastait avec celle de son mari, également étudiant, qui n'hésitait pas de son côté à demander des références. Selon son témoignage, il n'avait pas sa discipline au travail et récoltait des notes inférieures aux siennes; en revanche, il était «sûr de lui, ouvert et recherchait la compagnie» de ses compagnons comme de ses professeurs. Véronique voyait en ceci le signe de l'intelligence véritable de son mari qui n'avait rien à cacher, alors qu'elle n'était qu'un imposteur qui avait dû trimer dur pour bien se classer et pour masquer ses déficiences intellectuelles.

À mesure qu'avançait la thérapie, Véronique comprenait de mieux en mieux que ses exigences perfectionnistes envers elle-même étaient au-delà des capacités de quiconque. Ses attentes rejoignaient tous ses points d'intérêt: ses études, son expression artistique, ses relations, son apparence et son poids. Comme elle avait dû se résoudre à un raccourci quelque part, elle avait finalement réglé son problème de poids en vomissant.

La mère de Mona avait vécu par procuration pendant plusieurs années. Elle avait dominé sa fille et l'avait dirigée vers des emplois qu'elle jugeait honorables. Grâce à sa vive intelligence, Mona s'était montrée capable de relever le défi des études et des emplois prestigieux que lui imposait sa mère. Mais dès qu'elle remportait quelque succès dans un domaine précis, Mona changeait aussitôt de spécialité. Enfin, pour sentir qu'elle menait véritablement sa vie, elle quitta sa ville natale.

Vers le début de la trentaine, Mona commença à se réveiller en état de panique et de consternation au milieu de la nuit. Elle songeait chaque fois: «Je suis sans doute quelqu'un d'odieux. Je me suis engagée à tant de choses et pourtant, elles sont aujourd'hui le dernier de mes soucis. Mon sens de l'honneur et de l'idéal est sûrement nul.» Le plus souvent, ces angoisses nocturnes survenaient alors qu'elle devait avoir une entrevue pour un travail qu'elle avait elle-même choisi. En voyant toutes ses volte-face dans son curriculum vitae, l'intervieweur allait peut-être découvrir son terrible secret...

Avec le temps, Mona a pu constater qu'elle n'avait pas trahi son idéal. À la vérité, elle n'avait jamais eu l'occasion de le découvrir. Sans trop le savoir, elle s'était efforcée d'être digne de l'idéal austère et démesuré du moi de sa mère. Elle avait fait sienne la «voix» maternelle et c'est cette voix qui la punissait la nuit.

Le moi véritable contre le moi factice

Qu'est-ce que le «moi»? Psychologues, sociologues, philosophes et bien d'autres ont débattu cette question au cours des siècles. La plupart d'entre nous comprenons d'instinct qu'il y a en nous un côté public et un côté privé. Lequel des deux est notre «véritable moi»? Ou les deux peuvent-ils l'être? Il n'y a jamais eu consensus sur la question.

Voici quelques-unes des explications des psychologues cherchant à circonscrire l'idée du moi. Le psychosociologue Leon Festinger croit que tout être humain aspire à la cohérence et à la pertinence [3]. Selon Festinger, les gens sont tiraillés intérieurement lorsqu'ils s'aperçoivent que leur comportement public est en désaccord avec la perception qu'ils ont de leur moi privé.

D'autres n'adhèrent nullement au raisonnement de Festinger: ils estiment que le moi est par essence multiple et suffisamment souple pour tolérer des contradictions, *sans* que cela suscite de conflit interne. Dès 1890, le psychologue William James a distingué le moi intime/subjectif du moi social [4]. Il a affirmé qu'une personne présente autant de moi sociaux qu'il y a d'individus véhiculant une perception d'elle.

Le sociologue Erving Goffman soutient que toutes les relations sociales nécessitent une certaine «plasticité» [5]. Il prétend qu'il est naturel que le comportement varie suivant le rôle adopté, puisque c'est un moyen de s'adapter aux nombreuses situations de la vie. Les interactions sociales seraient, à ses yeux, semblables à des représentations théâtrales où chacun irait de son «numéro» dans l'espoir d'obtenir un résultat plus ou moins immédiat. Le moi, en conséquence, est une simple représentation visant à influencer ou à gagner la faveur d'autrui.

Kenneth Gergen, psychosociologue, écarte également la théorie selon laquelle nous tendrions tous vers une représentation de soi unique et cohérente [6]. À son sens, lorsque les gens sont conscients de se comporter différemment selon les situations où ils se trouvent, ils n'ont pas tendance à se considérer en contradiction avec l'identité de leur moi. Au contraire, ils modifient ou élargissent leur identité pour mieux servir toutes leurs représentations personnelles.

Une autre façon de voir cette question nous est offerte par Mark Snyder, professeur de psychologie à l'université du Minnesota. Snyder prétend qu'il est tout aussi normal d'être unique et homogène que d'être multidimensionnel. Selon lui, cela dépend de ce qu'il appelle la capacité d'autocontrôle («self-monitoring» [7]), c'est-à-dire le degré de sensibilité d'une personne aux impressions qu'elle produit sur les autres lors d'occasions sociales, et sa capacité de les contrôler. D'après le professeur, une personne ayant un faible degré d'autocontrôle démontre peu de désir ou d'aptitude pour diversifier sa présentation. Sa conduite est passablement uniforme d'une situation à l'autre. Cette personne valorise le principe selon lequel «ce que l'on fait» doit refléter «ce que l'on est». Elle paraît parfaitement indifférente à l'image qu'il serait le plus souhaitable de projeter dans une situation donnée, et cherche plutôt à afficher un «moi fondamental» ou «à principes», une personnalité dont l'identité est constante.

Il ne faudrait pas croire que les personnes dont le mécanisme d'autocontrôle est faible ne peuvent agir adéquatement, selon les circonstances. Elles refusent néanmoins le compromis et s'efforcent d'exprimer leur être intime. C'est là leur façon d'entrer en communication avec autrui et d'être en paix avec elles-mêmes, fidèles à ces mots de Shakespeare: «Avant tout: sois véridique avec toi-même — d'où découlera, comme du jour la nuit, que tu ne seras faux pour personne.»*

En revanche, celles qui disposent d'une grande capacité d'autocontrôle possèdent tout un répertoire de techniques leur permettant de «gérer les impressions». Quelles que soient les circonstances, elles sont naturellement capables de capter les signes relatifs aux rôles ou aux images qu'il convient d'adopter. Elles aspirent à incarner, au dire de Snyder, «la personne qu'il faut, au bon endroit et au moment propice». Snyder considère que ces individus au «moi pragmatique» sont capables d'endosser des rôles multiples et contradictoires correspondant à bon nombre de situations différentes. Ces «radars humains» traduisent à merveille la vision théâtrale de la vie d'Erving Goffman qui prétend que le moi n'est que la somme des diverses représentations d'un individu.

Le psychologue et professeur Edward Sampson de la Clark University a également écrit sur le sujet [8]. Sampson a observé que les personnes disposant d'un mécanisme d'autocontrôle actif définissent leur identité en fonction de traits externes tels que l'occupation ou l'adhésion à divers groupes et clubs. Celles dont le mécanisme d'autocontrôle est faible se définissent plutôt en fonction de traits internes comme les sentiments, les motivations ou les caractéristiques de la personnalité.

Fait intéressant, ceux qui exercent activement un autocontrôle sont si versés dans le contrôle des impressions projetées qu'ils sont aussi particulièrement sensibles aux stratégies de leurs semblables. Dans le cadre d'une étude effectuée en 1976 et portant sur «l'autocontrôle actif et faible», des chercheurs ont recréé le jeu télévisé *To Tell The Truth* (Qui dit vrai?). Ils ont démontré que ceux qui utilisent activement le mécanisme d'autocontrôle démasquent plus aisément les bluffeurs que ceux qui ne l'utilisent que faiblement et qu'ils se laissent beaucoup

---

* »*Hamlet*, Acte I, scène 3; traduction d'André Gide.

moins berner par les flatteries ou toutes autres techniques d'exploitation des impressions employées par les participants.

Une personne dotée d'un mécanisme d'autocontrôle actif peut fort bien se considérer d'un oeil favorable, c'est-à-dire comme un individu souple, à multiples facettes. Mais une victime du CI qui sait se servir des mêmes stratégies de contrôle est portée à juger celles-ci perfides, contradictoires, manipulatrices, fausses — bref, à les considérer comme une preuve de plus qu'elle est un imposteur. Le contrôle des impressions, à ses yeux, ressemble davantage à un vice qu'à une vertu. C'est comme si cette habileté était teintée d'immoralité alors qu'elle n'est que la capacité de s'adapter aux situations sociales et, à l'occasion, une condition nécessaire pour mener une carrière. La capacité d'autocontrôle n'est pas un vice, et Snyder a démontré au cours de sa recherche qu'elle est parfaitement distincte du mensonge, du machiavélisme ou des déviances psychopathiques.

On pourrait considérer les divers rôles qu'un individu est appelé à jouer comme autant de dimensions de son moi. S'ils ne faisaient pas tous parties intégrantes de notre moi, nous serions incapables de les jouer. Lorsque quelqu'un murmure: «Je ne suis pas moi-même aujourd'hui» (pour excuser le plus souvent ses colères, ses sautes d'humeur ou un comportement bizarre), il se fourvoie. Évidemment qu'il est lui-même! Qui d'autre pourrait-il donc être? En réalité, il se trouve aux prises avec une part de lui-même qui lui est peu familière, ou encore qu'il aimerait désavouer. Le comportement qu'il exhibe n'en demeure pas moins une facette, sinon la totalité, de son moi véritable.

Ceux qui souffrent du complexe de l'imposteur supposent qu'il n'y a qu'un «moi véritable», et que celui-ci doit être unique et constant, invariable d'une situation à l'autre. Quand ils constatent des écarts entre leurs sentiments intimes et leur comportement extérieur, ils sont portés à associer l'image publique à la fausseté, et l'image privée à la vérité. Ils montrent qu'ils ont plusieurs «moi», mais présument qu'il n'y en a qu'un seul qui puisse être «l'authentique». Les autres, par le fait même, sont factices.

Si vous croyez présenter un moi factice à votre entourage, vous êtes sûrement persuadé d'être un faussaire. Dès que le «bon» ami, parent, enfant, voit que son comportement semble incompatible avec son moi intime, il conclut que son extérieur est factice et qu'il berne les autres en les laissant croire à de fausses apparences.

Il arrive que certains éprouvent de la difficulté à distinguer, parmi les aspects de leur personnalité, ce qui est «l'authentique moi» de ce qui est «imposture», au point de s'inquiéter de présenter un dédoublement de la personnalité. (Cette question avait particulièrement troublé des patients venant juste de regarder *Sibylle* ou *Les Trois visages d'Ève* à la télévision.) Ce phénomène s'explique habituellement par le fait que ces individus acceptent et intègrent difficilement diverses émotions et caractéristiques dans leur perception d'eux-mêmes. Se voir comme une personne achevée ayant plus d'une dimension ne leur est pas naturel.

Dans certains cas, une personne aura l'impression qu'elle *détruit* son moi intime ou privé en réorganisant sa présentation personnelle de façon à épouser divers rôles. Le regretté comédien Peter Sellers affirmait qu'il n'avait pas d'individualité propre, ou de personnalité, en dehors de ses créations. Il s'expliquait ainsi: «Il y a déjà eu un vrai moi mais je l'ai fait extraire par intervention chirurgicale [10].» Un critique avait avancé l'hypothèse qu'en étant à peu près tout pour tous, Sellers s'était annihilé à ses yeux et que sa rage de travailler n'était, en fait, que la recherche d'un personnage qui se trouvait être l'exilé Peter Sellers [11].

Nous sommes amenés à penser, par nos relations avec autrui, que les moi public et privé ne cadrent pas toujours. Dans la vie quotidienne, nous jugeons rarement les gens sur les apparences, nous supposons qu'ils sont plus que ce que nous voyons d'eux.

Dans son roman *Bienvenue Mister Chance*, Jerzy Kosinski a donné sa version de cette idée en créant le personnage du jardinier Chance. Jusqu'à ce que le destin le force à quitter sa demeure, Chance ignorait tout du monde extérieur, hormis ce qu'il avait appris en regardant la télévision et en cultivant son jardin. Les gens avec qui il entrait en contact s'évertuaient à teinter de profondeur ses remarques naïves; en refusant de prendre ses paroles au pied de la lettre, ils n'ont pas su reconnaître que le candide jardinier jouait cartes sur table. Ils présumaient que devait exister quelque antinomie entre le moi public simplet et une réalité intime combien plus profonde. (Fait intéressant, vous vous souvenez peut-être que c'est Peter Sellers qui interprétait le rôle de Chance dans la version cinématographique de ce roman.)

Le psychanalyste Donald Winnicott, aujourd'hui décédé, a légué une théorie largement répandue sur le moi factice [12]. D'après cette théorie, la peur que le vrai moi soit exposé au grand jour serait liée au sentiment que ce moi comporte quelque chose de honteux. On le considérerait comme un incompétent, un faible, un indigent en quelque sorte. L'individu convaincu de ce fait estime donc que le moi factice ou complaisant protège son moi authentique.

Une victime du CI peut elle aussi considérer son moi public comme une sorte d'armure qui protège son moi «authentique» contre les indiscrétions. Ce moi public ou «factice» sert ce qu'elle *croit* être les attentes de son entourage. Si celui-ci venait à découvrir son *véritable* moi, elle craindrait de perdre tout ce qui lui est cher (l'amour des autres, leur respect, leur admiration, leur approbation, etc.). Le vrai moi, estime-t-elle, avec ses imperfections et ses tares secrètement ressenties, doit être dissimulé. Toutefois, il en résulte le sentiment de manipuler ou de duper autrui au moyen d'une image publique factice, et de ne pas être digne des témoignages d'appréciation reçus. Ces louanges, à son sens, sont fondées sur une vérité partielle seulement.

La psychologue Norma K. Lawler a examiné le lien qui unit les sentiments d'imposture et cette notion de superposition du moi au cours d'une étude menée en 1984 [13]. Une étape de son enquête a consisté à remettre l'Échelle Harvey du CI à 130 étudiants de niveaux collégial et universitaire. Elle interpréta par la suite leurs tracés de cercles concentriques, qui symbolisaient les couches de leur «moi», en comparant ces tracés aux résultats obtenus à l'Échelle du CI.

Chez les étudiants qui avaient obtenu les résultats les plus élevés d'après l'Échelle du CI, on a relevé un écart significatif entre la dimension des cercles extérieurs et celle des cercles qui se rapprochaient du centre. Ce qui ne se retrouvait pas chez les étudiants ayant eu les résultats les plus faibles à l'Échelle du CI. Lawler en a conclu que ces étudiants avaient tendance à mettre l'accent sur la couche ou la dimension d'eux-mêmes qu'ils présentaient le plus souvent à la société; par contre, ils insistaient peu sur la couche ou la dimension d'eux-mêmes qu'ils protégeaient contre le monde extérieur.

Psychiatre au Institute of Pennsylvania Hospital et psychanalyste depuis vingt ans, le docteur Howard Huxster m'a rapporté que *chacun* des patients qu'il a traités par la psychanalyse éprouvait le sentiment d'être un imposteur. Voici ce qu'il a observé: «Dès qu'il se trouve profondément engagé dans la psychanalyse, il n'y a pas un patient qui n'acquière la conscience aiguë que chaque être vit dans son propre monde de sentiments, d'expériences et de comportements, et qu'il n'y a aucun moyen de communiquer ce monde en son entier aux autres. C'est pourquoi personne n'est exactement ce qu'il paraît être.»

La majorité des personnes affligées du CI dans leurs rôles personnels sont des perfectionnistes qui craignent de ne plus être aimées si on «découvrait» un jour qu'elles ne sont que des êtres ordinaires et moyens. Elles prétendent qu'on exige qu'elles s'acquittent de leurs rôles de façon impeccable, parfaite; mais il s'avère habituellement que cette exigence est personnelle, que c'est elles-mêmes qui se l'imposent. Parce qu'elles craignent d'être acceptées *uniquement* pour leur côté «exceptionnel», le fait d'être démasquées comme des êtres ordinaires — ni meilleurs ni pires que les autres — leur ferait perdre cette impression d'être remarquables et l'approbation qui en découle.

D'autres victimes du CI s'accusent de supercherie, n'ayant pas encore réussi à intégrer un ou plusieurs de leurs nouveaux rôles à leur moi. Les nouveaux rôles que nous endossons et les émotions nouvelles que nous découvrons en nous peuvent sembler étranges au début et mener à des perceptions contradictoires de notre moi. Nous sommes peut-être amenés à nous demander: «Quel est le véritable moi?» Toutefois, en apprenant à mieux connaître nos divers moi, et avec une meilleure pratique de nos nouveaux rôles, nous avons toutes les chances de les percevoir comme autant de dimensions d'une seule individualité.

Chapitre IV

Croyez-vous être un imposteur?

Le complexe de l'imposteur ne se laisse pas facilement déceler ni reconnaître. Par sa nature même, c'est une expérience secrète. J'ai conçu l'Échelle Harvey du CI pour aider les psychologues à identifier ces sentiments au cours de leurs recherches et les inciter à comparer leurs résultats. Cette échelle et les questions additionnelles de ce chapitre peuvent aussi vous aider à vérifier vos propres doutes face au CI et vous permettre de prendre conscience de tout sentiment d'«imposture» que vous pourriez éprouver.

Rappelez-vous cependant que ce questionnaire ne vise nullement à fournir un diagnostic final et ne peut en aucun cas remplacer un thérapeute compétent. Ces questions ne sont que des outils qui vous sont offerts pour vous aider à sonder vos sentiments. Du reste, n'oubliez pas que l'expérience de «l'imposture» se vit à divers degrés d'intensité, du plus faible au plus aigu. C'est en examinant certains de vos sentiments que vous pourrez juger si, et comment, le CI s'est infiltré dans votre vie.

Ayez soin de vous installer dans un coin confortable et calme avant de commencer à répondre à ces questions. Accordez-vous le temps de réfléchir à des secteurs de votre vie qui peuvent vous rendre anxieux et donner prise au sentiment que vous n'êtes pas «ce que vous semblez être». Pensez à ce que vous faites au moment où vous ressentez cette anxiété. Si vous arrivez à faire le rapport entre vos sentiments de supercherie et le rôle spécifique (sinon les rôles) que vous jouez lorsqu'ils surgissent, vous aurez fait un grand pas en avant vers la compréhension du complexe de l'imposteur et de son éventuelle influence sur vous.

Le questionnaire est divisé en deux parties. La plupart des questions de la première partie ont trait aux rôles tenus au travail et dans les études universitaires. Parcourez-les d'abord globalement, en vous concentrant sur votre emploi ou sur votre programme d'études. Ensuite, revenez au point de départ et relisez les questions en évoquant d'autres rôles que vous jouez, ceux d'ami, de parent, de partenaire amoureux, de conjoint ou simplement de «grande personne». Chez certains individus, les sentiments d'imposture sont liés à des aspects très précis de leur vie et de leurs émotions intimes. Parmi les plus fréquemment cités, il y a l'apparence, les relations sociales, la loyauté, l'altruisme et l'amour. Les questions de la première partie ne se rapportent pas toutes aux rôles personnels, mais il sera utile de griffonner quelques notes sur celles qui s'y réfèrent.

Une fois que vous aurez complété la première partie, on vous indiquera comment calculer vos résultats. Suivra une explication de toutes les questions démontrant en quoi chacune d'elles illustre un aspect du complexe de l'imposteur.

Dans la deuxième partie, vous pourrez mieux cerner de quelle façon le CI vous influence peut-être dans votre travail et votre vie privée. Ces questions ouvertes permettent un certain développement: vous pouvez y répondre comme il vous plaira, de façon plus ou moins exhaustive. Elles vous sont soumises pour nourrir votre réflexion personnelle et vous aider à concevoir pourquoi vous vous sentez comme un imposteur, comment vous réagissez à ce sentiment dans votre vie quotidienne, et pourquoi vous en êtes arrivé à ce point.

Première partie

Pour chaque question, cochez la case indiquant le mieux la justesse de l'affirmation pour vous. Les premières pensées et réflexions qui vous viendront à l'esprit sont à retenir; répondez donc aussi spontanément et sincèrement que possible.

1. En règle générale, les gens me jugent plus compétent que je ne le suis en réalité.
TOUT À FAIT FAUX — TRÈS JUSTE
A ☐ B ☐ C ☐ D ☐ E ☐ F ☐ G ☐

2. Je suis persuadé que mon niveau de réussite actuel est fonction de mes aptitudes.
TOUT À FAIT FAUX — TRÈS JUSTE
A ☐ B ☐ C ☐ D ☐ E ☐ F ☐ G ☐

3. Il m'arrive d'avoir peur qu'on découvre la personne que je suis vraiment.
TOUT À FAIT FAUX — TRÈS JUSTE
A ☐ B ☐ C ☐ D ☐ E ☐ F ☐ G ☐

4. J'accepte sans peine les compliments.
TOUT À FAIT FAUX — TRÈS JUSTE
A ☐ B ☐ C ☐ D ☐ E ☐ F ☐ G ☐

5. J'estime mériter les honneurs, le respect ou les louanges qui me sont adressées.
TOUT À FAIT FAUX — TRÈS JUSTE
A ☐ B ☐ C ☐ D ☐ E ☐ F ☐ G ☐

6. Par moments, j'ai l'impression de faire fausse route dans mon poste actuel ou dans mon programme d'études.
TOUT À FAIT FAUX — TRÈS JUSTE
A ☐ B ☐ C ☐ D ☐ E ☐ F ☐ G ☐

7. Je suis sûr de réussir dans l'avenir.
TOUT À FAIT FAUX — TRÈS JUSTE
A ☐ B ☐ C ☐ D ☐ E ☐ F ☐ G ☐

8. J'ai tendance à me sentir faux.
TOUT À FAIT FAUX — TRÈS JUSTE
A ☐ B ☐ C ☐ D ☐ E ☐ F ☐ G ☐

9. Ma personnalité ou mon charme font souvent beaucoup d'effet sur les gens.
TOUT À FAIT FAUX — TRÈS JUSTE
A ☐ B ☐ C ☐ D ☐ E ☐ F ☐ G ☐

10. Je considère mes réalisations satisfaisantes pour le présent stade de ma vie.

TOUT À FAIT FAUX TRÈS JUSTE

A ☐ B ☐ C ☐ D ☐ E ☐ F ☐ G ☐

11. Si je ne partage pas l'avis de mon employeur, d'un professeur ou du responsable lors d'un échange, je le dis franchement.

TOUT À FAIT FAUX TRÈS JUSTE

A ☐ B ☐ C ☐ D ☐ E ☐ F ☐ G ☐

12. J'obtiens souvent du succès pour un projet, un compte rendu ou un test alors que je prévoyais d'échouer.

TOUT À FAIT FAUX TRÈS JUSTE

A ☐ B ☐ C ☐ D ☐ E ☐ F ☐ G ☐

13. J'ai souvent l'impression de dissimuler aux autres certaines vérités sur moi-même.

TOUT À FAIT FAUX TRÈS JUSTE

A ☐ B ☐ C ☐ D ☐ E ☐ F ☐ G ☐

14. Mon moi public et mon moi privé ne font qu'un.

TOUT À FAIT FAUX TRÈS JUSTE

A ☐ B ☐ C ☐ D ☐ E ☐ F ☐ G ☐

Votre score

Pour chaque question, indiquez le nombre de points correspondant à la lettre que vous avez cochée. Par exemple, l'affirmation 1 (G) valant 6 points, ajoutez les 6 points de cette question au score final.

1	A=0	B=1	C=2	D=3	E=4	F=5	G=6
2	A=6	B=5	C=4	D=3	E=2	F=1	G=0
3	A=0	B=1	C=2	D=3	E=4	F=5	G=6
4	A=6	B=5	C=4	D=3	E=2	F=1	G=0
5	A=6	B=5	C=4	D=3	E=2	F=1	G=0
6	A=0	B=1	C=2	D=3	E=4	F=5	G=6
7	A=6	B=5	C=4	D=3	E=2	F=1	G=0
8	A=0	B=1	C=2	D=3	E=4	F=5	G=6
9	A=0	B=1	C=2	D=3	D=4	F=5	G=6
10	A=6	B=5	C=4	D=3	E=2	F=1	G=0
11	A=6	B=5	C=4	D=3	E=2	F=1	G=0
12	A=0	B=1	C=2	D=3	E=4	F=5	G=6
13	A=0	B=1	C=2	D=3	E=4	F=5	G=6
14	A=6	B=1	C=2	D=3	E=4	F=5	G=6

Ces quatorze affirmations constituent l'Échelle Harvey du CI, conçue pour mesurer le complexe de l'imposteur chez un individu. Aucun score ne vous dira: «Oui, vous avez le CI» ou «Non, vous n'avez pas le CI.» L'échelle évalue plutôt à quel degré de faiblesse ou d'intensité vous pouvez éprouver des sentiments d'«imposture». Un score élevé laisse supposer que vous éprouvez de vifs sentiments d'imposture, alors qu'un score plutôt faible vous attribue des symptômes atténués. Le plus haut résultat possible s'élève à 84; le plus faible tombe à 0.

Maintenant que vous avez calculé votre total, vous êtes mieux à même de juger si le complexe de l'imposteur affecte votre vie. Peut-être avez-vous enregistré un résultat très faible, indiquant sans doute un cas assez mineur de CI. Si votre score s'avère plutôt moyen (autour des 42 points), il est probable que vos sentiments d'imposture vous troublent davantage. Si, enfin, le score atteint le haut de l'échelle, le CI vous inflige probablement beaucoup d'anxiété et vous empêche éventuellement d'évoluer à votre gré.

Commentaires sur la première partie

Affirmation nº 1. «En règle générale, les gens me jugent plus compétent que je ne le suis en réalité.»

La question de la compétence est souvent de première importance pour les victimes du complexe de l'imposteur. Si vous avez coché «Très juste» à cette question, et marqué le maximum de points, c'est que vous savez que les autres vous considèrent, de fait, comme quelqu'un de compétent. Vous persistez à croire cependant qu'ils ont surévalué vos capacités.

Voyons les sentiments d'un travailleur social concernant sa compétence:

«De temps en temps, les sentiments d'imposture me surprennent quand j'enseigne, ou que je dirige des stagiaires. Je me sens coincé dans ces rôles — comme s'ils allaient s'apercevoir que je n'en sais vraiment pas plus qu'eux. Les gens disent que j'agis de façon autoritaire et que j'ai l'air de savoir exactement où je vais, tant dans le domaine de la recherche qu'en d'autres domaines. Mais ce qu'ils voient comme étant moi, je le vois comme étant mon déguisement. J'agis de la sorte pour qu'ils ne me contestent pas — pour qu'ils n'osent même pas. Parce que s'ils le faisaient, ils découvriraient peut-être que je n'en sais pas assez.»

Lorsque nous pensons à une personne compétente, nous nous représentons quelqu'un qui sait mener les choses à bonne fin. Il se peut que vous-même réalisiez toujours vos projets; mais si vous croyez être un imposteur, vous présumez probablement que vos réalisations ne résultent pas de votre compétence. Vous croirez plutôt que vous avez «le tour» avec les gens, que vous êtes «un beau parleur» au téléphone, ou tout simplement chanceux — bref, tout ce que vous pouvez imaginer vous aide à vous en tirer.

Les victimes du CI considèrent souvent qu'elles sont compétentes dans *certains* domaines, mais non dans ceux qu'elles tiennent pour la *vraie* mesure de l'intelligence et du talent. Tel artiste, par exemple, s'estime compétent sur le plan technique mais dit manquer d'inspiration. Un écrivain m'a confié qu'il a longtemps cru qu'il ne pourrait jamais arriver à grand-chose à cause d'une orthographe boiteuse.

Réfléchissez un peu à ce que signifie pour vous le mot «compétence». Que vous suggère-t-il concernant votre emploi? Être un parent compétent, qu'est-ce que cela représente pour vous? Qu'est-ce qu'il faut pour être jugé compétent dans ces rôles? Pensez à quelqu'un qui tient le même rôle que vous et que vous trouvez compétent: Que fait cette personne que vous ne faites pas? Quels sont les champs dans lesquels vous vous sentez compétent?

Affirmation n° 2. «Je suis persuadé que mon niveau de réussite actuel est fonction de mes aptitudes.»

Si vous avez répondu «Très juste» à cette question, vous croyez donc que vos réalisations sont valables. Ce n'est pas le cas des personnes qui s'accusent d'imposture. Si vous avez coché une des réponses du milieu, la question vous laisse vraisemblablement dans le doute. Enfin, la réponse «Tout à fait faux» laisse supposer des sentiments du CI très accusés.

Les victimes du complexe de l'imposteur minimisent l'importance des aptitudes véritables dans leurs succès. Au chapitre premier, nous avons vu que leurs explications concernant leur réussite ont peu ou rien à voir avec les aptitudes. Le psychologue Harold Kelley a proposé un principe qui peut éclairer ce point. Au chapitre II, j'ai fait mention d'un premier principe de Kelley qui se nomme la «covariance», c'est-à-dire l'observation expérimentale et scientifique du couple cause-effet dans ce que nous vivons. Le second principe de Kelley est celui de la dépréciation [1].

Le principe de la dépréciation veut qu'une personne, quand elle perçoit plus d'une cause à un événement, ait tendance à déprécier une cause particulière proportionnellement au nombre de causes de rechange. En d'autres mots, plus le nombre de causes possibles est grand, moins l'individu accordera de poids à une cause particulière.

Les victimes du CI vont envisager un certain nombre de causes possibles pour justifier leurs réalisations: le travail acharné, la personnalité, l'opportunisme. En revanche, elles accorderont peut-être moins d'importance qu'il ne le faudrait à leurs aptitudes naturelles et à leurs talents. Elles jouissent souvent d'atouts exceptionnels, tels qu'un physique attrayant, une sensibilité vive, du charme, et cela vient brouiller davantage les cartes. Elles ont tendance à croire que les aptitudes ont une part insignifiante dans la relation de cause à effet du succès.

Vous trouverez ci-après quelques exemples caractéristiques de la façon dont les victimes du CI expliquent leur réussite. Après chaque citation, j'ai noté le facteur qui, selon chaque personne, est responsable de ses succès. Remarquez comment l'expression *tout simplement* sert à déprécier toute aptitude effective:

«J'ai tout simplement eu beaucoup de chance... Je me suis simplement trouvé là où il le fallait, au bon moment.» (CHANCE)

«Je suis tout simplement un mordu du succès... Je travaille deux fois plus fort et deux fois plus longtemps que n'importe qui... J'ai tout bonnement plus de persévérance. Je surpasse mes concurrents en ne lâchant jamais prise.» (EFFORT)

«Je sais tout simplement m'entendre avec les gens... Je m'extériorise beaucoup et j'ai le sens de l'humour; c'est pourquoi j'ai de bons rapports avec les gens et je leur laisse une bonne impression. On me trouve sympathique.» (ENTREGENT)

«J'arrive tout simplement à saisir ce que les autres veulent et à le leur donner... Je sais flairer ce dont les gens ont besoin et je peux me présenter à eux comme étant précisément ça.» (INTUITION ET SENSIBILITÉ)

«Tout simplement, je suis né dans la bonne famille... J'avais de bonnes relations.» (PRIVILÈGES INJUSTES)

Quoique ces causes additionnelles jouent effectivement un rôle dans les réalisations supérieures — et ceci vaut particulièrement pour le travail acharné —, des aptitudes véritables sont néanmoins nécessaires pour assurer leur renouvellement. Voilà un point capital à retenir pour toute personne qui se croit un faussaire: *Les aptitudes sont des gages plus sûrs de réussite que toute autre cause de succès.* Cette disposition relativement permanente et stable nourrit le succès et est une composante nécessaire pour atteindre à un haut niveau de réussite.

Affirmation nº 3. «Il m'arrive d'avoir peur qu'on découvre la personne que je suis vraiment.»

Si votre réponse se rapproche de «Très juste», vos images publique et privée s'opposent en vous et vous connaissez la peur d'être démasqué. Ceux qui souffrent du CI ont tendance à voir le moi privé comme étant le «moi véritable» et le moi public comme le «moi factice». Ils parlent de la personne qu'ils sont *vraiment*, en faisant allusion au moi intime, lequel demeure caché et inconnu d'autrui.

Un score élevé pour cette affirmation signifie que vous êtes porté à voir en tout décalage entre vos moi public et privé la preuve que l'un est factice et l'autre, authentique. À la vérité, les deux sont probablement valables, sauf qu'ils ne forment pas un tout dans votre esprit.

Dans les commentaires suivants, vous pourrez apprécier la façon dont des victimes du CI rendent compte d'un moi public «dissimulant» un moi privé, honteux et secret:

«On croit que je suis brillante et que j'ai un don pour la parole mais, en réalité, je ne suis qu'une dilettante. J'ai quelques lumières sur beaucoup de choses, et c'est pour ça qu'on me croit plus futée que je ne le suis. Si on s'attardait à la profondeur de mes connaissances, on constaterait à quel point elles sont futiles et creuses.»

«Même si je donne l'impression d'être une grande personne, je ne suis au fond qu'un simple enfant. Mes enfants croient que je sais ce que je fais mais, à vrai dire, je ressens une peur panique.»

«Les hommes me trouvent très belle et s'empressent de me courtiser. Heureusement qu'ils ne me voient pas sans tout mon maquillage et quand je ne suis pas coiffée. Sans maquillage je ne serais rien — ils ne se retourneraient même pas.»

«Je donne toutes les apparences d'une grande assurance. En toutes circonstances ma réaction est: «Pas de problème.» On ne voit pas qu'intérieurement je tremble dans mes bottes.»

Affirmation n° 4. «J'accepte sans peine les compliments.»

«L'aimable timide» serait obligé de démentir une telle affirmation. Si donc vous avez qualifié cette dernière de «Tout à fait fausse», en ce qui vous concerne, vous vous reconnaissez peut-être dans ce modèle de comportement. Cherchez un peu la raison pour laquelle il vous est pénible de recevoir des éloges ou des témoignages d'admiration. Craignez-vous de paraître suffisant? Avez-vous l'impression que vous vous préparez ainsi à tomber de haut, advenant que l'on découvre que votre travail n'est pas aussi irréprochable que ce qu'on avait imaginé?

Prenons connaissance de quelques réactions typiques de «l'aimable timide» face aux compliments. Auriez-vous pu dire la même chose?

Commentaire: «Je vous trouve très intelligent et perspicace.»
Réaction: «Oh, vous savez, c'est une certaine façon d'exprimer les choses. Je sais manier les mots.»

Commentaire: «Tu es un vrai cordon-bleu. C'est un merveilleux dîner que tu as préparé là.»
Réaction: «Sais-tu, j'utilise beaucoup de mélanges en sachet, j'y ajoute seulement une poignée d'ingrédients. Et le dessert est arrivé tout prêt de la pâtisserie du coin.»

Commentaire: «Ton exposé a été fantastique ce matin, à la réunion.»

Réaction: «Peut-être, mais as-tu remarqué comme j'ai hésité sur les coûts globaux? Heureusement que le client n'a rien vu. J'ai vraiment bluffé jusqu'à la fin.»

Commentaire: «J'ai vu un exemplaire de ton rapport. Beau travail!»

Réaction: «Dieu merci, le service de recherche m'a envoyé une assistante en or pour quelques jours. Sans elle, tout ça n'aurait jamais abouti.»

Les victimes du CI n'hésitent pas à désavouer les éloges et à déprécier le jugement de ceux qui les font. Elles tiennent volontiers les personnes qui les complimentent pour malavisées, bornées jusqu'à être dupes de leurs «trucs». Elles acceptent difficilement que cette admiration les concerne *personnellement.* Un cadre s'explique: «Les gens ont besoin de croire que quelqu'un peut leur arranger tout ça et qu'il sait comment ça marche. Ils voient tout simplement ce qu'ils veulent voir en moi.» Par ailleurs, les victimes du CI se méfient des louanges, estimant que ces flatteries sont intéressées. Une femme a interprété comme suit un bon mot de son patron: «Il me dit que je travaille bien tout bonnement pour m'en mettre un peu plus sur le dos.»

Affirmation nº 5. «J'estime mériter les honneurs, le respect ou les louanges qui me sont adressées.»

Si votre réponse à cette affirmation tend vers le «Tout à fait faux», c'est que vous avez de fortes tendances au CI et que vous avez l'impression, en conséquence, d'être indigne de votre succès ou de toute reconnaissance publique de ce succès. Le cas d'un professeur de littérature éminent vient appuyer notre propos. La carrière de cet homme avait été jalonnée de prix, de bourses et de promotions; chaque fois qu'il s'était joint à une association, on lui avait confié des fonctions de prestige. Malgré cela, il répondait invariablement aux commentaires admiratifs: «Eh oui, la vie continue de me choyer sans raison.»

Simon approche de la soixantaine; il poursuit une brillante carrière de scénariste pour la télévision. Il considère toutefois qu'il joue à la «grande personne» dans son travail. Pour mieux faire comprendre ses sentiments d'«imposture», il explique comment il s'est senti en s'adressant à un large auditoire lors d'une réunion importante. «J'ai pensé: «Je ne sais rien du tout et les gens devant moi sont des adultes, tous gagnent beaucoup d'argent.» Puis je me suis levé, et j'ai été drôle, sympathique et chaleureux. Tout le monde a applaudi; ils ont apprécié mon allocution et ça me rassurait. Mais par la suite, j'ai senti que je n'étais pas à ma place à cet endroit, à faire ce que je faisais.»

Parallèlement, Simon sait qu'il est fort dans son travail, mais il estime qu'il ne mérite pas d'y faire tant d'argent. «Plus tôt dans ma carrière, commente-t-il, je faisais des masses d'argent en très peu de temps, mais ça me dérangeait beaucoup. J'ai même rencontré un thérapeute une demi-douzaine de fois. J'étais tracassé de gagner tant d'argent alors que je n'y avais pas droit; c'était un jeu d'enfant pour moi. Encore aujourd'hui, avoue-t-il, je distribue beaucoup de mon argent; à peu près n'importe qui en a profité. Ce n'est vraiment pas difficile de m'en taper puisque j'ai l'impression que je n'y ai pas droit. Qu'est-ce que j'ai fait pour le mériter, après tout?»

Quoique conscient de ses aptitudes remarquables pour sa profession, Simon n'avait pas prévu vivre de ce genre d'écriture. «Je me suis laissé prendre par ce gagne-pain très confortable. Malheureusement, je n'ai jamais pu y attacher une valeur. Vous avez devant vous un gosse qui a toujours cru qu'il allait devenir un grand romancier. Je persiste à croire que cet enfant ne s'est pas réalisé.»

Des victimes du CI pousseront parfois un peu plus loin la notion d'approbation imméritée. Pendant des jours, un homme a entretenu la conviction intime que sa promotion inattendue à un poste supérieur n'était pas réelle; il prétendait que son nom avait été ajouté à tort à la liste des personnes promues.

Affirmation nº 6. «Par moments, j'ai l'impression de faire fausse route dans mon poste actuel ou dans mon programme d'études.»

Une réponse voisine de «Très juste» laisse entrevoir un autre symptôme du CI. Les victimes du CI interrogent parfois le fondement même de leur situation particulière. La locution «par moments» prend ici tout son sens, car la victime n'est pas forcément *certaine* d'avoir commis une erreur. Ce sera plutôt un certain état d'irrésolution qui entretiendra ses sentiments d'imposture. Parfois elle se sentira compétente — mais d'autres fois, elle remettra tout en question. Elle reconnaîtra sans doute, sous le rapport de *l'intelligence*, qu'elle a les aptitudes ou la formation nécessaires à son emploi; mais sous le rapport des *émotions*, elle percevra les choses tout autrement.

La connaissance intellectuelle et la connaissance émotionnelle sont deux expériences distinctes pour nombre de personnes. Ces deux façons d'appréhender le réel se révèlent souvent du reste contradictoires, entraînant un état de perplexité chez la victime du CI. Le complexe de l'imposteur est un type de connaissance davantage émotionnel ou «impressionniste» qu'intellectuel. Si vous vous sentez comme un imposteur, il se peut que vous mettiez perpétuellement en doute votre niveau de réussite professionnelle ou vos réalisations dans quelque autre rôle personnel.

Vous avez peut-être beaucoup accompli dans une spécialité pour laquelle vous avez la formation et les aptitudes, mais que vous n'arrivez pas à aimer. Certaines victimes du CI ne sont jamais parvenues à faire le choix libre ou réfléchi d'une carrière. Parmi les explications possibles, mentionnons les personnes ayant été «programmées» psychologiquement à satisfaire les désirs de leurs parents. Ainsi, une jeune femme expliquait comment elle s'était engagée à travailler pour l'entreprise paternelle en vue de réaliser le rêve du père et de compenser l'incapacité de son frère à donner toute *sa* mesure. Pourtant, celle-ci aspirait secrètement à une formation en art dramatique, et désavouait intérieurement le mode de vie des gens d'affaires. Bien que respectée pour ses talents administratifs, elle n'a jamais perçu ses succès comme étant les siens.

D'autres individus voudront entrer dans une carrière ou un rôle personnel pour se montrer «raisonnables». Un homme dans la cinquantaine me confiait qu'il était devenu avocat parce que sa génération avait élu cette carrière comme étant la plus prestigieuse et lucrative, et parce qu'il avait les aptitudes et les notes requises. À la longue, voyant qu'il n'était pas à sa place, il a bifurqué pour suivre une autre voie.

Il est difficile d'évaluer combien de femmes des générations passées ont rêvé de poursuivre une carrière tout en croyant qu'il était plus «raisonnable» de rester au foyer avec les enfants. Par les temps qui courent, nous découvrons un courant inverse: certaines femmes préféreraient se consacrer entièrement à l'éducation de leurs enfants, mais estiment que la femme d'aujourd'hui *doit* aller travailler et qu'il est un peu honteux de n'être «qu'une mère et qu'une maîtresse de maison».

L'anxiété peut s'accroître chez une victime du CI lorsque celle-ci a l'impression qu'une erreur a été commise ou qu'elle se trouve dans sa position actuelle par une sorte de caprice du sort. Elle craint ainsi que son succès ne soit qu'une illusion fugace plutôt qu'une somme de réalisations valables et pragmatiques appelées à durer. L'idée même que tout n'est qu'un coup de dés ou du sort renforce son sentiment d'impuissance face à ce qui pourrait lui arriver. Le sentiment de ne pas être maître de la situation peut donc engendrer beaucoup d'anxiété.

Affirmation n° 7. «Je suis sûr de réussir dans l'avenir.»

Pour espérer pouvoir prolonger son succès, il faut croire qu'il y a en nous des qualités naturelles permanentes sur lesquelles nous pouvons tabler. Celui qui souffre du complexe de l'imposteur a l'impression qu'il lui manque quelque chose de fondamental pour assurer cette continuité.

Lorsqu'un individu qui oeuvre dans un domaine de création a la conviction intime que la créativité ou l'originalité lui font défaut, il peut craindre de ne pouvoir soutenir sa réputation, puisqu'il ne peut s'appuyer sur cette qualité pour ses futurs projets. Un écrivain livre ses sentiments sur la créativité: «La création fait problème dans la mesure où elle dépend d'éclairs d'inspiration. On ne peut pas s'y attendre de façon régulière. Quand je lis, réfléchis ou échange avec les gens, j'espère que quelque chose va s'imposer à moi. Si ça arrive, je me dis: «Fantastique, je tiens quelque chose», et je suis très content. Mais rien ne laisse prévoir que ça peut se répéter à la prochaine occasion. Il faut tenir compte de l'aspect capricieux, presque fortuit du phénomène. Si je considère que j'ai réussi un beau coup, il faut que je me dise que la prochaine fois, ce ne sera peut-être pas le cas.»

Une femme ne s'expliquait pas comment elle parvenait à rédiger ses rapports. Selon elle, c'est sous l'impulsion d'un souffle créateur qu'elle analysait ses dossiers. Ne sachant comment faire survenir cet état d'inspiration, elle avait le sentiment que ce travail lui échappait.

Celui qui se croit un imposteur se sent tout aussi peu rassuré face aux succès à venir, puisqu'il attribue sa réussite à des facteurs comme l'opportunisme, la chance ou les efforts soutenus. Ces causes temporaires, externes ou inadéquates, ont en fait peu d'influence sur les projets d'avenir. Combien de temps peut-on tenir, songe-t-il, avec du bagou, un sens de l'à-propos, un sens de l'humour, etc.? À chaque nouveau projet, il entrevoit la possibilité que ce bluff soit dénoncé.

L'expérience peut s'avérer particulièrement troublante pour la personne qui travaille à son compte ou dans une entreprise qui doit sans cesse générer de nouveaux contrats auprès de divers clients. Il s'agit peut-être d'un expert-conseil indépendant, d'un comédien, d'un écrivain, d'un illustrateur ou d'un fournisseur. Si cette personne ne considère pas qu'elle construit sur une base solide, dès la fin d'une tâche ou d'un contrat elle aura peur de ne plus pouvoir recommencer.

Pour être confiant en l'avenir, il faut associer son succès à des causes intrinsèques et durables: l'intelligence, les aptitudes, les dons naturels.

Affirmation n° 8. «J'ai tendance à me sentir faux.»

Le sentiment d'être faux est au coeur même du complexe de l'imposteur. Si vous avez enregistré un résultat élevé pour cette question, votre sentiment d'inauthenticité vous rend vraisemblablement anxieux dans un domaine d'activité important de votre vie. Par contre, il est fort possible que vous vous sentiez faux en certaines occasions précises seulement. De même, dans un rôle spécifique, ce sentiment peut vous assaillir souvent ou seulement *de temps à autre.* Son emprise sur vous est relative à l'intensité de vos sentiments d'imposture.

Essayez de préciser ce qui peut vous donner l'impression d'être faux. Exagérez-vous devant d'autres vos capacités? Mentez-vous au sujet de vos expériences passées? Certaines de vos paroles ou certains de vos actes sont-ils fallacieux ou prêtent-ils à équivoque? Livrez-vous moins que ce que vous promettez? Si ce n'est pas le cas, alors pourquoi vous traitez-vous de faux jeton? Ceux qui vous entourent sont-ils habituellement satisfaits de votre travail ou de votre rendement? Si oui, croyez-vous qu'il y ait quelque chose qui ne tourne pas rond chez *eux*?

Se comporter d'une façon et ressentir les choses d'une autre ne signifie pas forcément que l'on soit faux mais que l'on a conscience de sa complexité et de ses contradictions profondes.

Affirmation n° 9. «Ma personnalité ou mon charme font souvent beaucoup d'effet sur les gens.»

Un résultat de trois points et plus (en se rapprochant de «Très juste») indique ici que vous correspondez peut-être au modèle du charmeur du CI. Quelle importance attachez-vous à votre capacité de vous rallier les gens par la chaleur de votre personnalité? Croyez-vous que votre charme personnel soit le moteur de votre succès? Avez-vous déjà tenté de vous rendre maître d'une situation sans jouer la carte du charme? (Autrement dit, avez-vous mis en pratique la théorie de la covariance mentionnée au chapitre II, en faisant varier les relations de cause à effet pour vérifier si le charme est l'ingrédient-clé de vos succès?)

Une jeune femme, qui représente bien ce modèle et occupe un poste d'agent exécutif, m'a confié que le seul domaine qu'elle estimait vraiment maîtriser était celui des relations sociales. Elle a grandi avec la conviction qu'elle ne pouvait pas être très douée, puisqu'elle manifestait peu d'aptitudes pour les maths, une matière où son père excellait, lui que l'on avait toujours considéré comme le «cerveau» de la famille. Son talent pour l'écriture et son don pour les langues lui semblaient bien dérisoires en comparaison. À son sens, «intelligence» corespondait à «bosse des maths». Malgré qu'elle démontrât le même degré de compétence que ses pairs, le sentiment de ne pas être «à la hauteur» la tourmentait dans son travail. Elle gardait l'impression que son habileté à se faire d'utiles relations était le seul argument professionnel en sa faveur.

Affirmation nº 10. «Je considère mes réalisations satisfaisantes pour le présent stade de ma vie.»

Si vous avez répondu «Tout à fait faux» (ou à peu près) à cette affirmation, vous estimez sans doute que vous auriez pu accomplir beaucoup plus dans la vie que vous ne l'avez fait jusqu'ici et ce, quel que soit votre âge.

Les victimes du complexe de l'imposteur sont nombreuses à partager ce sentiment. Un médecin de trente-neuf ans jugeait qu'à cette étape de sa vie il aurait dû se trouver à la tête de son service dans un grand hôpital. À ses yeux, il était un raté de la médecine. Une maîtresse de maison, qui avait entamé des études universitaires dans la trentaine, estimait qu'elle devait boucler le programme de quatre années en une seule. Elle se sentait inapte lorsqu'elle se comparait à des amies de son âge ayant commencé ces études à dix-huit ans et menant à présent de florissantes carrières. Combien de fois ai-je entendu des victimes du complexe de l'imposteur me parler de leur «échec» parce qu'elles n'avaient pas encore atteint «le sommet».

Il ne fait pas de doute qu'il doit être réjouissant d'arriver à son but à un âge relativement jeune. Toucher un but est réjouissant à *tout* âge. Mais demandez-vous si vos exigences sont bien réalistes. La majorité des victimes du CI se disent toujours insatisfaites du chemin parcouru, quel que soit leur exploit. En dépit d'une carrière fort appréciable, un scientifique m'expliquait qu'il se croyait un minus parce qu'il n'avait pas remporté le prix Nobel avant la cinquantaine.

Le désir d'être à la hauteur d'un idéal du moi inaccessible est responsable de cette frustration. Plusieurs victimes du CI cherchent à se mesurer à la perfection. Seules la perfection, la connaissance universelle ou la compétence achevée pourraient les garantir d'une dénonciation comme faussaire. Au lieu de se rendre compte qu'on ne peut qu'aspirer à l'idéal du moi, elles s'acharnent ni plus ni moins à l'atteindre. Le fait qu'elles n'y parviennent pas est ressenti comme un échec.

Affirmation nº 11. «Si je ne partage pas l'avis de mon employeur, d'un professeur ou du responsable lors d'un échange, je le dis franchement.»

Si vous avez trouvé cette affirmation «Tout à fait fausse» en ce qui vous concerne, vous avez un score élevé quant à cet aspect du CI. Êtes-vous porté à endosser les opinions ou les points de vue des autres? Si oui, il se peut que vous cadriez avec le modèle du caméléon du CI. Cette propension à modifier son attitude au gré des événements vous est-elle familière? Estimez-vous que cette approche vous assure une certaine protection contre des accusations d'incompétence ou de médiocrité? Écoutez cette femme: «J'ai toujours cru que je pouvais berner les gens grâce à la facilité avec laquelle je peux les imiter, reproduire ce qu'ils disent, leur restituer tout ce qu'ils savent déjà.»

Nous avons vu combien il est difficile de s'affranchir du modèle du caméléon en raison du comportement inauthentique qu'il sous-tend dans les faits — c'est-à-dire feindre d'approuver des idées ou des comportements qui vont à l'encontre des siens. En ce sens, l'impression d'être un imposteur se trouve renforcée.

Affirmation nº 12. «J'obtiens souvent du succès pour un projet, un compte rendu ou un test alors que je prévoyais d'échouer.»

Ce constat s'avère «Très juste» pour certaines victimes du CI. Celles-ci, du type «penseur magicien», se préparent d'ordinaire à une tâche importante en broyant du noir. Elles s'attendent rarement à ce que les choses tournent à leur avantage. Même les expériences passées dans des conditions similaires, si encourageantes soient-elles, ne les réconfortent pas. Pour de telles personnes, passer d'un succès à l'autre n'affermit nullement leur confiance. Chaque nouvelle «tâche-exploit» est «décisive» — l'épreuve déterminante qui pourrait exposer leur supercherie.

La peur de l'échec est-elle devenue pour vous un rituel qui précède chaque tâche nouvelle ou chaque événement important? Et si vous n'êtes *pas* inquiet, avez-vous l'impression d'avoir oublié une part nécessaire de votre travail? En réalité, se faire de la bile contribue fort peu au succès. Au surplus, se tourmenter à l'excès peut vous paralyser psychologiquement et perturber votre concentration. Vous êtes alors trop mort de peur pour agir. Des victimes du CI se soumettent implacablement à des scénarios autopunitifs chaque fois qu'ils se préparent à un événement significatif. Leurs visions leur apparaissent tout à fait réelles et ne cessent de les hanter.

Affirmation n° 13. «J'ai souvent l'impression de dissimuler aux autres certaines vérités sur moi-même.»

Répondre «Très juste» ici suppose des sentiments de supercherie accusés. Les personnes qui éprouvent ces sentiments sont conscientes de ce qu'elles ressentent, mais ont beaucoup de mal à le confier à d'autres. Elles redoutent les conséquences de cette révélation. Leur plus grande peur est, qu'après avoir écouté leur «lourd» secret, leur interlocuteur réplique: «À bien y penser, c'est sans doute vrai que tu es surfait. Tu m'as fait marcher un bon moment, mais cette fois je vois bien que tu n'es pas ce que tu veux paraître.» Un tel commentaire aurait un effet dévastateur sur une victime du complexe de l'imposteur.

Ceux qui souffrent du CI croient dissimuler plus d'une sorte de secrets. Ce sont parfois des secrets directement liés au travail, du genre: «Je n'ai pas vraiment les qualités requises pour mon poste, quoi qu'on en pense.» Ou bien, ils auront un rapport quelconque avec l'intelligence: «Les gens me trouvent très avisé parce que je ne parle que de choses que je connais parfaitement. Dans le cas contraire, je ne fais qu'écouter et *j'ai l'air* perspicace.» Enfin ce sera: «On ne semble pas s'apercevoir que j'ai beaucoup de bagou et peu de profondeur.» Le secret est parfois aussi diffus qu'un désir d'être pris en charge alors qu'on assume habituellement toutes les responsabilités. Dans son ouvrage *The Cinderella Complex* («Le complexe de Cendrillon»), Colette Dowling a longuement examiné les aspirations secrètes des femmes à dépendre de quelqu'un d'autre.

À l'occasion, la victime du CI cherchera à cacher ce qu'elle ressent comme un handicap social. Une femme qui avait quitté son petit village pour venir travailler dans une grande ville disait: «J'ai cru qu'on allait me fusiller du regard. Je ne connaissais pas les usages des restaurants chic et ne comprenais pas un mot d'anglais. J'avais franchement l'impression que ce n'était pas ma place.»

Ces secrets ont souvent trait à des rôles personnels spécifiques. Celui qui se montre invariablement «aimable» avec tout le monde peut avoir le sentiment qu'il cache le mauvais côté de sa personnalité; ses «secrets» seront ses sentiments de rage, de jalousie ou de dépit occasionnels. La jeune mère gardera un autre genre de secret: comme elle exprime parfois de l'impatience devant le besoin d'attention constant de son petit, elle se croit tenue de taire ce fait pour conserver sa réputation de mère dévouée.

Du point de vue de la victime du CI, ses secrets sont honteux. Pour se protéger des dénonciations possibles et de leurs sombres conséquences, elle doit les dissimuler à tout prix.

Affirmation nº 14. «Mon moi public et mon moi privé ne font qu'un.»

Les individus accablés de profonds sentiments de supercherie répondent souvent «Tout à fait faux» à cet énoncé, car celui-ci va au coeur de leur conflit interne entre image publique et image privée. Décrivez par écrit ce qui vous semble être votre personnalité publique; ensuite, décrivez votre moi privé. Voyez enfin comment les deux contrastent.

Grâce à des recherches, nous avons pu constater que les victimes du CI font l'expérience d'un plus grand décalage entre leurs moi public et privé que les autres gens. Elles se perçoivent comme des êtres inconséquents ou «faux». En revanche, ceux qui n'éprouvent pas de sentiments d'imposture ont l'impression qu'ils ne font que s'ajuster aux conditions particulières de certaines situations.

Dans la deuxième partie de ce test, vous aurez l'occasion d'examiner plus attentivement tous les sentiments du CI que vous pourriez éprouver, de même que les signes du CI que vous pourriez trahir par votre comportement. Cette réflexion devrait vous aider à saisir plus globalement comment le complexe de l'imposteur peut agir sur vous.

Deuxième partie

Sur une feuille, inscrivez vos réponses aux questions posées ci-dessous. Mais avant de répondre, accordez-vous chaque fois un temps de réflexion; vous tentez de dépister des sentiments qui peuvent être difficiles à admettre et les réponses ne viendront peut-être pas facilement. Exigez de vous-même la plus grande honnêteté possible.

1. Dans quelle(s) situation(s) avez-vous l'impression d'être un imposteur, un faussaire ou un bluffeur? Est-ce en rapport avec:

- ☐ votre travail?
- ☐ vos relations avec des membres de la famille?
- ☐ vos relations d'amitié?
- ☐ votre relation amoureuse ou conjugale?
- ☐ des occasions sociales, soirées ou autres?
- ☐ un autre aspect de votre vie?

2. Pourquoi avez-vous l'impression d'être un imposteur, un faussaire ou un bluffeur? (Par exemple, vous estimez-vous moins apte à faire votre travail, moins intelligent ou moins compétent que vos pairs ou vos collègues?)
3. Quel effet cela vous fait-il d'être un imposteur ou un faux jeton? Décrivez vos impressions.
4. Estimez-vous que l'un (ou certains) des facteurs suivants a (ont) joué un rôle capital dans votre réussite? Cochez le ou les facteurs appropriés.

- ☐ la chance
- ☐ le charme
- ☐ l'entregent
- ☐ le sens de l'humour
- ☐ une belle apparence
- ☐ la sexualité
- ☐ les relations de famille ou d'affaires
- ☐ le travail acharné
- ☐ la détermination
- ☐ autre(s)

Croyez-vous que l'un de ces facteurs ait pu induire certaines personnes à surestimer vos capacités? Comment?

5. Selon vous, vos pensées et vos sentiments semblent-ils contredire ce que vous dites et faites? De quelle façon?
6. Lorsque vous tenez le rôle dans lequel vous éprouvez des sentiments d'imposture, à quelle fréquence reviennent ces sentiments? Tout le temps? Dans certaines situations seulement (et si oui, quand)?
7. Craignez-vous que l'on vous démasque en tant que faussaire? Cela vous inquiète-t-il profondément et souvent?
8. De quoi auriez-vous peur si les gens venaient «à savoir»?
9. Qu'est-ce qui empêche les gens de vous «percer à jour» ou que faites-vous pour qu'il en soit ainsi; comment se fait-il que personne n'ait encore «pigé»?
10. Qu'est-ce que vous faites *précisément* ou de quelles façons *exactement* entrez-vous en rapport avec les autres pour masquer vos sentiments d'imposture? Par exemple, vous montrez-vous toujours très sûr de vous? Soutenez-vous que vous êtes tout à fait capables de bien conduire une affaire alors que vous en doutez au fond de vous?

Adoptez-vous l'un des modèles de comportement du CI, tels ceux du «penseur magicien» ou du caméléon? Travaillez-vous deux fois plus que les gens de votre entourage? Essayez-vous d'exercer votre charme sur autrui? Cherchez-vous l'approbation des autres et, si c'est le cas, de quelle façon? Vous efforcez-vous d'aller au devant des besoins psychologiques des gens et d'être la personne que vous croyez qu'ils veulent que vous soyez?

11. Comment accueillez-vous les compliments ou les éloges? Vous est-il difficile ou aisé d'accepter l'admiration ou le respect que les gens ont pour vous? Arrivez-vous difficilement à croire leur évaluation de vos capacités? Que dites-vous ordinairement à ceux qui apprécient vos réalisations? Pensez-vous qu'ils sont trop bornés pour voir clair ou bien que vous les avez manipulés ou séduits de quelque façon?

12. Avez-vous déjà éprouvé de tels sentiments par le passé, dans d'autres situations ou d'autres circonstances de votre vie? De quelles situations ou circonstances s'agissait-il?

13. S'il y a eu par le passé des situations où vous avez eu le sentiment d'être un imposteur, mais que vous avez *surmonté* ce sentiment depuis, par quel moyen y êtes-vous arrivé?

14. Comment vous expliquez-vous vos sentiments d'imposture alors que vous reconnaissez sans peine, *sur le plan intellectuel*, la qualité de vos réalisations?

Chapitre V

Comment ça se passe: Dans la famille

Vous savez tout à présent du complexe de l'imposteur. Vous avez vu comment le sentiment de manquer d'authenticité peut influer sur la façon d'agir et de penser d'une personne. Vous avez pu observer vos comportements et vous demander si le complexe de l'imposteur agit sur vous d'une quelconque façon.

Mais d'où vient ce sentiment de supercherie? Pourquoi certaines personnes sont-elles victimes du complexe de l'imposteur tandis que d'autres y échappent?

On peut se sentir faux pour différentes raisons. Un retour à la prime enfance et à la situation familiale permet d'expliquer certains cas. La dynamique familiale est souvent à l'origine des complexes d'imposture les plus sérieux et les plus tenaces.

Le complexe de l'imposteur peut être particulièrement difficile à déloger lorsqu'il remonte à l'enfance. L'enfant qui commence à se sentir faux pour une raison ou pour une autre cherche à empêcher sa famille de découvrir sa supercherie. Il peut emprunter le même comportement que plusieurs victimes du CI. Il travaille diligemment — trop même — à l'école, en sport, durant ses leçons de piano. Sinon, quoi qu'il entreprenne, il redoute d'échouer. Pour peu que les adultes le trouvent charmant et précoce, il joue cette carte pour les gagner à lui. Les compliments ne signifient plus rien pour lui, sauf s'il cesse d'en recevoir. Il peut adopter le style caméléon et copier les autres, ou chercher obstinément à répondre à ce qu'il croit être les attentes de ses parents à son endroit. Il montre ce qu'il considère être un masque. Ces comportements ne font que renforcer son sentiment de supercherie. Le complexe de l'imposteur le tient désormais solidement et ne fera avec le temps que resserrer son emprise.

À trente-trois ans, après avoir brûlé plusieurs étapes, Hélène dirige une société commerciale. Son sentiment de supercherie remonte aussi loin que son enfance. À ses yeux, elle présentait une fausse image d'elle-même en mettant de l'avant son intelligence exceptionnelle et sa différence. «Si j'agis normalement, se disait-elle, mes parents et professeurs ne me remarqueront pas, les autres petites filles ne voudront pas de moi comme amie.» « Je ne pouvais être une enfant moyenne, même si je le désirais plus que tout, j'ai donc créé ce personnage *au-dessus* de la moyenne. Contrairement aux autres mères, la mienne travaillait, révéla Hélène. Quand elle rentrait, je lui en mettais plein la vue. J'avais le sentiment qu'il me fallait être spéciale pour retenir l'attention de mes parents. Je n'agissais pas comme une enfant. Je parlais de livres, d'art. J'essayais d'être perçue comme une personne fascinante.»

Hélène se convainquit qu'elle faisait naître des illusions chez les autres à son sujet. Le sentiment persista durant toute sa jeunesse et même après, en dépit d'une multitude de réalisations impressionnantes. «À l'école, dit-elle, je ne me suis jamais trouvée savante. J'étais toujours la meilleure étudiante de la classe, beaucoup plus selon moi parce que je copiais le professeur et reprenais les clichés littéraires qu'en raison de mes connaissances. J'ai toujours déploré mes talents d'imitatrice.»

Certaines situations familiales favorisent les sentiments d'imposture. Toutefois, elles ne sont jamais la cause comme telle de l'apparition de tels sentiments chez l'enfant. Chaque enfant dispose de traits de caractère propres qui déterminent la part des influences familiales. Psychologiquement, il peut traverser une sorte de champ de mines, mais s'en sortir indemne à la fin. Certains enfants jouissent d'appuis en dehors du noyau familial qui neutralisent leurs sentiments d'imposture. Les professeurs, les amis, une tante, un oncle proche, les grands-parents peuvent faire toute la différence.

La situation familiale d'un enfant ne peut pas par elle-même en faire une victime du complexe de l'imposteur. Elle peut cependant être le lieu propice à un tel complexe.

Mais où cela a-t-il commencé?

Mythes et étiquettes familiales

Souvent très tôt, l'enfant se voit assigner un rôle dans la famille. Certains éléments de sa personnalité, certaines aptitudes feront qu'il sera étiqueter. Il devient «le génie» ou «le sensible» du clan. Il pourra en être «le sérieux» ou «l'amuseur». L'étiquette caractérise l'enfant au sein de la famille et peut devenir un élément important de son identité [1].

Ceux qui ont lu *Little Women* («Petites femmes») de Louisa May Alcott se souviendront du rôle très précis qu'y jouait chacune des quatre soeurs. Meg, l'aînée, était «la jolie». Jo était «le garçon manqué» et «le rat de bibliothèque». Beth était «la pacificatrice»; son père la surnommait «Petite tranquillité». La plus jeune, Amy, était «l'artiste», «l'égoïste» et «la vaniteuse». Une dame me confia qu'elle et sa soeur, étant enfants, s'étaient toutes deux attribué des rôles à la façon des soeurs de *Little Women.* Si donc les parents se gardent d'accoler des étiquettes, les enfants le font parfois de leur propre initiative, de manière à se distinguer.

On trouvera ci-après certaines étiquettes — tant valorisantes que péjoratives — souvent accolées aux différents membres de la famille. Reconnaissez-vous parmi elles celle qui vous a caractérisé durant votre enfance? Sont-elles applicables à l'un ou l'autre de vos frères et soeurs? C'est parfois l'un des parents ou un parent proche (tante, oncle, cousin, grand-père, grand-mère) qui est réputé être «celui qui a le sens de l'humour», «l'ingénieux», etc. Lequel étiez-vous?

l'enfant brillant
le génie
le responsable
le blagueur
la bonne âme
l'athlète
le doué
l'enfant gâté
le «bébé»
le gentil
le compréhensif
la petite fille à papa
le survolté

l'amuseur, le boute-en-train
le sensible
le beau garçon
le mignon
le clown
la gardienne ou la «petite maman»
le créateur, l'artiste
le vaniteux
la tortue
le petit agneau
le sérieux
le garçon manqué
le rêveur

Qu'elle soit avantageuse ou non, l'étiquette peut dégager un lot de significations qui dicteront à l'enfant ce qu'il peut faire — ou ne pas faire — et le rôle qu'il devra tenir sa vie durant. La petite fille qu'on ne désigne jamais autrement que par «pauvre Sylvie» pourra grandir en entretenant la triste impression qu'il lui manque quelque chose d'essentiel et qu'on n'attend rien d'extraordinaire d'elle. Par contre, Bobby, qui est «né sous une bonne étoile», n'attendra que du bon.

Un enfant pourra connaître des difficultés si sa famille le voit constamment à travers son étiquette, en négligeant les autres facettes de sa personnalité. S'il se rend compte qu'on ne songe plus à lui que sous un angle donné, son étiquette risquera de s'imposer comme l'élément dominant de son identité, lui laissant un rôle unidimensionnel à jouer au sein de la famille.

Si le rôle attribué le favorise, l'enfant pourra développer une dépendance croissante à son endroit en se conformant à lui pour obtenir affection et approbation. Puisque ses parents, ses frères et soeurs attendent de lui un certain comportement, pense-t-il, alors il vaut mieux ne pas les décevoir.

Lorsqu'il ne veut ou ne peut pas satisfaire aux exigences de son étiquette, l'enfant commence à douter de lui-même. Un jour, «l'amuseur» ne se sent pas bien, mais il sait qu'il doit se présenter à table avec son inaltérable sourire. «L'enfant responsable» qui tarde à rentrer de l'école s'affole parce qu'elle a promis à maman de ranger la chambre avant son retour du travail.

Compte tenu de l'importance de ce rôle dans la définition de son identité, l'enfant ne peut accepter de le jouer autrement qu'à la perfection. Toute attitude, tout sentiment contraire à l'esprit de ce rôle pourra lui donner l'impression qu'il n'est pas vraiment ce qu'il paraît être. Il ne mérite pas cette étiquette. Mais, pense-t-il, ses parents s'apercevront qu'il n'est pas celui qu'ils croient s'il leur fait part de ses «faiblesses» et contradictions; ils pourraient ne plus l'aimer. Dans ce cas, il préfère taire son terrible secret: il n'est qu'un bluffeur.

Toute étiquette, si on s'en remet trop souvent à elle, peut favoriser chez l'enfant l'apparition du CI. Mais chacune le fait à sa façon.

L'enfant brillant

Enfant, Normand était très doué pour les mathématiques. Il se souvient que sa famille le trouvait brillant, car il n'avait pas besoin de travailler pour obtenir de bonnes notes. On reconnaissait que sa soeur se classait également très bien, «mais elle devait étudier». Ceci impliquait qu'elle ne pouvait être aussi brillante que lui, puisqu'elle devait peiner pour parvenir aux mêmes résultats. Plus tard, Normand aborda des matières difficiles pour lui et dut s'acharner pour réussir. Il commença à se demander s'il était vraiment le génie que ses parents avaient imaginé. Mais il tint ses difficultés secrètes pour préserver l'image que la famille avait de lui et les gratifications qu'il en retirait.

Si vous étiez «l'intelligent», «le génie» ou «le doué» de votre famille, on attendait probablement beaucoup de vous. On tenait peut-être pour acquis que vous diriez quelque chose de lumineux ou d'intelligent chaque fois que vous ouvririez la bouche. On vous a peut-être dit: «Avec la cervelle que tu as, tu pourras devenir ce que tu voudras.» (Ce qui, dans certains cas, a pu prendre le sens de «ce que *nous* voudrons».)

Être à la hauteur de pareille étiquette peut s'avérer difficile. Souvent, les victimes du CI ayant grandi avec elle se sentent instamment pressées de satisfaire et de maintenir cette image forgée par la famille. Elles pourront se donner beaucoup de mal pour ne pas décevoir leurs proches, ne ramenant à la maison que les nouvelles ayant trait à leur succès. Si elles éprouvent certaines difficultés, elles peinent en silence sans requérir le moindre soutien affectif. Si elles rencontrent une forme de concurrence, elles pourront même la taire à la famille jusqu'à sa disparition et jusqu'à ce qu'elles aient décroché le premier prix.

Ce type est si fréquent parmi les victimes du CI qu'il fut un des premiers à être observés. Lorsque Clance et Imes firent leurs premières recherches sur le complexe d'imposture chez les femmes, elles découvrirent que plusieurs de celles qui souffraient d'un manque d'authenticité avaient grandi sous l'étiquette «enfant brillante». Ces femmes s'étaient senties obligées d'être à la hauteur des attentes. Elles avaient commencé à douter d'elles-mêmes dans des situations où il avait fallu lutter ou «bûcher», alors qu'elles étaient habituées à atteindre facilement la perfection. La vie s'était chargée de leur faire comprendre qu'elles n'étaient pas vraiment «le génie» que leurs familles croyaient, d'où ce sentiment d'imposture.

Les psychologues citent le cas d'une femme qui était «la douée» de la famille. Enfant, son image familiale la préoccupait à tel point qu'elle s'absentait de l'école, feignant d'être malade, les jours où les concours d'orthographe avaient lieu. Elle avait peur de ne pas gagner, ce qui aurait signifié qu'elle trompait les espoirs de sa famille. Une autre femme étudiait en cachette lorsqu'elle était petite. Quand sa mère entrait dans sa chambre, elle feignait de jouer. Elle cherchait à se conformer à l'opinion selon laquelle elle était «un génie», or «les génies n'ont pas à étudier».

Parfois, l'enfant «brillant» éprouve des difficultés dans un champ d'étude donné qui, de ce fait, devient à ses yeux le seul lieu valable de succès. C'est souvent le cas lorsqu'une personne idéalisée ou enviée de la famille excelle en ce domaine. L'enfant «brillant» aura beau être un prodige en histoire ou en théorie musicale, la bosse des sciences constituera pour lui le seul critère du talent pour peu qu'elle soit la force d'un des parents, d'un frère ou d'une soeur.

L'enfant «brillant» qui se heurte à une discipline lui refusant un succès facile y voit aussitôt la preuve de sa profonde incompétence. Comme d'autres personnes convaincues d'être des imposteurs, il est porté à considérer que ses talents naturels, ses aptitudes, ses dons — tout ce qui lui vient facilement —n'ont *aucune* valeur.

L'enfant sensible

Peut-être étiez-vous reconnu chez vous comme l'enfant «sensible» ou «compréhensif». Peut-être jouissiez-vous d'une grande intuition qui vous permettait de prêter l'oreille aux difficultés des autres et de les aider à y trouver des solutions. Nombreuses sont les victimes du CI à avoir joué ce rôle.

Ces enfants parviennent à l'adolescence, voire à la maturité, avec les mêmes aptitudes. Ils sont ceux à qui les amis confient leurs ennuis. Ils peuvent se montrer sensibles aux difficultés personnelles de leurs professeurs, patrons et mentors. Les gens les aiment et les tiennent en grande estime.

En plus d'être sensibles et compatissants, ces enfants peuvent faire preuve d'intelligence, de talent et de créativité, qualités qu'ils aimeraient voir reconnaître par leur entourage. Mais que cela arrive et ils commencent à douter des qualités en question et à se demander si elles sont bien réelles. Pour s'être toujours montrés réceptifs aux besoins d'autrui, ils restent avec l'impression que cela seul motive les gens à leur endroit, et non leurs talents ou aptitudes. Souvent, ces victimes du CI ont eu une soeur ou un frère reconnu comme «brillant» ou destiné aux plus hautes études et fonctions.

Si elles lui attirent l'estime, la sensibilité et la compassion dont fait preuve l'enfant peuvent contribuer à renforcer chez lui l'impression de bluffer. Peut-être ne prête-t-il pas toujours une oreille très attentive aux problèmes de chacun. En vieillissant, il peut noter chez lui un certain ressentiment quand un ami déprimé l'appelle au beau milieu de la nuit, ou se trouver secrètement irrité d'avoir à souffrir la litanie des ennuis personnels de son patron. Il commence ainsi à se demander si sa réputation de personne sensible ne repose pas sur une méprise.

La gardienne

Le rôle de «gardienne» est souvent celui de la soeur aînée, ou de l'unique fille de la maison, qui privilégie les besoins des autres à son détriment. S'il ne lui est pas attribué, elle peut inventer le rôle à son profit pour se sentir nécessaire ou pour occuper une place particulière ou avantageuse dans la famille. Que cela soit vrai ou non, elle se croit obligée de jouer à la gardienne pour obtenir l'affection dont elle a besoin et être acceptée.

Berthe était la «gardienne» à la maison. Aujourd'hui âgée de vingt-sept ans, c'est une jeune femme intelligente, séduisante et qui s'exprime avec aisance; mais enfant, elle ne se reconnaissait aucun de ces atouts, convaincue qu'elle n'était bonne qu'à prendre soin des autres. «Lorsque j'étais adolescente, ma mère devait faire de longues journées de travail pour subvenir à nos besoins; je m'occupais donc de mes jeunes frères et soeurs, et même d'elle jusqu'à un certain point. Je sais aujourd'hui, je le savais alors, même si je n'aurais su l'exprimer, qu'il n'y avait pas d'autre issue. Si je ne m'étais pas occupée d'eux, ils ne m'auraient pas aimée.»

Le créateur, l'artiste ou le doué

On attend du «créateur», ou de «l'artiste» qu'il fasse toujours preuve d'originalité ou d'imagination, qu'il rende des travaux impressionnants et aboutisse inévitablement à des conclusions intéressantes. Ressentant la pression, l'enfant peut facilement commencer à se demander s'il saura toujours être à la hauteur des attentes. La prochaine fois, se dit-il, l'inspiration fera peut-être défaut. La famille et les amis seront déçus. Que lui restera-t-il?

Si vous étiez «le doué» de la famille, vous avez sans doute pris des leçons de danse, de théâtre ou de musique. Vos parents avaient-ils l'habitude de vous demander de vous exécuter devant les visiteurs? On demande souvent à l'enfant doué de donner un bon spectacle et d'être la fierté de la famille. Montrer son talent peut être gratifiant et agréable; la plupart des enfants doués recherchent les applaudissements. Toutefois, si une seule facette de l'enfant retient l'attention, sa perception de lui-même peut en souffrir, car trop dépendante des performances parfaites et des applaudissements.

La pression augmente. L'enfant commence à se demander s'il est assez doué pour continuer à susciter les applaudissements. L'idée de faire une erreur ou d'offrir une performance médiocre le remplit d'effroi. Se donner en spectacle pour sa famille peut attirer sur soi l'admiration publique. Mais en cas d'erreur ou de contre-performance publiques, l'humiliation peut être retentissante. L'enfant qui ne se sent apprécié et aimé que pour son talent pourra en grossir les conséquences et voir en un simple faux pas un échec désastreux.

Le film *Flashdance* illustre bien pareil cas. La famille d'une patineuse artistique talentueuse assiste dans la peine et l'humiliation à sa chute maladroite sur la glace, devant une foule nombreuse. La patineuse éprouve le sentiment d'avoir trahi sa famille. Elle conclut qu'elle n'a pas vraiment le talent nécessaire et renonce à ses ambitions.

Ce rôle peut perturber l'enfant d'une autre façon. Certaines gens établissent une distinction très nette entre le talent créateur ou artistique et la capacité intellectuelle. En se percevant exclusivement comme artiste ou vedette de spectacle, l'enfant peut facilement conclure que «la matière grise» lui fait défaut et renoncer à se faire entendre dans les discussions sérieuses.

Enfant, Danièle était une «vedette» dans sa famille et, de plus, une «enfant gâtée». «J'étais une espèce d'enfant prodige, dit-elle, parce que je chantais et dansais. Jusqu'à un certain point, j'étais précoce. Mais en parvenant à l'âge adulte, j'ai commencé à douter de moi. Dans ma famille, tout allait bien. Mais en entrant dans le monde, je suis devenue beaucoup plus réservée. J'étais tout simplement convaincue de n'être pas assez intelligente.»

L'amuseur

Un autre rôle souvent joué dans les familles est celui d'«amuseur» ou de «boute-en-train». On attend de cet enfant qu'il ait toujours de l'esprit, qu'il soit chaleureux, charmant, extraverti et amusant, souvent sans être particulièrement intelligent ou promis à de grands espoirs. Dans son cas, de bons résultats scolaires causeront moins d'émoi, seront moins montés en épingle, que ceux du sujet «brillant» de la famille.

Tout se passe comme s'il ne pouvait y avoir qu'un enfant «brillant» et qu'un «amuseur». Que le «doué» se distingue en mathématiques, et la famille se met à croire qu'elles sont la véritable mesure du génie. L'«amuseur» excelle peut-être en langues ou en composition, malheureusement la famille accorde moins de valeur à ces disciplines qu'aux mathématiques pour lesquelles il n'est pas doué. Lorsque les professeurs louent son travail, des doutes s'installent en lui. Il s'imagine que les professeurs se trompent, qu'ils se sont laissés prendre à son esprit ou à son charme, d'où la surestimation de ses aptitudes.

Un schème se développe. L'enfant se met à croire que les louanges ou l'admiration dont il est l'objet ne lui viennent ni de ses aptitudes ni de son intelligence, mais de sa personnalité engageante. Les autres sont tombés dans le panneau s'ils le croient intelligent. En grandissant, cet enfant devient un charmeur du CI.

Disposer d'une personnalité engageante constitue un atout important. Le sentiment d'imposture n'apparaît que si le rôle joué s'avère unidimensionnel; l'enfant en vient alors à croire qu'il lui faut être constamment «en forme» pour recueillir l'estime de la famille. Comme son intelligence et ses aptitudes sont niées, il en conclut qu'il n'est probablement pas très futé.

Charles avait toujours été un «amuseur» très apprécié. Même les professeurs, qui devaient sans cesse le réprimander pour son bavardage durant les cours, avaient un faible pour lui. Jamais son intelligence n'avait été soulignée par la famille pour la simple raison que sa personnalité l'éclipsait. C'est sa jeune soeur qui était étiquetée «brillante». Quelle ne fut pas sa surprise de la voir ne réussir que de justesse sa première année d'université. Quant à lui, il fut promu avec distinction et entreprit même son second cycle dans une faculté des plus prestigieuses. À en croire les étiquettes familiales, il ne devait pas en être ainsi.

Charles fit face à une autre difficulté observée assez fréquemment chez «l'amuseur». Une rupture avec sa petite amie l'avait laissé très déprimé, mais il sentait qu'il ne pouvait confier sa peine à personne. En le faisant, il aurait saboté son image de type expansif et boute-en-train. Il se sentit obligé de rester seul dans sa chambre pendant de longues heures, de se tenir loin de tous, puisqu'il ne pouvait être «égal à lui-même».

Personne dans la famille ne niait à Rachel son intelligence, mais c'est son jeune frère qui faisait figure de «génie». Elle avait chaleur, charme et sens de l'humour; en un mot elle était le type même de «l'amuseur». Rachel confia: «Il était admis que nous étions tous deux intelligents. Mais *mon frère*, c'était lui le génie! J'ai dû entendre cela des centaines de fois tandis que je grandissais. L'année dernière, mon frère et moi sommes allés rendre visite à une grand-tante que nous n'avions jamais rencontrée. Dès notre entrée, elle a immédiatement pointé mon frère du doigt: «Toi, le doué de la famille, lança-t-elle, dis quelque chose de bien.» J'aurais voulu la tuer, même si j'admettais qu'elle avait raison.»

Le bel enfant

Étiez-vous «le bel enfant», le «séduisant» ou le «mignon» de la famille? Les beaux enfants sont souvent admirés et portés aux nues. «N'est-il pas adorable?» «Ne va-t-il pas briser des coeurs, une fois grand?» «Elle n'attendra jamais après les rendez-vous.» Les parents peuvent faire grand cas de l'apparence de cet enfant, soigner sa mise, sa chevelure, pour toujours mieux le faire paraître. Peut-être n'arrêtent-ils pas de le photographier: ils l'inscrivent à des concours de beauté et lui font passer des auditions pour les annonces publicitaires. Les petites filles ne pourront manquer d'être nommées reines de bals étudiants et de devenir plus tard vedettes de cinéma.

Souvent, l'enfant comprend qu'il a pour lui l'apparence tandis que son frère, sa soeur, a la matière grise. Il peut par ailleurs être intelligent et habile, mais on ne lui en demande pas tant. Il est si adorable! Pourquoi serait-il également brillant? Parvenu à l'âge adulte, il peut avoir l'impression que son apparence lui a ouvert les portes, qu'il a profité d'un avantage injuste sur d'autres pesonnes mieux qualifiées. Il sait qu'il jouit de l'indéniable avantage de sa séduction physique et se demande s'il a jamais été évalué sur ses seules aptitudes. Dans ses relations personnelles, il peut penser n'être aimé que pour son apparence. Il se demande si cette dernière n'a pas aveuglé la personne qu'il aime et occulté les aspects de sa personne qu'il juge médiocres.

J'ai montré précédemment comment l'apparence d'un adulte peut amener celui-ci à se sentir comme un imposteur, notamment par le besoin de se cacher sous un «déguisement», maquillage ou toilette, pour mieux paraître. Le problème peut apparaître très tôt chez un enfant se sachant naturellement séduisant. Il peut ressentir l'impérieux besoin de toujours satisfaire à certains critères de beauté, étant donné qu'il n'a jamais trouvé d'autres sources d'estime et d'affection.

Lorsqu'une personne est convaincue qu'elle doit son succès à son apparence physique, il peut lui sembler désastreux de perdre cet avantage. L'âge ou un accident qui la laisse défigurée peut détruire l'image et, du même coup, l'assurance qu'elle lui a transmise au cours des ans. Succès et estime des autres sont, dans son esprit, liés à son apparence.

L'enfant modèle

Plusieurs personnes souffrant du complexe d'imposture comme «bonne âme» ont joué le rôle d'«enfant modèle» ou «gentil» dans leur enfance. La fillette aura été «la petite fille à papa» ou «le petit agneau».

Satisfaire à de telles étiquettes signifie ne jamais se mettre en colère, oblige à toujours prêter une oreille attentive aux autres, à se conformer aux désirs de ses parents et à faire plus grand cas des besoins des autres que des siens. L'enfant en prend parfois l'initiative, cherchant peut-être à compenser les déficiences d'un frère ou d'une soeur. En étant invariablement bon et gentil, il se trouve à rétablir un équilibre chez les parents déçus.

Rose était «la bonne fille» qui se conformait aux attentes de ses parents, notamment en obtenant de bons résultats scolaires. Comme elle le dit elle-même: «J'étais une bonne enfant. On l'attendait de moi; il le fallait. Cela signifiait entre autres réussir à l'école.» Mais déjà à l'école secondaire elle avait commencé à se demander si elle ne trompait pas les gens sur ses aptitudes.

«Au secondaire, se souvient-elle, j'avais un professeur qui m'aimait vraiment beaucoup et me confiait toutes sortes de travaux et de tâches particulières. Je n'arrivais pas à comprendre pourquoi il me croyait vraiment brillante, ce qui m'a toujours effrayée. Je ne pouvais pas le croire. Les professeurs comme lui étaient rares. C'était un drôle de numéro. Il m'appelait chez moi et prêtait beaucoup d'attention à ce que je disais.

«J'avais un ami qui entretenait des rapports semblables avec lui; il sut s'en approcher davantage et en retirera beaucoup de profit. Pour ma part, je n'ai jamais pu me détendre assez pour avoir des rapports plus étroits. Pourquoi m'avoir choisie, moi? me disais-je toujours. Et j'avais l'impression qu'en le laissant s'approcher, je l'aurais aidé à se rendre compte de sa grave méprise.»

Rose perçut ses succès scolaires comme quelque chose d'inhérent à son rôle de «fille modèle» plutôt que comme une preuve d'une intelligence remarquable. Elle qualifia de «drôle de numéro» le professeur qui la trouvait suffisamment brillante pour s'intéresser à elle. Cette attention la rendait perplexe; il ne pouvait qu'avoir surestimé son intelligence. Elle n'arrivait pas à se trouver intellectuellement douée et à jouer avec lui, en toute confiance, le rôle de protégée. Ce rôle l'aurait obligée à recevoir. Celui d'«enfant modèle» exige le don et l'obéissance.

Pour jouer au parfait «enfant modèle», il faut étouffer ses colères, sa jalousie, son égoïsme, son agressivité, sa révolte. Que de travail pour un enfant! Chacun de ces sentiments se manifeste chez toute «bonne âme». Lorsqu'ils menacent d'éclater, une grande anxiété s'empare d'elle. En prenant conscience de ses sentiments négatifs, l'«enfant modèle» conclut qu'il ne satisfait pas aux exigences de son rôle. D'où la croyance que la bonne impression laissée repose uniquement sur son aptitude à cacher ses «mauvais et laids» sentiments.

Voici comment Fernande revoit ses années de parfaite «enfant modèle». «Personne ne peut être aussi gentil que je l'étais, dit-elle. Durant mon enfance et mon adolescence, j'étais consciemment «gentille». Jamais je ne me mettais en colère. Je prenais toujours la défense de ceux qu'on attaquait. Puis, un jour, je me suis dit: «Ce n'est plus possible.» Pour la première fois, je faisais l'expérience de la colère. J'en fus complètement terrifiée, ne sachant même pas *quoi faire* dans ce cas.

«Mon refoulement était lié à mon rôle familial. J'étais l'«enfant modèle». J'étais la bonne âme. J'étais celle qui comprenait et qui sympathisait. Cela me valorisait. J'étais «celle sur qui maman peut toujours compter pour rester normale et calme», «le petit agneau». Bientôt, on ne me vit plus autrement.»

Fernande vécut le tiraillement qui accompagne le sentiment d'imposture: son image publique — celle d'enfant douce, bonne et calme — était en conflit avec ses sentiments intimes. À un moment donné, elle prit l'habitude de tousser et de se racler la gorge sans arrêt, ce qui la rendit timide et mal à l'aise. Elle aboutit finalement en thérapie. Son raclement de gorge était le symptôme de pressions qu'elle exerçait sur elle pour bâillonner sa colère. C'était un signal. Rapidement, elle put renouer avec ses sentiments de colère et trouva la seule solution à son tiraillement: se rendre compte qu'il est possible de se mettre en colère et le faire effectivement, sans pour autant se vouer au diable ou perdre son identité.

Ce que l'enfant décide

L'enfant qui se croit autorisé à ne jouer qu'un seul rôle pour la famille trouve difficile d'admettre qu'il en a tenu d'autres avec succès. Il ne lui est pas facile de se sentir souple et multidimensionnel, capable de bien tenir plus d'un rôle. La situation lui semble fausse, provoque chez lui des conflits, suscite des doutes.

Tel que mentionné précédemment, tous les enfants ne réagissent pas aux pressions familiales en s'y conformant et en acquérant le sentiment d'imposture. Certains entreprennent de prouver l'erreur de leurs parents.

Un P.D.G. qui ne souffre pas du complexe de l'imposteur m'indiqua comment il voyait la situation familiale. «Je crois que les parents perçoivent des différences chez leurs enfants, mais ils ne se rendent pas suffisamment compte jusqu'à quel point ils peuvent les accentuer ou même en inventer. J'étais le deuxième enfant. Mon frère aîné était encouragé et récompensé, et moi non. Tout ce que fait le premier enfant — manger, sourire, marcher, parler — est remarqué et rétribué par les parents. Lorsque le premier-né réussit à se tenir debout, les parents trouvent cela génial. Chez le second, ce n'est plus qu'une répétition.

«À l'école, je ne me sentais pas à ma place. J'avais des problèmes de comportement, on me punissait pour mon bavardage en classe. Mais je crois qu'une certaine dose d'insécurité peut pousser des gens comme moi à réussir des choses qu'on ne les croyait pas capables de faire. Ainsi un enfant grondé par le professeur peut se mettre en frais de prouver qu'il est plus brillant que le maître.»

Cet homme avait très bien réussi, beaucoup mieux même que son aîné. Quelque chose en lui, malgré la situation familiale, l'avait convaincu qu'il avait tout pour réussir et l'avait tenu loin des sentiments du CI sur des questions telles que sa valeur personnelle et ses aptitudes au succès.

Par ailleurs, certaines personnes adoptent d'elles-mêmes des rôles contraignants, en l'absence de toute pression familiale. Et elles se tourmentent pour essayer d'être à la mesure d'idéaux qu'elles se sont imposés.

Affectée au service des ventes dans une grande société manufacturière de l'Ohio, Kim avait préparé pour un client une importante exposition sous une forte tension. Elle croyait fermement que son avenir dans cette société dépendait du succès de l'exposition et que les résultats lui donneraient la mesure de sa compétence. Sa préparation était par trop minutieuse (comme chez le bourreau de travail du CI); elle se plaignait de ne pouvoir connaître la valeur de son travail, n'ayant reçu aucune appréciation de son patron jusque-là.

Durant tout ce temps, elle avait eu des accès de panique: battements de coeur, essoufflements, lourdeurs aux bras et aux jambes et peur de s'évanouir. Ces crises s'avéraient si angoissantes qu'à deux reprises elle dut se rendre d'urgence à l'hôpital, pour se faire dire que physiquement elle n'avait rien.

Kim avait accepté ce poste malgré qu'il soit loin de chez elle. Après avoir travaillé dans une boutique de cadeaux pendant plusieurs années, elle avait voulu relever de plus grands défis. En fait, son intérêt allait à l'écriture, mais elle croyait *devoir* poursuivre une carrière commerciale.

Il s'avéra que Kim avait abusé d'elle-même de plusieurs façons au cours des ans. Elle était connue dans la famille comme l'«aventurière». Contrairement à son frère et à sa soeur qui avaient fréquenté l'université locale, en continuant d'habiter à la maison, elle était allée faire son B.A. dans une autre ville. Elle s'était toujours prêté une supériorité de moyens, cherchant à faire plus qu'elle ne pouvait et se confrontant à ses propres amis. En fait, durant ses études au loin, elle s'ennuya beaucoup des siens. Elle faisait à présent carrière commerciale parce que son père, croyait-elle, l'aurait voulu.

Retraçant son histoire, nous nous sommes rendu compte que les quatorze mois la séparant de sa soeur aînée l'avaient poussée à chercher un statut spécial dans la famille. Sa soeur et elle avaient toujours été près l'une de l'autre, avaient joué ensemble, au point d'être presque traitées comme des jumelles. Dans son désir de se différencier, elle avait délibérément entrepris des choses que sa soeur ne faisait pas, malgré qu'elles ne lui fussent pas toujours faciles ou naturelles. Elle s'était sentie obligée d'aller faire ses études au loin parce que sa soeur s'était inscrite à proximité. Il s'agissait pour elle de révéler sa différence et d'entretenir sa réputation d'aventurière.

L'exposition de Kim fut un succès. Pourtant l'expérience la laissa déçue; sa préparation méticuleuse et l'anxiété l'avaient brûlée. Dans son cas, les accès de panique étaient des symptômes d'anxiété, l'indice qu'elle menait sa vie en fonction d'exigences extérieures plutôt que de désirs propres. Les symptômes disparurent lorsqu'elle revint dans sa ville natale et entreprit la carrière dont elle rêvait.

Rôles et réalités

Il peut être très intéressant de comparer les étiquettes familiales à ce que chacun est devenu. Est-ce que tout le monde, chez vous, s'est montré à la hauteur? Est-ce que l'enfant «brillant» a effectivement fait les plus brillantes études? Qui s'est rendu le plus loin de ce côté? Qui a décroché l'emploi le mieux rémunéré? Le poste le plus prestigieux, le plus intéressant? Selon vous, qui réussit le mieux?

Avez-vous continué de jouer le rôle qu'on vous avait attribué dans la famille? Ou avez-vous osé en sortir, vous permettre de le dépasser? Avez-vous montré à votre famille et à vos amis qu'il y avait plus d'une facette importante dans votre personnalité? Parvenez-vous à vous voir comme une personne multidimensionnelle dont la valeur ne dépend plus de ses succès dans un rôle donné? Pouvez-vous accepter de ne pas être toujours parfait à certains égards?

Les rôles collent-ils à la réalité ou satisfont-ils à des illusions que la famille a besoin d'entretenir? Il est intéressant de voir ce que vous êtes devenu aujourd'hui en regard de ce que vous étiez dans votre famille.

Critique et approbation

Pour certaines victimes du CI, le problème ne vient pas de ce qu'elles ont eu à jouer un rôle quelconque durant leur enfance, mais de la critique qu'elles ont eu à subir. Rien de ce qu'elles faisaient n'était jamais assez bien pour leurs parents. Et pour avoir accepté les impossibles normes parentales, elles ne peuvent, devenues adultes, satisfaire à leurs propres exigences.

Très tôt, l'enfant acquiert une certitude ou un doute quant à ses moyens; il est donc important que les parents encouragent et valorisent toute initiative que prend l'enfant pour maîtriser de nouvelles situations. Qu'il cherche à monter ou à descendre l'escalier, se nourrisse ou s'habille seul, l'enfant devrait être apprécié de ses parents pour tous ses efforts, sans égard aux résultats.

Malheureusement, ce n'est pas toujours le cas. Parfois les parents projettent le sentiment de leur inadéquation sur l'enfant. Dans certains cas, ils peuvent se montrer ambivalents devant ses tentatives d'indépendance et les décourager. D'autres ne retiennent que les erreurs de l'enfant; ils n'exigent rien de moins que la perfection.

Plusieurs victimes du CI m'ont fait des observations en ce sens. Enfants, ils avaient rapporté à la maison un bulletin scolaire comportant quatre A et un B. La seule réaction de l'un ou l'autre des parents avait été: «Pourquoi ce B?» Qu'il ait été obtenu en sciences ou en gymnastique importait peu. Pour les parents, ce B avait décidé de leur accueil.

Dans certaines familles, ce ne sont pas les parents qui critiquent l'enfant, mais un frère ou une soeur, habituellement plus âgé, porté à déprécier toutes ses initiatives. Cet aîné peut bien ne pas se rendre compte de ce qu'il fait. Dans certains cas, son comportement est seulement direct comme il l'est souvent chez les enfants. Si le cadet tient son aîné en haute estime, sa critique peut l'atteindre aussi profondément que celle des parents.

Cette voix critique, l'adulte continue souvent de l'entendre plus tard, mais intériorisée, sous forme de critique de soi. Chaque succès remporté aura pour effet de réveiller cette voix qui commencera à douter, à se demander si ce succès est authentique ou simplement une illusion.

Enfant, Valérie voulait devenir actrice ou mannequin. Mais sa mère lui laissait toujours entendre qu'elle était «vaniteuse» et «exhibitionniste». Elle intériorisa cette voix critique; c'est ainsi que, devenue adulte, elle ressentait un profond malaise à s'exprimer ou à essayer de paraître attirante. En elle, la voix de sa mère lui faisait croire que ces efforts dénotaient une forme d'arrogance et que les autres la rejetteraient. Valérie est aujourd'hui une lobbyiste politique respectée; néanmoins, elle continue de déprécier ses propres réussites.

Rosemarie est un jeune avocate brillante et séduisante de Phoenix. Elle réussit bien. Pourtant, elle ne s'est jamais sentie intelligente ou compétente. Durant son enfance, ses parents lui ont sans cesse répété qu'elle n'était pas intelligente et qu'elle ne pourrait probablement pas supporter la tension des études universitaires.

Aux critiques des parents s'ajouta une expérience scolaire que Rosemarie fit très jeune. Son professeur de deuxième année décida de lui faire sauter la troisième année pour lui permettre d'entrer directement en quatrième. De se savoir soudainement entourée d'enfants plus avancés qu'elle lui causait tant d'anxiété qu'elle ne pouvait plus se concentrer sur son travail scolaire. Elle savait, de plus, que son père — considéré comme le «génie» de la famille — ne la croyait pas suffisamment douée pour sauter des étapes. À cela s'ajoutait la forte pression exerçée par l'obligation d'être désormais à la hauteur des attentes du professeur qui lui avait fait suffisamment confiance pour lui proposer le passage.

Rosemarie était si tourmentée par les conflits et l'anxiété que son rendement scolaire en souffrit; elle perdit toute confiance en elle. Pour finir, le professeur la prit à part un jour et lui dit: «Tu m'as beaucoup déçu. Je te ramène en troisième année.» Elle fut affreusement humiliée. Toutefois, revenue dans son ancien groupe, elle chassa son anxiété et se sentit suffisamment forte pour bien réussir de nouveau.

Plus tard, Rosemarie a pu comprendre que son père était un homme très immature, rongé par l'esprit de compétition. Il pénalisait sa fille, qui était pourtant une jeune enfant, pour ses succès intellectuels qu'il considérait comme son apanage. Pour échapper à ses critiques acerbes de nature sadique et punitive, Rosemarie devait éviter de trop bien réussir à l'école.

Quand vint pour elle le temps des études universitaires, ses professeurs l'incitèrent à s'inscrire dans une institution réputée. Il ne faisait aucun doute, selon eux, qu'elle serait acceptée et pourrait décrocher une bourse qui couvrirait les frais. Sa meilleure amie y faisait sa demande; l'idée qu'elles seraient toutes deux dans la même université la stimulait beaucoup. Mais ses parents lui refusèrent leur permission, alléguant qu'«elle ne pourrait supporter la pression». L'amie fut acceptée et partit sans elle. Rosemarie prit le chemin de la petite université locale, où elle devint très déprimée. Elle commença à croire que ses professeurs avaient tort et ses parents, raison: après tout, elle n'était probablement pas très intelligente.

De façon surprenante, en dépit de toutes les tentatives de son père visant à la faire douter de ses aptitudes intellectuelles, Rosemarie continua de bien se classer. Par la suite, elle entreprit même des études de droit. Néanmoins, tout en excellant, elle resta anxieuse et soumise à sa peur ancienne que son père ne se venge de la compétition. Elle avait tendance à déprécier toutes ses réussites.

Les parents n'ont pas toujours à *prononcer* leurs critiques; leurs gestes, leurs attitudes peuvent tout aussi bien transmettre le message de désapprobation, comme se le rappelle un journaliste de vingt-six ans: «Mes parents n'étaient pas honnêtes envers moi dans leurs encouragements. Jamais ils ne m'ont rabaissé. Le problème, c'était leur manque de confiance en moi. Durant mon adolescence, ils étaient très stricts et me traitaient comme un enfant. Cela m'influença. Lorsque le gens ne vous font pas confiance, vous avez l'impression de toujours être sur le point de commettre une erreur.»

L'enfant qui grandit sous de constantes critiques peut se montrer très angoissé une fois adulte devant tout signe apparent de succès, que ce soit une promotion, de l'argent ou une forme quelconque de reconnaissance publique. Il craint que sa réussite ne soit examinée à la loupe du fait qu'elle prend du relief. Il évite également de se montrer très fier de son succès, par crainte d'être humilié si une faille était découverte. Pour lui, «tout élan de fierté précède un chute». Et il est persuadé qu'une faille sera effectivement décelée. Il a fait sienne la voix critique de ses parents. «Comment peut-il croire avoir fait du bon travail?» Il devient son pire détracteur. Dans toutes réussites, il retiendra avant tout les faiblesses inhérentes; il est possible que personne ne les décèle jamais; peu importe, sa crainte persiste: ils ne pourront manquer de s'apercevoir qu'il les a dupés en leur faisant croire à sa perfection.

L'approbation qui compte

Certaines victimes du CI rapportent avoir été encouragées par l'un des parents et critiquées par l'autre. L'un ne cessait de louer leur travail, leurs talents, leurs dons; l'autre n'avait que des mots âpres sur tout ce qu'elles entreprenaient.

Lorsqu'un enfant entend deux voix parentales aussi fortes, lorsque l'une l'approuve et que l'autre le désapprouve, laquelle croit-il? Habituellement, la victime du CI doute de la personne qui approuve et ressent comme une *nécessité* d'obtenir l'estime de l'autre. Cette personne est celle «qui compte». Dans certains cas, l'enfant balance entre les deux, ne sachant quelle opinion retenir.

Denise avait un père qui l'approuvait et l'acceptait, et une mère qui la critiquait sans relâche. Pourtant jolie et intelligente, Denise ne faisait jamais rien de bien aux yeux de sa mère. Ses succès scolaires étaient passés sous silence. Jamais elle ne reçut de sa mère le moindre encouragement à entreprendre des études supérieures. Lorsqu'elle devint populaire dans le petit groupe «en vue» de l'école, sa mère lui laissa entendre qu'elle passerait plus de temps avec les laissés-pour-compte si elle était vraiment gentille.

La mère avait ainsi une longue liste de récriminations contre sa fille. Selon elle, Denise était paresseuse, arrogante et exigeante. Et si elle ne se conformait pas aux exigences de sa mère, elle n'était pas «une bonne fille». Par ailleurs, le père se montrait toujours charmé par sa fille et très favorable à son égard. Or l'approbation de son père comptait peu pour Denise. Une fois femme, toute attitude approbatrice d'un homme à son égard en faisait un «idiot» à ses yeux.

Les victimes du CI qui grandissent en recherchant l'approbation parentale ont tendance plus tard à continuer leur quête auprès des personnes qui les jugent. Comme adultes, elles ne cessent d'attendre l'approbation du père ou de la mère chez les autres. Mais que cette approbation vienne ne sera pas suffisant. Telles sont les limites de la substitution: personne ne peut remplacer «le vrai», ce père, cette mère réfractaire qui deviendrait soudainement favorable. Les experts qui leur accordent louanges, reconnaissance et récompenses manquent de discernement, à leurs yeux, et sont facilement dupes. Ceux qui réservent leur approbation sont sans doute plus «dignes de foi». Ainsi, chaque fois, elles revivent ce manque d'appui.

Sur le plan intellectuel, les victimes du CI savent qu'on ne peut facilement duper les experts. Mais les émotions éprouvées les empêchent de vraiment croire à leur appréciation. Les parents désapprobateurs ont marqué l'enfant durant la période critique où il cherchait à acquérir son sens de la maîtrise.

Les louanges excessives

Certaines victimes du CI révèlent qu'elles n'ont jamais été critiquées par leurs parents. Elles étaient plutôt constamment louangées. Il s'agit souvent, mais pas toujours, d'enfants uniques. Chacun n'était rien de moins que «le meilleur», «un champion», «extraordinaire», et tout ce qu'il faisait le prouvait.

Dans leur enfance, ces personnes ont vu leurs talents ou aptitudes constamment magnifiés. À en croire les parents, elles n'étaient pas seulement intelligentes mais «brillantes». Un enfant doué devenait un «prodige»; un bon athlète, un «champion naturel». Les parents n'ont pas fait qu'apposer une étiquette sur leur enfant, ils en ont idéalisé un aspect pour vivre avec lui quelque chose de merveilleux.

Dans certains cas, les parents agissent ainsi pour avoir été trop critiqués dans leur enfance; ils s'efforcent alors de ne pas commettre la même faute. Trop souvent, hélas, la famille trahit de cette façon un besoin de se distinguer. Les attentes de la famille à l'endroit de l'enfant sont alors excessives. On lui dit: «Tu vas gagner le prix Nobel un jour»; «Tu vas devenir Miss Amérique»; «Tu seras une vedette de cinéma... un joueur de ligues majeures... un champion olympique... un millionnaire.» L'enfant y croit un temps. Mais quand il parvient à l'âge adulte, il éprouve un choc. Brusquement, il se rend compte de la difficulté de poursuivre un idéal si peu réaliste et de la somme de travail que cela exige.

Cet enfant doit aussi faire deux amères constatations. D'abord, qu'il n'est pas unique en son genre, qu'il se trouve dans le monde une multitude de gens tout aussi qualifiés visant le même but. Ensuite, qu'il sera souvent laissé à lui-même sur cette route vers le succès. Ses efforts ne seront pas toujours payés d'éloges et d'admiration. Peut-être même ne susciteront-ils pas de réaction; pire encore, on pourra le critiquer dans certains cas, ce dont il n'a pas l'habitude. C'est une expérience nouvelle et pénible pour lui.

Parfois, la personne oeuvre dans un domaine où il est impossible de recevoir de quiconque une appréciation. Sa propre critique sera la seule. Mais on ne lui a pas appris à s'en remettre à ses opinions ou à se définir elle-même, selon ses idées, ses sentiments. Elle a toujours puisé chez les autres, dans leurs impressions favorables, la bonne opinion qu'elle avait d'elle. Pour trouver un mentor qui la confortera comme sa famille autrefois, elle pourra dévier de son chemin. Elle a besoin de louanges et de l'admiration d'un «expert».

Cette personne a tout pour acquérir le complexe de l'imposteur. Lorsque les louanges et l'admiration auxquelles elle est habituée tardent à venir, elle commence à se sentir fausse. L'impression de réussite ne lui vient que sous la louange. Si elle est critiquée, ou si elle n'obtient pas de réaction, comme cela arrive souvent de nos jours, elle se croit complètement nulle.

Elle est terrifiée à l'idée de l'échec, c'est-à-dire à l'idée de ne pas être la meilleure. Elle craint de perdre l'affection des siens si elle ne comble pas leurs espérances. Mais elle sait désormais qu'elle n'est *qu'une* des meilleures, et non *la* meilleure. En public, elle se croit obligée de *bluffer*, de montrer qu'elle reste encore et toujours la meilleure, d'où ce sentiment de supercherie. Toute erreur risque de la démasquer, ce qui entraînerait sa perte et provoquerait l'humiliation de toute la famille.

Les parents narcissiques

L'histoire familiale des victimes du CI révèle souvent des parents trop présents ou trop protecteurs. Leur ingérence dans la vie de l'enfant est telle que celui-ci commence à douter de pouvoir faire les choses par lui-même. Devenues adultes, ces victimes craignent de ne pouvoir agir sans l'aide d'un guide ou d'un supérieur. Elles ont un besoin excessif de réactions et ne trouvent pas en elles-mêmes les moyens pour se juger objectivement.

Dans la plupart de ces cas, les parents (ou l'un d'entre eux) se sont trop mêlés de ce qui regarde l'enfant. Cette participation est de nature narcissique, c'est-à-dire qu'elle trahit une forme d'anxiété personnelle. L'un des parents était un perfectionniste qui voyait son enfant comme un double de lui-même. Ainsi, il ne pouvait jamais le laisser entreprendre quoi que ce soit par lui-même, de peur qu'il ne fasse une erreur.

Ces parents peuvent laisser voir leurs propres difficultés à la façon dont ils s'intéressent aux travaux scolaires de l'enfant. Ils les scrutent littéralement pour s'assurer de leur perfection. S'il s'agit de problèmes en mathématiques, ils «aident» l'enfant en disant: «Fais comme ceci», plutôt que de le laisser trouver la solution. Dans le cas d'une dissertation, ils corrigent la moindre faute d'orthographe ou de ponctuation; ils iront jusqu'à récrire certaines parties, s'ils n'ont pas tout bonnement rédigé l'ensemble.

Tout ceci se présente comme une aide. Mais en fait, c'est l'anxiété propre des parents devant l'image de leur enfant. Ils le traitent comme un prolongement d'eux-mêmes, le reflet de leur propre image. S'ils ne peuvent laisser le professeur découvrir la moindre faute dans le travail de leur enfant, c'est que cela mettrait à jour une grave faute chez *eux*, celle d'avoir donné naissance à un enfant non parfait.

Camille était un excellent rédacteur qui en vint à douter fortement de son talent. Il fit remarquer que son père avait toujours écrit ses dissertations avec lui, qu'il avait même pratiquement rédigé sa thèse universitaire, accordant une importance obessionnelle à chaque détail.

Laissé à lui-même, plus tard, Camille se sentit incapable de bien écrire. Une forme d'anxiété aiguë s'emparait de lui chaque fois qu'au travail il avait à fournir un rapport ou à rédiger une note de service. Il avait l'impression de ne pas avoir la compétence voulue et d'avoir trompé ceux qui l'avaient engagé. Son anxiété persistait tant que quelqu'un n'avait pas dirigé son travail et validé sa performance. Camille avait été élevé en s'entendant répéter: «Tu ne peux pas faire cela tout seul.»

Parfois, le souci des parents porte sur l'apparence de l'enfant. C'est souvent le cas d'une mère qui prolonge son image en sa fille. Le charme de l'enfant prend ainsi une grande importance pour la mère. Elle pourra l'habiller soigneusement, parfois même durant toute son adolescence, se réservant le choix des vêtements, de la coiffure et du maquillage.

Parvenue à l'âge adulte, la jeune fille pourra se croire incapable de produire par elle-même les mêmes effets. Elle n'a pas l'assurance voulue pour s'acheter des vêtements sans l'aide d'une amie. Où qu'elle se rende, quelqu'un doit auparavant la rassurer sur sa coiffure et son maquillage. Autrement, elle est saisie d'angoisse et devient gauche. Elle ne se sent aucunement apte à juger sa propre apparence.

Diplômée en biologie, Lise avait été élevée par une mère qui s'était refusé le droit de faire la carrière de son choix et qui vivait par procuration des succès de sa fille. À l'université, Lise fournit un très bon rendement tant qu'elle eut un conseiller. Quand vint le temps de continuer toute seule, elle se sentit incapable de le faire, et ce, en dépit de son excellent dossier.

La peur de réussir

J'ai beaucoup parlé, je sais, du fait que les victimes du CI craignent l'échec. Cette seule pensée les glace. Paradoxalement, plusieurs d'entre elles peuvent aussi redouter inconsciemment le succès. Souvent elles se sentent anxieuses, mais ne sauraient dire pourquoi, tout allant si bien. Il ne leur vient pas à l'idée de lier cet état à la peur de réussir. Elles ne se rendent pas compte que ces accès d'anxiété s'emparent d'elles dans des situations laissant poindre une possibilité de réussite.

Voilà encore un aspect du complexe de l'imposteur qui peut remonter à l'enfance. Pourquoi aurait-on peur de réussir? Le succès n'est-il pas la fin de toute activité? Au travail, dans nos relations amoureuses, en amitié, ne cherche-t-on pas avant tout le succès? Du moins, ne le croit-on pas?

S'il est convoité, le succès peut également être une source d'angoisse. Il faut être conscient des enjeux. Toute situation susceptible de mener au succès peut aussi déboucher sur un échec. Quoi que nous entreprenions, nous sommes conscients des deux seules issues possibles. Ainsi, en osant poursuivre le succès, nous nous exposons à l'échec. La personne qui se sent un imposteur a parfaitement conscience des risques qu'elle prend dans toutes ses entreprises.

Qu'arrive-t-il, justement, dans le cas d'une réussite? La victime du CI craint une chute d'autant plus brutale qu'elle sera montée haut, car plus on progresse sur la voie du succès, et plus l'enjeu augmente. Elle redoute désormais un échec plus grand, une humiliation publique plus étendue. Elle se voit tel un héros de tragédie grecque plongeant des hauteurs de la gloire, dans les abîmes du désespoir.

Plusieurs raisons expliquent la peur du succès tant chez les victimes du CI que chez d'autres personnes. Certaines redoutent la pression qu'il engendre, ou craignent qu'on ne leur demande ensuite d'assumer de plus grandes responsabilités. Elles peuvent aussi avoir peur de susciter du ressentiment et de l'envie; des jaloux pourraient leur faire concurrence et saboter leurs efforts.

Vient ensuite l'exposition aux regards souvent consécutive aux succès. Les gens qui se taxent d'imposture peuvent rêver à la gloire, mais se trouver profondément mal à l'aise sous les feux de la rampe, où tant de regards convergent, prêts à relever le moindre défaut. Il vaut mieux rester obscur, dans les zones ombrées où ces supposés défauts peuvent être facilement dissimulés.

Ceux qui, dans leurs réalisations, surpassent les autres membres de la famille peuvent craindre d'être seuls «là-haut». Ils redoutent l'isolement psychologique vis-à-vis de leur famille, ils craignent de devenir un étranger pour leurs parents et leurs amis. Ils peuvent aussi éprouver un sentiment de culpabilité, avoir l'impression d'enfreindre une loi naturelle en faisant mieux que leurs parents et que leurs frères et soeurs. Une femme peut se sentir coupable d'avoir fait des études universitaires ou de mener une carrière professionnelle parce que sa mère n'en a jamais eu l'occasion. Un homme peut éprouver le même malaise si ses revenus dépassent ceux de son père, parce que cela signifie d'une certaine façon qu'il l'a éclipsé dans la famille.

La peur du succès peut tout aussi bien s'immiscer dans la vie intime de la personne. Une femme peut se sentir coupable de vivre un amour heureux si sa mère n'a fait que souffrir dans son mariage. Celui dont le frère est timide et renfermé peut s'empêcher de devenir trop populaire. Certains craindraient, en s'engageant dans des relations amicales ou amoureuses, que les pressions exercées sur eux ne soient trop fortes, que leurs responsabilités ne soient trop grandes. L'idée d'une relation intime «authentique» qui permettrait à autrui d'entrevoir leurs véritables sentiments peut également effrayer ces mêmes personnes.

La découverte que certains craignent le succès n'est pas d'aujourd'hui. En 1926, Sigmund Freud écrivait sur le sentiment de culpabilité et l'anxiété éventuellement liés au succès [4]. Dans un essai antérieur intitulé «Ceux qui échouent devant le succès», Freud parlait du paradoxe observé chez certaines personnes qui tombent malades au moment même où elles vont réaliser un rêve longtemps caressé [5]. Il émit l'opinion que certains désirs, certains rêves conviennent dans la mesure où ils *restent* tels. Quand ils menacent de prendre forme, on peut avoir à se défendre contre eux.

Le cas relevé par Freud d'une maladie contractée en réaction au succès constitue un exemple de défense contre la peur de réussir. Celui qui redoute le succès doit trouver une façon de se protéger de sa peur. En guise de protection, il a besoin d'une défense psychologique. Il ne la construit pas volontairement ou consciemment; son inconscient le fait pour lui.

Les défenses psychologiques ne sont pas nécessairement mauvaises. Elles peuvent nous aider à nous adapter à des situations ou à des états émotifs difficiles et stressants. Mais elles deviennent problématiques si elles nous empêchent de fonctionner et nous causent des torts d'une quelconque nature.

On peut se défendre contre la peur du succès en s'empêchant tout bonnement de réussir. Certains vont se tenir à l'écart de toute situation qui risquerait de les conduire au succès. D'autres font des efforts pour réussir, mais finissent par les saboter eux-mêmes. Sans trop savoir pourquoi, elles laissent traîner les choses jusqu'à ce qu'il ne soit plus possible, faute de temps, de remettre un bon travail, quand elles ne ratent pas tout simplement la date limite. Elles peuvent involontairement ruiner les chances qui s'offrent à elles, en oubliant par exemple une entrevue ou un rendez-vous importants. Elles peuvent aussi inhiber suffisamment leur esprit de compétition pour ne jamais faire aussi bien qu'elles en seraient capables.

Il existe une autre façon de se protéger de la peur de réussir: elle consiste à nier mentalement le succès lorsqu'il est obtenu dans les faits; on peut nier ses succès notamment en se croyant un imposteur. Toute personne peut échapper à sa peur du succès en l'attribuant à sa supercherie plutôt qu'à ses talents lorsqu'il se présente. Cette personne n'est pas consciente de son processus mental; c'est comme si elle se disait: «Je ne suis pas *vraiment* une personne qui réussit. Je ne suis qu'un bluffeur qui trompe les gens. Voilà pourquoi je me tire si bien d'affaire.»

Dans *Success and the Fear of success in Women* ("Le succès et la peur de réussir chez les femmes"), le docteur David Krueger, professeur de psychiatrie au Baylor College of Medicine, indiquait comment les femmes pouvaient «corroder» leurs réussites, conformément au complexe d'imposture, en refusant les compliments et en attribuant leur succès à la chance, à un accident ou aux circonstances [6].

Tant chez l'homme que chez la femme, le complexe de l'imposteur peut offrir une protection inconsciente contre la peur de réussir. Attribuer son succès à la chance empêche de se considérer comme un sérieux concurrent ou une menace pour quiconque. On ne peut être *blâmé* pour son succès ni en être tenu responsable. La peur de l'échec, qui afflige tant de victimes du CI, cache dans certains cas une véritable peur de réussir.

La peur de l'échec et celle de la réussite sont souvent décrites comme les deux faces d'une même médaille. La peur de l'échec se comprend et s'accepte facilement. Qui chercherait intentionnellement à échouer? Mais l'idée que l'on pourrait avoir peur de réussir s'admet plus difficilement parce qu'elle met en cause des sentiments puissants et inquiétants. C'est ainsi que la peur de réussir se travestit et prend les allures d'une peur de l'échec.

Comme le formule le docteur Krueger, la peur de l'échec est «une peur de réussir devenue rationnelle, qui satisfait l'entendement». Ainsi, la peur de l'échec peut traduire le *désir* inconscient d'échouer ou, tout au moins, de *ne pas réussir*.

Le conflit oedipien

Nous avons examiné plusieurs raisons pour lesquelles certaines personnes craignent le succès. Elles peuvent redouter les pressions exercées sur elles ou les responsabilités qui en découlent. Elles ne veulent pas se retrouver sous les «feux de la rampe» où leurs défauts apparaîtraient à tous. Dans certains cas, elles s'interdisent d'être plus prospères que leurs parents, un frère ou une soeur; elles craignent la séparation psychologique avec leur famille.

La peur de réussir s'explique aussi par la théorie de Freud sur la phase oedipienne de l'enfance. Dans la mythologie grecque, Oedipe, le fils d'un roi et d'une reine, est abandonné dans la montagne, suite à la prédiction d'un prophète annonçant qu'il tuerait un jour son père et épouserait sa mère. Sauvé par des bergers, il parvient à l'âge adulte et accomplit à son insu la prophétie. L'étranger qu'il a tué sur la route au cours d'une dispute est son père; la reine veuve qu'il épouse ensuite n'est nulle autre que sa mère. Quand il découvre ce qu'il a fait, saisi de honte et d'horreur, il se rend aveugle.

Freud était convaincu qu'Oedipe avait accompli un désir ou un rêve que chacun, quelle que soit sa culture, nourrit dans sa prime enfance. Il appela «phase oedipienne» cette période du développement normalement comprise entre la troisième et la cinquième années. À cet âge, le petit garçon cherche à avoir les soins, l'amour et l'attention de sa mère pour lui seul. Il peut alors parler de «se marier avec maman»; il souhaite le départ ou la mort de son père pour se substituer à lui auprès de sa mère. Mêmes sentiments chez la petite fille, mais inversés: elle cherche à monopoliser l'attention de son père et souhaite voir sa mère, sa rivale, disparaître.

À cet âge, il va de soi que l'enfant ne comprend rien aux notions d'inceste et de mort. Néanmoins, cette agressivité et cette rivalité instinctives l'effraient. Il vit un conflit, car une partie de lui-même craint cette victoire, c'est-à-dire l'accomplissement de ses désirs, que l'autre appelle.

Même s'il souhaite remplacer son père auprès de sa mère, le petit garçon ne désire nullement perdre l'affection et la protection de son père. Si son rêve de conquérir entièrement le coeur de sa mère devait se réaliser, son père pourrait l'abandonner, ou pire, user de représailles. Cette vengeance pourrait être terrifiante: peut-être le père viendrait-il le castrer. De son côté la petite fille s'aperçoit qu'elle a besoin de la protection et de l'attention de sa mère. En lui ravissant l'amour de son père, elle risque d'être abandonnée par la mère ou d'être l'objet d'une réaction furieuse de sa part. Comme elle entraîne pertes et représailles, la victoire est perçue comme lourdement conflictuelle, emmêlée de sentiments puissants et atterrants.

Certains enfants sont conscients de vouloir requérir toute l'affection de l'un des parents et vaincre l'autre, mais gardent leurs désirs secrets. D'autres les expriment sans retenue: «Papa, emmène-moi avec toi et laissons maman toute seule», dira la petite fille. Les parents observent souvent comment leur enfant de trois ans aime monter dans le lit et s'interposer.

Le problème se résout lorsque l'enfant commence à s'identifier à la personne de son sexe. Le petit garçon cesse de se confronter à son père, souhaite plutôt faire comme lui et avoir sa propre femme plus tard. Il a finalement compris qu'il pouvait se donner tout ce que son père avait. La petite fille se rend compte qu'elle souhaite imiter sa mère et qu'elle pourra un jour avoir un mari à elle. Les enfants renoncent à leurs désirs oedipiens qu'ils enfouissent au plus profond de leur inconscient, les dérobant au souvenir.

Toutefois, si quelque chose ne va pas dans son développement psychologique, l'enfant grandit sans avoir trouvé réponse à ses désirs et à ses peurs. L'idée de réussir, tant à l'école qu'au travail et dans ses relations personnelles, peut alors rester inconsciemment liée chez lui aux pulsions oedipiennes premières. «Réussir» continue d'être lié au fond de lui-même à l'idée de remporter l'épreuve contre l'un des parents pour l'amour de l'autre. En somme, cette personne se sent coupable de ses sentiments incestueux à l'endroit du parent de l'autre sexe. L'idée de réussir réveille chaque fois les sentiments inquiétants provoqués par le conflit oedipien durant l'enfance.

Une fois adulte, cette personne redoute les sanctions consécutives au succès. Chaque occasion de réussir réanime chez elle la mauvaise conscience d'avoir autrefois désiré sexuellement l'un de ses parents et voulu supprimer l'autre: en même temps, elle entrevoit le châtiment pouvant résulter du fait d'être parvenue à ses fins.

Je crois fermement que le complexe de l'imposteur offre une protection contre la peur de réussir liée au conflit oedipien. Ici encore, on refuse de voir ses réalisations en croyant n'être qu'un bluffeur qui trompe les autres.

L'adulte a rarement conscience de ces sentiments refoulés, la plupart du temps, au plus profond de son être. Toutefois, en se soumettant à une psychanalyse, il peut souvent renouer avec eux et appeler des souvenirs marquants.

Henri, un procureur de soixante-quatre ans, avait entrepris un traitement psychanalytique. Sur le divan du psychanalyste, il évoqua un jour la phase oedipienne de son développement. Il était enfant unique.

Appelé par son travail, son père s'était souvent trouvé au loin. Pendant les absences de son père, Henri aimait aider sa mère dans la maison. Il se souvient d'avoir désiré son amour, son attention physique, en exclusivité. À trois ans, il tenta d'empoisonner son père en versant quelques gouttes d'alcool à friction dans sa nourriture.

Quand ces souvenirs d'enfance refluèrent à sa mémoire, Henri se prit pour un imposteur: son image d'avocat respectable et prospère ne cachait plus qu'un meurtrier et un violeur. À la même époque, faire l'amour lui causait de l'anxiété. Il comprit que faire l'amour lui donnait l'impression de duper l'autre; à ses yeux, l'acte ne traduisait pas de l'amour mais des désirs violents et meurtriers.

À qui la faute?

La peur de réussir peut aussi être liée à l'impression que son succès enlève quelque chose à quelqu'un. Certaines personnes entretiennent un sentiment de culpabilité inconscient à l'idée de progresser au détriment des autres.

Nicole, trente ans, évoqua la grande anxiété et la mauvaise conscience qu'elle éprouvait chaque fois qu'elle faisait un pas vers le succès. Il lui fallait agir «en douce», très vite mais sans brusquerie, pour empêcher ces sentiments de ralentir sa marche. Elle avait toujours eu tendance à minimiser ses succès scolaires et sportifs et, par la suite, son titre de chargée de projet dans une agence gouvernementale, car leur seule évocation avait pour effet de réveiller son anxiété et sa mauvaise conscience. Elle était convaincue d'avoir bluffé et de ne mériter aucune forme de succès. En niant ses réalisations, elle ne fit qu'accroître son sentiment d'imposture.

En thérapie, Nicole put retracer l'évolution de son sentiment. Chose certaine elle n'avait pas surmonté le conflit oedipien qui l'obligeait à faire mieux que sa mère. Mais quelque chose d'autre la retenait.

Nicole parvint à raviver le souvenir refoulé de parentes évoquant la fausse couche qu'avait fait sa mère avant sa naissance. Jusque-là, elle avait cru être l'aînée de la famille, la première-née. Maintenant elle savait que sa mère avait perdu un enfant qui aurait *dû* être le premier-né.

Nicole avait grandi avec l'impression que sa place d'aînée ne lui revenait pas de droit, qu'elle l'avait acquise au prix de la vie de quelqu'un d'autre. Ce souvenir lui arrachait des pleurs amers. Elle répétait: «Quelqu'un devait mourir pour que je vive.» Le secret familial avait été si pénible que jamais il n'en avait été question ouvertement. Nicole en garda une vision déformée de son droit à l'existence. Inconsciemment, toute réalisation de sa part relevait de la supercherie, car elle ne méritait même pas de vivre. Nicole avait associé toute réussite à la mort de quelqu'un d'autre.

Maurice avait aussi cette impression que le succès lui venait au détriment des autres. Enfant battu, il avait finalement échappé à ses parents en partant étudier, grâce à une bourse. À l'université, il commença à se voir comme un tricheur, ce qui lui causa une grande anxiété.

Les parents de Maurice n'avaient cessé de lui dire qu'il ne ferait jamais rien de bon dans la vie; d'où certains doutes sur ses réalisations. Mais il se sentait également coupable d'avoir abandonné son jeune frère à la violence des parents. Jusque-là, il avait toujours joué le rôle de protecteur de son frère, s'interposant chaque fois qu'il le pouvait. En partant étudier, il avait eu l'impression de s'être sauvé, mais en abandonnant son frère.

Dans l'esprit de Maurice, les succès universitaires ne lui avaient permis d'améliorer sa vie qu'au détriment de son frère. Son désir coupable d'échapper à une vie familiale pénible lui faisait voir sa réussite comme frauduleuse. Ses diplômes, prix et bourses devinrent les symboles de sa faute.

René s'était souvent entendu demander par ses parents de minimiser ses talents et son intelligence parce que son jeune frère n'était pas très brillant et que ses succès pouvaient le «blesser». Ce jeune frère était le préféré des parents qui le couvaient littéralement, au détriment de l'aîné. René se replia sur lui-même, devint un solitaire nourrissant des chimères. Il ne pouvait se permettre de réussir et de devenir célèbre qu'en rêve.

René vouait une grande haine à son frère. Mais il dissimulait ses sentiments, feignait même d'être stupide devant ses parents, dans l'espoir de gagner un jour leur affection et d'être accepté d'eux. Intérieurement, il acquérait la conviction de ne pas être une personne généreuse pour tant détester le rôle qu'on l'obligeait à jouer. Devoir taire ses désirs, ses sentiments et dissimuler ses aptitudes lui donna l'impression qu'il usait de supercherie.

Certains enfants ayant une soeur ou un frère handicapé se font un devoir de prévenir chez cette soeur ou ce frère tout sentiment d'inaptitude. Lors même que les parents font tout pour les en protéger, ces enfants peuvent acquérir l'impression que leurs succès blessent celui ou celle que le sort a défavorisé. Leur mauvaise conscience les amène à renoncer au succès ou à essayer de le nier d'une façon ou d'une autre.

L'impression d'avoir réussi au détriment de quelqu'un peut avoir d'autres origines que la famille. Certains se sentent coupables parce qu'ils attribuent leur bonheur à la bonne fortune que d'autres n'ont pas eue. J'ai observé le phénomène chez les anciens combattants du Viêt-nam qui ont su retrouver une vie familiale et professionnelle heureuse. Souvent, pour eux, «ceux qui méritaient cela» sont morts au Viêt-nam. Sous-jacente à leur réussite, la croyance que d'autres l'ont payée de leur vie ou de leur infirmité.

Jared avait fait cette guerre. Une rencontre d'anciens combattants à laquelle il assista le laissa avec un sentiment de culpabilité accru et l'impression d'être plus indigne que jamais. La plupart des participants étaient sans emploi, victimes de la drogue ou handicapés par des traumatismes nerveux, quand ils ne cherchaient pas à oublier un échec conjugal.

Jared ne voyait dans sa réussite qu'un caprice de la chance et du destin; seul le hasard était responsable du fait qu'il n'avait pas été frappé à son tour d'un quelconque malheur. Il se percevait comme un imposteur indigne de la faveur du destin. Il se demandait pourquoi il avait mérité un meilleur sort que les morts et les estropiés.

Quelle que soit la raison l'amenant à craindre le succès, l'impression d'imposture peut servir de défense psychologique inconsciente chez la personne qui peut ainsi continuer de progresser, sans avoir à «reconnaître» l'importance de ses acquis.

Chapitre VI

Comment ça se passe: Autour de vous

J'ai eu du succès bien malgré moi, et j'ai découvert avec consternation, qu'au lieu de repousser le misérable imposteur que j'étais, le monde des Affaires se refermait lentement et sûrement sur moi.

George Bernard Shaw,

Proses choisies.

Nous avons vu que la dynamique de la situation familiale est souvent à l'origine du sentiment d'être un faussaire. Par contre, en dehors de la famille un certain nombre d'autres circonstances peuvent aussi déterminer le sentiment d'imposture, qu'elles soient d'ordre social, culturel ou simplement inhérentes à la situation elle-même.

Les nouveaux rôles

Les sentiments d'imposture, comme je l'ai déjà mentionné, peuvent se manifester alors qu'un individu endosse un rôle nouveau qui lui est peu familier. Pour l'un, ce sera peut-être les débuts à l'université, pour l'autre, l'accession à un poste supérieur. Il s'agira peut-être de l'expérience d'avoir un enfant et d'être père ou mère pour la première fois, ou de l'arrivée sur le marché du travail pour celle qui, jusque-là, était une maîtresse de maison à temps plein. Comme ils ne savent pas encore s'y prendre dans leur nouveau rôle, plusieurs sont parfois tentés de croire qu'ils ne sont pas qualifiés pour l'exercer. Quel que soit le cas, le complexe de l'imposteur peut exercer son influence et s'installer. À l'inverse, il peut relâcher son emprise au fur et à mesure que la maîtrise de la situation augmente.

Dans leurs recherches sur le complexe de l'imposteur, nombre de psychologues ont examiné la relation entre les sentiments de supercherie et les nouveaux rôles. Dans un chapitre antérieur, j'ai parlé d'une étude que j'avais menée en vue de mesurer le CI chez des étudiants de premier et second cycles universitaires. La moitié de ces étudiants participaient à un programme spécialisé de type *honors*, et leur score moyen à l'Échelle Harvey du CI était plus élevé que celui des étudiants des programmes réguliers.

En 1984, Michael Penland et le docteur Susan McCammon ont également observé des étudiants de premier cycle universitaire dans cette optique, puis ils ont comparé leurs résultats avec les miens [1]. Pour les fins de cette étude, 57 étudiants des deux sexes inscrits en première et deuxième années du baccalauréat à la Southern University ont rempli le questionnaire de l'Échelle Harvey du CI. Tous étaient admissibles aux programmes spécialisés *honors*, ayant accumulé des moyennes de 3,5 sur 4; il ne leur restait plus qu'à décider s'ils acceptaient ou non d'y participer.

Les étudiants de l'étude Penland et McCammon ont obtenu à l'Échelle du CI des résultats encore plus élevés que mes étudiants *honors* de premier cycle. Ceci laisse supposer qu'ils manifestaient non pas une, mais deux prédispositions à des sentiments marqués de supercherie. En premier lieu, même si les étudiants de mon enquête se trouvaient aux prises avec les conséquences d'une reconnaissance publique de leur succès, du moins comptaient-ils déjà deux années d'université à leur actif. Quant aux étudiants en première et deuxième années du bac de l'enquête Penland et McCammon, ils étaient encore novices dans l'expérience universitaire, et notamment dans leur rôle d'étudiant.

En second lieu, comme l'ont signalé Penland et McCammon, leur échantillon d'étudiants n'avaient pas encore choisi de s'engager dans un programme *honors*; peut-être se sentaient-ils encore plus inquiets que ceux de mon groupe au sujet de leurs aptitudes à relever le défi. On imagine aisément ce que ruminaient les étudiants affligés de sentiments d'imposture: «L'institution s'est-elle méprise en m'invitant à participer à ces travaux?» «Mon engagement dans un tel programme ne va-t-il pas révéler ma médiocrité face à la *véritable* supériorité de certains étudiants?» Une telle occasion peut se manifester comme un risque plutôt effrayant pour un étudiant doué qui doute profondément de ses capacités.

J'ai voulu pousser un peu plus loin mon étude initiale pour montrer comment des situations nouvelles peuvent intensifier les sentiments de supercherie. J'ai comparé les résultats obtenus aux tests du CI par 26 étudiants *honors* terminant leur premier cycle et par 18 étudiants plus avancés, en première année de maîtrise. Le score moyen des étudiants de maîtrise a dépassé de plus de huit points celui des étudiants de premier cycle. En langage statistique, cet écart est significatif car il est trop accusé pour être accidentel.

Un étudiant en première année de maîtrise jouit, bien entendu, d'une formation plus complète qu'un étudiant en voie d'obtenir son bac, programme *honors* ou pas. Vu son accession à un programme d'études supérieures, nous pourrions présumer que cet étudiant commence à se détendre et à croire à ses aptitudes. N'a-t-il pas accédé à l'un des plus hauts paliers de l'enseignement universitaire? Malheureusement, cette preuve objective de réussite n'a pas contribué à soulager les sentiments d'imposteur des étudiants de ce groupe. Bien au contraire; elle a plutôt ravivé leur expérience du CI.

Parce qu'ils entamaient leur programme de maîtrise, ces étudiants affrontaient une situation inédite où ils estimaient devoir refaire la preuve de leur qualification et de leurs aptitudes. Même à ce niveau de réussite supérieur, la simple nouveauté de n'être qu'un pion sur le grand échiquier a semblé augmenter leur vulnérabilité au complexe de l'imposteur.

Parallèlement, j'ai aussi distribué ce test du CI à des étudiants de deuxième année de maîtrise et à d'autres entamant leur doctorat. Le score moyen des étudiants en deuxième année de maîtrise était de 11 points *inférieur* à celui des étudiants commençant leur première année. Grosso modo, il apparaissait que, dès la deuxième année, un étudiant de maîtrise se sentait plus à l'aise dans son rôle et percevait même le lien d'appartenance avec son groupe universitaire. Les sentiments d'imposture diminuaient en intensité à mesure que l'étudiant apprivoisait son rôle d'étudiant spécialisé de niveau supérieur.

Toutefois, l'ensemble des résultats donnait encore davantage à réfléchir. En effet, la moyenne des scores remontait lorsqu'il s'agissait d'étudiants en programme de doctorat. Selon moi, ces étudiants manifestaient de l'appréhension face à leur soutenance de thèse, la fin de leurs études et l'obtention de leur diplôme, autant d'événements d'importance cruciale. Cette reconnaissance publique de leur réussite risquait une fois de plus de provoquer la peur d'être démasqué («Vont-ils m'accorder le diplôme ou vont-ils découvrir que j'ai bluffé tout au long du programme?»). Du reste, ces étudiants s'inquiétaient peut-être du prochain tournant de leur carrière, puisqu'ils allaient délaisser le rôle d'étudiant et être confrontés à une situation nouvelle qu'ils auraient bientôt à maîtriser.

En 1983, le docteur Mary Topping a mené une enquête auprès de 285 membres du corps professoral universitaire pour découvrir que les professeurs occupant les postes inférieurs souffraient davantage du CI que leurs pairs mieux établis des échelons supérieurs. Ceci laissait supposer que les nouveaux venus de la faculté devaient lutter pour apprendre leur nouveau rôle et l'intégrer à leur perception d'eux-mêmes.

Toutes ces études mettent en évidence une sorte de mouvement de bascule: les sentiments d'imposture augmentent dans une situation nouvelle, diminuent à mesure que celle-ci devient familière, et augmentent de nouveau advenant de nouvelles circonstances. Au terme de sa recherche auprès d'étudiantes noires des niveaux secondaire et collégial, Jeanne Stahl avait fait valoir que les sentiments d'imposture pouvaient s'aggraver lorsque quelqu'un quittait un rôle familier pour un rôle nouveau qui demandait à être maîtrisé. Je me permets d'appeler ceci le facteur du «chien parti à la chasse», c'est-à-dire le fait de renoncer à un poste confortable qui nous vaut la considération d'autrui pour aller tenter sa chance sur un territoire inconnu.

Ghislaine, jeune comptable agréée, expliquait que son impression d'inauthenticité semblait faire relâche chaque fois qu'elle arrivait «au terme» de quelque chose. «Lorsque je savais que j'allais bientôt terminer, tout à coup, les choses m'apparaissaient sous de nouvelles perspectives. J'avais l'impression que je pouvais voir les choses telles qu'elles étaient: que je n'avais pas fait si mal, que ça n'avait pas été si ardu, que j'étais douée et que j'aimais mon travail. Des sentiments réconfortants, sains... qui venaient à la fin. Ces pensées survenaient invariablement au moment d'un aboutissement: quand je me préparais à quitter une ville, ou quand je suis passée des études à la carrière. Tout finissait par se mettre en place et devenait harmonieux.

«Si mon point de vue changeait, c'est que j'allais bientôt partir, que les choses tiraient à leur fin et que j'allais vers quelque chose de beaucoup plus difficile, de bien pire. Tout un engrenage allait se remettre en branle, et c'est pourquoi le familier m'apparaissait soudainement si simple et que je voyais enfin les choses de façon réaliste. Je suis persuadée qu'au moment de quitter cet emploi, il va se transformer en une expérience des plus merveilleuses et que je vais m'y découvrir une compétence hors pair.»

Les «aboutissements» ne sont pas forcément des changements majeurs dans une vie. Une femme me confiait qu'elle usait un projet «jusqu'à la corde» lorsque celui-ci lui était devenu familier, histoire de faire quelque chose de complètement différent le jour où elle aurait à s'attaquer à la nouvelle tâche au programme. Même si quelqu'un parvient à surmonter son sentiment d'être un bluffeur, il se peut qu'il le retrouve au moment du *prochain* grand pas dans sa carrière professionnelle ou universitaire.

Peut-être aussi que le prochain rôle amènera effectivement le succès. Duane, proche de la cinquantaine, est un acteur célèbre établi à Los Angeles. La perplexité qu'il a éprouvée lorsqu'il a connu son premier succès ne l'a pas quitté pendant de nombreuses années. Au fil de la conversation, Duane s'est rappelé un incident qu'il n'avait jamais lié jusque-là à la peur d'être dénoncé comme un imposteur. On lui avait demandé de revenir jouer dans un théâtre régional où il avait déjà triomphé. Mais il avait décliné l'invitation: «J'imagine que j'ai dû avoir peur d'être démasqué, qu'ils se lassent de moi et soient déçus», dit-il.

Duane a décrit ce qu'il a éprouvé alors qu'il était sur le point de devenir célèbre: «J'ai découvert, à ma grande surprise, comment les gens me percevaient. Je n'arrivais pas à comprendre cela. Je ne m'étais jamais accordé autant de talent. Et pourtant, si on est dans le show-business, c'est bien parce qu'on croit avoir du talent. Voilà la contradiction à laquelle je dois faire face. Pourquoi y travailler? Ce n'est pas comme si j'étais *tenu* de jouer. Sans cette impression, je crois que j'aurais eu encore plus de succès. Il m'était impossible de faire avancer ma carrière ou de me faire valoir avec tant soit peu de chaleur, pour la simple raison que je ne croyais pas en moi.

«En début de carrière, ajoutait Duane, j'ai empoché beaucoup plus que ce que je méritais. Dieu sait pourtant si je m'en suis défendu. Je n'allais pas aux auditions, je détestais les ruées qu'elles provoquaient, ce qui est absurde puisque c'est la règle du jeu. Après mon succès, impossible de voir clair dans mes sentiments. J'étais seulement immanquablement surpris. Les gens étaient à mes pieds. Aujourd'hui, j'arrive à l'accepter, quoique ça demeure encore une surprise. Je commence à peine à reconnaître le talent que j'ai, le métier. Je n'ai jamais compris le don que j'avais, ni la réalité de ce fait. Si je l'avais réalisé, j'aurais été beaucoup plus loin.»

L'emploi lui-même

Pour bien s'acquitter de son rôle dans un emploi ou une carrière, il faut tenir compte des conditions, des exigences et attentes spécifiques qui lui sont attachées. Pour le directeur artistique d'une agence de publicité, par exemple, le port du jean au travail peut être parfaitement acceptable. Par contre, on s'attendra à ce qu'un expert-comptable se présente à cette même agence en complet. Certaines sociétés tiennent des réunions très décontractées, où la discussion et les plaisanteries personnelles sont à l'honneur, alors que dans d'autres entreprises le ton est beaucoup plus formel. Qu'à cela ne tienne, nous devons comprendre ce qui est exigé de nous et nous ajuster à notre rôle.

Pour la personne sujette au complexe de l'imposteur certains types d'emploi peuvent exacerber ses sentiments de supercherie. Ceux qui travaillent à leur compte et dans des champs créateurs sont continuellement mis au défi par de nouveaux projets. Ils ont l'impression que leurs talents sont constamment mis à l'essai ou éprouvés. Leurs sentiments d'imposture risquent donc de s'intensifier s'ils estiment que chaque projet les expose un peu plus à être démasqués.

Dans certains emplois et certains rôles, la réussite exige parfois des modifications importantes des attitudes ou de l'apparence. En devenant directeur d'une société d'investissement, Ted raconte comment il a voulu projeter une certaine image pour faire autorité auprès de ses clients. Cette image, à ses yeux, faisait partie intégrante de son succès professionnel: «J'ai pris conscience que je ne pourrais pas obtenir ce que je voulais à moins d'agir comme si je l'avais déjà obtenu, dit-il. Je ne voyais pas comment le possesseur de cinq millions de dollars aurait voulu confier cette somme à quelqu'un qui n'aurait jamais vu pareille somme de sa vie.»

Au départ, Ted n'a pas essayé d'épargner une partie de ses revenus, il a plutôt investi son argent dans certains biens, comme des habits coûteux et une automobile neuve, de façon à se composer une image de la personne prospère qu'il entendait devenir. «Je m'efforçais de paraître un niveau au-dessus de celui où je me trouvais à ce moment-là. C'était un genre de destin tout tracé qui commençait presque à se réaliser. Je prétendais à la réussite et j'agissais en ce sens, jouant le jeu, faisant de mon imposture un succès.» Pour Ted, tout cela était «du cliché, un manège pour rouler les gens».

«Maintenant que j'ai réussi, je me sens tout drôle devant les proportions qu'a pris mon succès, dit-il. J'arrive à peine à y croire moi-même.» Il ajoute pourtant: «Je ne pourrai jamais concevoir que je gagnerai moins l'an pochain que cette année, et j'imagine que ce sera la même chose l'année suivante. Et je vais y aspirer, faisant «comme si», exactement comme je le fais déjà. C'est plus facile maintenant puisqu'il y a une sorte de zone d'ombre que j'ai investie.»

Ted reconnaît sa compétence et admet avoir droit au respect et à l'admiration qu'il reçoit d'autrui. Mais il n'est pas moins prompt à écarter les compliments pour passer à autre chose. Il attribue une part de l'admiration des autres à la nature de son travail. «Ma spécialité peut envelopper un individu d'une sorte d'aura, commente-t-il. À la rigueur, on pourrait comparer ça aux sports professionnels: beaucoup de considération et une pression constante. Vous êtes alors connu dans certains cercles. Il s'agit surtout, selon moi, de la façon dont votre travail vous met de l'avant.»

Le sentiment d'être un faussaire dans son rôle de directeur d'une société d'investissements prospère continue de hanter Ted. «Je vise de nouveaux sommets mais je n'y arriverai, à mon avis, qu'en donnant le change tout au long du parcours. J'ai les habitudes de pensée d'une personne qui réussit mais je ne crois pas être qualifié. Il faut me voir trimer comme un abruti du matin au soir. Il y a mon objectif là-bas qu'il faut que je rejoigne, mais je ne crois pas vraiment être à la hauteur. J'ai l'impression de faire semblant. Présentement je redoute l'échec plus que tout, et je n'accepterai rien d'autre que le succès.»

D'autres rôles présentent des conditions de réussite encore plus exceptionnelles. Ils peuvent entraîner des changements profonds et durables dans la conception de la vie et les traits de personnalité. Les rôles les plus exigeants sont ceux où la réussite est une question de vie ou de mort. Au combat, par exemple, l'enjeu n'est rien d'autre que la vie, et les conséquences d'une erreur ou d'un échec sont très différentes de celles que la plupart d'entre nous devons affronter.

Hugues avait été désigné chef de peloton au Viêt-nam à l'âge de vingt-trois ans. Cette charge impliquait une attention minutieuse et soutenue aux moindres détails. C'était une affaire de survie. Chaque soir, par exemple, il s'assurait que ses hommes aient vérifié la goupille de leurs grenades; certains avaient été déchiquetés pour avoir négligé ce contrôle. Revenu à la vie civile, Hugues continuait d'appliquer les habitudes et les règles du combat. Il surveillait sans cesse la moindre probabilité de risque ou de danger en chaque situation et parait toujours à toute éventualité. Les mêmes réflexes qui l'avaient servi en temps de guerre avaient engendré chez lui un état constant de vive anxiété qui le troubla durant de longues années.

Max, un policier retraité, vit présentement en Floride. Il explique que «l'endurcissement» est une condition essentielle pour qu'un policier puisse se protéger et accomplir ses fonctions. «Il faut leur faire accroire que vous êtes un vrai dur de dur. Pas question de reculer ni de déguerpir. Si tu es de service et que tu doives aller chercher un homme armé dans un appartement, il *faut* que tu aies peur — mais ça ne doit surtout pas paraître dans tes actes.»

Il décrit cette approche comme «un bluff pur et simple». «Il faut bluffer l'autre gars, dit-il. Si ça prend, le choc n'a pas lieu. Parce que s'il y a des étincelles, rien ne dit que tu vas le battre, quelle que soit la façade que tu as présentée. L'idée est de lui faire peur avant qu'il ne se mette à swinguer. Dès que tu t'aperçois que ton bluff marche, il devient encore plus convaincant.

«Même avec les autres policiers, poursuit Max, il faut garder cet «air bravache» pour protéger son image de dur. D'ailleurs, observe-t-il, les exigences du rôle sont si extrêmes qu'il devient impossible d'en décrocher: c'est un fait que ce métier change une personne. On devient de plus en plus fermé. Les policiers n'expriment pas leurs sentiments, ils gardent tout en dedans. T'as envie de pleurer, tu peux pas. On ne voit jamais un policier pleurer; ils se cachent pour pleurer ou pour se brûler la cervelle.

«Une fois endurci, c'est pour toujours, la façade demeure, que tu sois de service ou non. Tu deviens une autre personne qui n'est pas vraiment toi; tu ne t'en rends pas compte jusqu'au jour où tu ne joues plus.» En parlant de sa carrière il ajoute: «Je savais que j'étais un bon policier, mais je n'étais pas aussi coriace qu'on voulait bien le croire. J'imagine que mon numéro d'acteur ou mon imitation du policier coriace a fait marcher tout le monde.» Qu'il soit dans la rue ou en service avec d'autres policiers, ajoute-t-il, l'image doit être sans faille. «Si tu montres tes émotions, tu renonces à ta fausse identité.»

Société et culture

Nous savons que les hommes comme les femmes peuvent être victimes du complexe de l'imposteur. Or certains seront sans doute étonnés d'apprendre qu'on a d'abord cru que ce syndrome était avant tout un problème féminin. En remontant vers les débuts, alors que les psychologues commençaient à examiner le phénomène, nous pouvons comprendre pourquoi ce syndrome portait alors une étiquette féminine, et par la même occasion, voir comment d'autres causes du CI ont été découvertes.

Au cours des années 70, le docteur Pauline Clance pratiquait la profession de psychologue tout en enseignant cette matière dans une université du Centre-Ouest des États-Unis. Elle observa que les étudiantes ayant un rendement supérieur avaient tendance à douter de leurs capacités intellectuelles et de leur compétence.

Ces femmes avaient obtenu d'excellents résultats à leur examen d'entrée au collège. Plus tard, elles avaient récolté des A et des évaluations favorables de la part de leurs professeurs. Pourtant elles persistaient à croire que leur intelligence n'était qu'un leurre; plusieurs d'entre elles pensaient que leur acceptation au collège découlait d'une erreur du comité d'admission ou dans le calcul des résultats des examens d'entrée [2].

Clance, secondée par le docteur Suzanne Imes, s'est mise à étudier ce phénomène à travers un groupe de 150 jeunes femmes couronnées de succès. Ces femmes, essentiellement de race blanche, issues de classes moyenne à supérieure, avaient entre vingt et quarante-cinq ans. Un tiers d'entre elles consultaient des psychologues à leur cabinet privé; les autres étaient des étudiantes inscrites à de petits séminaires ou à des ateliers dirigés par les deux psychologues. Toutes étaient respectées dans leurs professions ou avaient fait preuve d'excellence dans leurs études. Or elles aussi avaient le sentiment de n'être que des imposteurs intellectuels et redoutaient qu'un jour ou l'autre leur patron, leur professeur ou leurs collègues ne découvrent leur manège.

En 1978, Clance et Imes ont rédigé un rapport sur ces femmes qu'elles avaient observées [3]. Elles y présentaient quelques vues précises pouvant expliquer pourquoi ce phénomène faisait davantage problème pour un sexe que pour l'autre. Elles ont d'abord noté l'existence d'un stéréotype selon lequel les femmes étaient incompétentes. Elles ont ensuite suggéré que les femmes l'avaient mentalement adopté et qu'elles avaient été nombreuses à l'intégrer à leur image personnelle.

Clance et Imes ont relevé plusieurs travaux de psychologie venant appuyer efficacement leur théorie. Entre autres, elles ont mentionné l'étude de Kay Deaux qui, en 1976, avait passé en revue toutes les recherches ayant trait aux différentes façons dont les hommes et les femmes expliquaient la réussite et l'échec [4]. Deaux avait conclu que les hommes *s'attendent* plutôt à réussir et qu'ils attribuent leur succès à des facteurs durables, stables et internes, tels que les aptitudes. Par ailleurs, un grand nombre d'études, selon Deaux, laissaient entrevoir que les femmes, de façon caractéristique, ne s'attendent *pas* à réussir. Lorsqu'elles réussissent, elles attribuent leur succès à des facteurs temporaires et instables. Elles peuvent aussi le mettre sur le compte d'un élément externe sur lequel elles n'ont aucun contrôle comme la chance. Elles invoqueront peut-être aussi une cause interne, mais *temporaire*, tel que l'effort.

Pour ce qui est de l'échec, poursuit Deaux, les hommes et les femmes échangent leurs lunettes. Les hommes sont portés à voir l'échec comme le résultat d'un facteur qui leur est *extérieur* tel que la malchance ou l'extrême difficulté de la tâche confiée. Les femmes assument plus volontiers la responsabilité de l'échec, le justifiant par un quelconque facteur interne comme le manque de capacité.

Pour les femmes, croirait-on, la société ne fait jamais de cadeaux. En cas d'échec, elles portent l'odieux de la faute; mais en cas de réussite, ce n'est *plus* leur faute. Rien d'étonnant à ce qu'une femme puisse avoir l'impression qu'elle ne mérite pas son succès et qu'elle puisse même croire qu'elle a abusé les autres.

Les femmes et la peur du succès

Nous avons vu ensemble comment la peur du succès peut mener quelqu'un à croire qu'il est un tricheur. Or la peur de réussir n'est pas uniquement fonction du contexte familial ou de la personnalité individuelle. Des facteurs culturels et sociaux peuvent également y contribuer. La peur du succès, chez les femmes notamment, a été largement débattue et mérite ici qu'on s'y arrête. L'idée qu'une femme puisse connaître le succès éclatant va à l'encontre de stéréotypes sociaux qui ont la vie dure. Une femme qui ose parvenir à ses fins transgresse les règles; et une telle idée effraie.

Lorsque Clance et Imes ont écrit leur premier rapport sur le complexe de l'imposteur, elles ont associé d'emblée les sentiments de supercherie à la peur de réussir des femmes. Elles ont cité la célèbre recherche de Matina Horner sur le sujet, laquelle soutenait que de nombreuses femmes de notre culture sont motivées inconsciemment à éviter le succès par crainte d'être rejetées, ou perçues comme peu féminines [5].

Horner avait effectué sa recherche au cours des années 60, à l'aide d'un groupe d'étudiants de premier cycle de la University of Michigan. Elle avait demandé à 90 jeunes femmes d'écrire une histoire commençant par ces mots: «Après les examens du premier trimestre, Anne s'est retrouvée en tête de sa classe à l'école de médecine.» Cette approche du récit permettait aux étudiants de s'identifier à Anne, personnage fictif. Sans le savoir, elles exprimaient ce qu'elles ressentaient elles-mêmes devant le succès.

Selon plusieurs étudiantes, «Anne» devait expier son exploit dans la solitude et le rejet. Pour d'autres, elle allait imaginer un moyen de se soustraire à cette réussite. Plus de 65 p. 100 de ces femmes prédisaient quelque fâcheux événement à la trop brillante «Anne». Leurs récits indiquaient qu'elles envisageaient le succès comme une chose à éviter.

Parallèlement, Horner avait soumis 88 étudiants masculins de l'école au test du récit. Mais, cette fois, c'était «John» qui était le premier de sa classe. Les récits des étudiants ne reflétaient pas cette même peur de réussir. Moins de 10 p. 100 d'entre eux estimaient que John aurait à subir des conséquences négatives pour son succès.

Plus tard, cette étude fut reprise, mais, cette fois, les histoires de John et d'Anne ont toutes deux été soumises aux hommes comme aux femmes [6]. La majorité des *deux sexes* ont alors suggéré qu'Anne regretterait son succès alors que John serait beaucoup moins pénalisé. Ce groupe d'étudiants considérait qu'Anne avait violé le stéréotype du rôle féminin en se distinguant avec éclat en médecine. Il faudrait donc qu'elle en paie la note d'une manière ou d'une autre.

Même en croyant qu'elle est un imposteur ou une pseudo-intellectuelle, soutiennent Clance et Imes, la femme «gagneuse» qui vise les hautes performances peut néanmoins réaliser son désir de réussir. Cependant, elle cherchera à éviter les conséquences négatives du succès que subissent les femmes de notre culture. En d'autres mots, si elle croit qu'elle n'est rien d'autre qu'un imposteur, une femme niera inconsciemment sa compétence réelle dans «un monde d'hommes», et ainsi se soustraira à la peur du rejet. Pour certaines femmes, le complexe de l'imposteur peut être le moindre de deux maux. Selon les deux psychologues, les femmes pourraient aussi être motivées à nier leur succès par la peur du pouvoir.

À mesure que les stéréotypes sexuels perdent leur impact et que les rôles féminins s'élargissent dans notre société, je crois que nous assistons à une régression de la peur du succès associée au sexe féminin. Les jeunes filles voient aujourd'hui leurs aînées réussir sans être pénalisées ni subir de rejet social. Souhaitons qu'elles réalisent qu'il est possible de réussir tout en conservant le respect et l'amour des autres, ce dont jouissent déjà les hommes. En effet, Clance et Imes avaient établi comme prémisse de leur étude que le complexe de l'imposteur troublait les hommes moins fréquemment, et avec moins d'intensité. Selon elles, les hommes qui avaient maille à partir avec le CI étaient surtout ceux qui étaient plus sensibles à leurs qualités dites «féminines» mais, ajoutaient-elles, cela restait encore à prouver.

L'idée que le complexe de l'imposteur était un problème de femme persistait. En 1982, le docteur Madeline Hirschfeld présentait sa thèse de doctorat à la Fordham University sur le thème du complexe de l'imposteur chez les femmes à la carrière florissante [7]. Elle avait étudié le cas de 80 femmes qui avaient choisi des champs professionnels traditionnellement masculins, dont les sciences administratives, le droit et le génie. Les âges se répartissaient entre vingt et soixante ans, et toutes avaient bénéficié d'une instruction solide: presque 70 p. 100 d'entre elles avaient poussé leur formation au-delà du baccalauréat. Le salaire annuel moyen du groupe se chiffrait à 38 000 dollars.

Hirschfeld distribua à ces femmes diverses épreuves psychologiques en vue d'isoler les facteurs pouvant contribuer au CI. Un test, entre autres, sondait le degré d'auto-acceptation dans les domaines professionnels. Les résultats donnaient à penser qu'à l'instar des autres victimes du CI les femmes de cette étude affligées de sentiment de supercherie ne croyaient pas que leurs aptitudes jouaient un rôle dominant dans leur réussite. De plus, elles estimaient n'avoir pas été adéquatement préparées pour réussir dans leurs carrières. Elles considéraient que leurs parents ne les avaient pas encouragées à développer certaines caractéristiques professionnelles qui n'étaient pas traditionnellement perçues comme féminines.

Une enquête moins récente avait aussi établi l'hypothèse que les femmes issues de groupes minoritaires étaient spécialement vulnérables au CI. En 1980, le docteur Jeanne Stahl et ses collègues du Morris Brown College en Georgie avaient décelé d'intenses sentiments d'imposture parmi les jeunes femmes noires. Plus de 55 p. 100 d'entre elles privilégiaient le travail assidu, la détermination et la persévérance comme causes principales de leur réussite.

Le docteur Stahl avait mené une enquête-pilote antérieure auprès d'étudiantes de race noire en première année de baccalauréat[8]. Elle avait trouvé que 93 p. 100 de ces étudiantes de premier cycle attribuaient leur réussite à des caractéristiques autres que l'intelligence. Pourquoi ce pourcentage était-il si marqué par rapport à celui des finissantes d'école secondaire? À la suite de ces deux enquêtes, Stahl interrogea les faits: Était-ce que d'échanger une position «dominante» (finissante d'école secondaire) pour une nouvelle position «subalterne» (étudiante en première année du bac) occasionnait une recrudescence du sentiment d'imposture?

Une personne visant la réussite, qui est de sexe féminin *et* de race noire, appartient à une «double minorité». Si elle réussit dans sa carrière, il se peut qu'elle ait transgressé des stéréotypes sociaux se rapportant et à sa race et à son sexe. Voilà, en partant, deux raisons pour qu'elle éprouve de la difficulté à ajuster son image personnelle à la réussite. Personne jusqu'ici n'a vérifié cette hypothèse chez d'autres minorités raciales ou ethniques, mais nous pouvons supposer qu'elle demeurerait tout aussi vraie dans leur cas.

On a commencé à soupçonner que le CI n'était pas un problème exclusivement féminin lorsque Suzanne Imes rédigea son mémoire à la Georgia State University en 1979[9]. Pour ce faire, elle avait étudié le cas de 80 enseignants de sexe féminin et de 64 de sexe masculin dans une importante université du Sud-Est des États-Unis. Imes voulait voir s'il existait un rapport entre les sentiments de supercherie et le degré d'identification au rôle sexuel. Les femmes obtenant un score élevé pour le test «Féminité» seraient-elles plus susceptibles d'attribuer leur réussite à un facteur autre que l'aptitude, ce qui est un indice du CI?

Imes passa quatre catégories en revue: la féminité (score élevé pour l'identification au rôle sexuel féminin, faible pour le rôle masculin), la masculinité (score élevé pour l'identification masculine, faible pour la féminine), l'androgynie (score élevé pour les rôles féminin et masculin) et l'indifférenciation (score faible pour les deux rôles). Elle remit également aux membres du corps professoral une liste de dix objectifs accessibles à des personnes de leur profession et leur demanda d'évaluer l'importance de facteurs tels que l'aptitude, la chance et la personnalité engageante dans la réalisation de ces dix objectifs.

Imes n'obtint pas ce qu'elle avait prévu. Les différences de sexe ou de rôle sexuel n'étaient vraisemblablement pas reliées au sentiment d'être un faussaire. Seules les personnes du groupe «indifférencié» — celles qui s'identifiaient faiblement aux rôles sexuels masculin et féminin — se distinguaient nettement comme victimes caractérisées du CI.

En 1980, j'ai commencé à m'intéresser au complexe de l'imposteur. Ce syndrome me fascinait; l'ayant moi-même éprouvé au début de ma maîtrise, je savais ce que c'était que de sentir surfaite. Mais je songeais aussi à toutes les notions que ce complexe sous-tendait et qui avaient été explorées par différentes disciplines au cours des ans. Psychologues, sociologues, philosophes avaient tous écrit sur les thèmes du moi public et du moi privé, de la culpabilité engendrée par le succès et du sentiment d'aliénation découlant des rôles. Pourtant personne ne les avait encore tous reliés à ce syndrome spécifique. J'ai donc commencé par faire converger les recherches des différents spécialistes vers le complexe de l'imposteur [10].

À ce stade, j'ai compris qu'il fallait fournir une échelle de mesure pour les sentiments du CI. Tous les psychologues devaient pouvoir bénéficier d'un outil commun pour comparer leurs études directement. Je voulais concevoir quelque chose de simple et d'efficace qui puisse être utilisé même dans les situations où le temps était limité. M'inspirant de toutes les recherches actuelles, j'ai inventé une suite d'affirmations sous forme d'épreuve psychologique que j'ai ensuite testée, jusqu'à ce qu'elle constitue une échelle de mesure valide du CI. Cette liste est alors devenue l'Échelle Harvey du CI [11].

Munie de cette échelle, je pouvais donc commencer à vérifier si oui ou non ce syndrome faisait plus problème pour les femmes et les Noirs. Assistée par mes collègues Louise Kidder et Lynn Sutherland, j'ai enquêté auprès de 30 personnes travaillant en ville en qualité d'enseignants au niveau secondaire, de travailleurs sociaux, de conseillers et d'administrateurs intermédiaires en ressources humaines [12]. Ce groupe se composait d'hommes et de femmes, de Noirs et de Blancs, qui détenaient tous au minimum un baccalauréat.

Conformément aux idées reçues sur le CI, je m'attendais à voir se confirmer le fait que les femmes éprouvaient plus de sentiments de supercherie que les hommes, et les Noirs plus que les Blancs. À ma surprise, j'ai découvert que les différences étaient peu significatives. Même la notion de «double minorité» n'était pas valide: une femme noire n'était pas plus sujette au CI que quiconque.

En 1981, j'ai fait connaître mes résultats selon lesquels le complexe de l'imposteur affecte autant les hommes que les femmes. Du reste, de plus en plus de preuves s'accumulaient en ce sens. Le docteur Gail Matthews, secondée par Pauline Clance, interviewa 41 hommes et femmes de professions diverses pour annoncer, en 1984, que des représentants des deux sexes avaient déclaré avoir éprouvé des sentiments de supercherie, et qu'il n'existait aucune différence statistique significative entre le nombre d'hommes et de femmes ayant éprouvé ces sentiments.

Le docteur Margaret Gibbs et ses collègues avaient également mené une étude, en 1984, sur les psychothérapeutes face au CI. Encore une fois, aucune différence réelle n'avait été relevée entre les pourcentages d'hommes et de femmes ayant éprouvé des sentiments d'imposture. À leur tour, Michael Penland et le docteur Susan McCammon ont remis l'Échelle Harvey du CI à 57 étudiants en première et deuxième années universitaires, pour trouver que les victimes du CI pouvaient être d'un sexe comme de l'autre. Quant à l'étude du docteur Mary Topping concernant près de 300 membres du corps professoral universitaire, elle montre que la moyenne du groupe des hommes était en fait *plus élevée* à l'Échelle Harvey du CI que celle des femmes.

Lors de l'assemblée de l'American Psychological Association en 1981, j'ai expliqué pourquoi, selon moi, le complexe de l'imposteur avait d'abord été identifié chez des femmes: celles-ci étaient, plus que les hommes, disposées à parler de tels sentiments. En règle générale, les femmes tiennent plus compte de leurs émotions et sont plus en mesure de les révéler à d'autres. Les hommes ont souvent cru qu'il valait mieux ne tenir aucun compte de leurs sentiments pour conserver l'image virile traditionnelle de la «force silencieuse». En outre, au cours des années 70, les mouvements de femmes avaient encouragé la formation de groupes de soutien et autres initiatives permettant aux femmes de mieux se connaître. Les hommes n'avaient pas bénéficié de tels appuis.

Alors que la recherche sur le complexe de l'imposteur ne faisait que commencer, les psychologues ne disposaient d'aucune échelle objective pour mesurer les sentiments d'imposture chez les deux sexes. Nous passions plus de temps à *parler* avec les femmes de leurs sentiments lors de discussions sans fin. Parce que celles-ci avaient plus de facilité à faire part de leurs sentiments de supercherie, il nous a semblé à première vue que ce problème affectait uniquement, ou principalement, le sexe féminin . À l'heure actuelle, nous savons que le CI peut tout aussi bien toucher les hommes; ceux-ci n'en parlaient tout simplement pas.

Ce genre de revirement de la pensée est plutôt inhabituel chez les psychologues. En sciences, il est rare qu'on identifie d'abord une question aux femmes pour ensuite l'élargir en vue d'inclure les hommes. En consultant l'histoire, on s'aperçoit que les mouvements de recherche ont procédé de façon inverse: on se concentrait d'abord sur les hommes, négligeant presque toujours le groupe des femmes. Ceux d'entre nous qui assistent assidûment aux conférences traitant du complexe de l'imposteur ont relevé un autre détail. Pendant plusieurs années, on voyait un public largement féminin assister aux présentations d'études de ce syndrome. À l'heure actuelle, ces conférences attirent beaucoup plus d'hommes, impatients de communiquer leur expérience personnelle de ce problème.

Être «seul de son espèce»

Les psychologues s'étaient rendus à l'évidence: le sexe ou la race ne pouvaient constituer à eux seuls des facteurs déterminants du CI. Or, plusieurs questions restaient encore sans réponse. Pourquoi un si grand nombre d'étudiantes noires des études de Stahl supposaient-elles que leurs succès ne relevaient pas de leur intelligence? D'autres facteurs sociaux et culturels pouvaient-ils entraîner, ou intensifier, les sentiments de supercherie?

Au moment où je menais une étude auprès d'une trentaine de personnes de professions diverses, je brassais aussi quelques autres idées. Les sentiments du CI pouvaient-ils être amplifiés à partir du simple constat que l'on est *différent* de ses pairs? Peut-être, pensai-je, les recherches passées se trompaient-elles en attribuant le CI aux différences sexuelles et raciales quand le problème est, en fait, de *se voir comme quelqu'un d'exceptionnel ou de différent des autres*. Les femmes et les Noirs qui atteignent de hautes performances sont souvent confrontés à des situations professionnelles où ils se distinguent comme étant «seuls de leur espèce». Être femme ou être Noir ne sont peut-être que deux des façons par lesquelles les victimes du CI peuvent se sentir isolées de leurs pairs.

Le seul homme, la seule femme

Pour mieux explorer cette idée, j'ai demandé aux mêmes 30 personnes de me dire à quel point leur carrière leur semblait représentative de quelqu'un de leur sexe. Estimaient-elles que travailler dans leur spécialité particulière était un peu bizarre pour une personne de leur sexe?

En analysant les résultats, la réponse à ma question m'est apparue clairement. En règle générale, ceux qui percevaient leur carrière comme atypique pour quelqu'un de leur sexe vivaient leurs sentiments d'imposture de façon beaucoup plus aiguë que les autres et ce, *indépendamment de leur sexe*. Les sentiments d'imposture étaient plus intenses chez les femmes qui estimaient pratiquer une profession traditionnellement réservée aux hommes, mais ils étaient tout aussi intenses chez les hommes ayant l'impression d'exercer une profession «de femme». Ces résultats renvoyaient à l'étude des psychologues Frances Cherry et Kay Deaux [13] en 1975, qui avaient constaté que *et* les hommes *et* les femmes souhaitaient éviter les pénalités possibles d'une transgression des stéréotypes des rôles sexuels liés à notre culture.

Bien entendu, il n'y a pas si longtemps que la *quasi-totalité* des professions étaient la «chasse gardée» des hommes — notamment celles qui supposent une position d'autorité. Il était convenu que les femmes ne travailleraient qu'en cas de nécessité. Les vieilles idées ont la vie dure et nous pouvons supposer qu'un grand nombre de femmes vivent encore la peur de transgresser le stéréotype de leur rôle sexuel.

De la même façon, un homme pourrait choisir de nier ses capacités naturelles pour une carrière traditionnellement réservée aux femmes, de crainte que l'on ne doute de sa virilité. Même si moins d'emplois présentent un tel dilemme aux hommes, un bon nombre de domaines où travaillent des hommes sont traditionnellement associés aux femmes. Il n'y a qu'à songer au travail social, à l'enseignement, aux soins infirmiers, aux postes variés en milieu de garderie, sans parler de tous les services au public, des agents de bord aux téléphonistes. Les mentalités ont beau évoluer, certains individus continuent d'adhérer au cliché qui veut qu'il y ait quelque chose de suspect chez un homme qui choisit de faire un «travail de femme».

Tout comme pour la personne qui craint le succès, le complexe de l'imposteur peut être une forme inconsciente de protection psychologique pour quelqu'un dont l'emploi est peu caractéristique de son sexe. Celui-ci redoute les sanctions qui peuvent découler de la transgression du stéréotype sexuel. Ces sanctions vont de la mise en doute de la féminité ou de la masculinité de la personne jusqu'à son rejet social complet. En se considérant comme un imposteur, cette personne peut ainsi parer mentalement à des sanctions éventuelles: *elle ne s'associe pas à son succès*. Bien qu'elle ne sache trop pourquoi elle se voit ainsi, son inconscient l'aide à exorciser ses peurs.

Si un individu croit qu'il est un imposteur, c'est qu'il a réussi à se convaincre qu'il n'est pas *véritablement* à la hauteur dans son travail; il ne réussit qu'à en donner l'illusion, la contrefaçon, quelles que soient les preuves du contraire. S'il se croit sans talent ou incompétent, il n'a plus à admettre qu'un poste peu acceptable sur le plan social, ou peu «approprié» à son sexe, lui convient parfaitement. Sans s'en rendre compte, il combat la terrible perspective d'être puni pour son écart de conduite».

Il y a d'autres manières, outre le sexe, d'être atypique sinon unique en son genre dans son emploi. L'appartenance raciale ou ethnique en est une. Si vous êtes Noir, Asiatique, Chicano ou d'origine hispanique et que vous travaillez parmi des Caucasiens, vous vous singularisez de vos pairs. Un article de journal récent citait une chronique signée par une jeune femme noire terminant son doctorat dans une université où prédominaient les Blancs; elle y témoignait de «quatre longues années où elle s'était sentie comme un grain de poivre malencontreusement tombé dans la salière» [14].

Plus d'une forme de «singularité» peut éveiller des sentiments de supercherie. Lorsque quelqu'un se rend compte qu'il est le seul de son espèce à jouer un rôle, il peut être amené à conclure (à tort) qu'il n'est pas à sa place dans ce rôle. Les étudiantes de l'étude du docteur Stahl souffraient de leur singularité à trois titres: elles étaient Noires, de sexe féminin et se destinaient à des études supérieures en sciences et en génie, spécialisations parfaitement masculines.

Des recherches ont démontré que les gens attachent plus d'importance aux caractéristiques qui les *différencient* de leurs pairs qu'aux caractéristiques qu'ils *partagent* avec eux [15]. Autrement dit, les gens ont une conscience plus fine de ce qui les distingue des autres, ou de ce qui les rend uniques, que de ce qui les en rapproche. Il peut s'agir de leur sexualité, de leur race, de leur origine ethnique, de leur nationalité ou de leur classe sociale; lorsque vient le temps de définir leur identité propre, ils accordent souvent une importance démesurée à ces traits «singuliers».

C'est ainsi qu'au travail, un homme parmi des femmes, ou quelqu'un de couleur parmi des Blancs, prêtera sans doute beaucoup d'attention au trait qui les distingue. Ces personnes auront même tendance à faire abstraction des traits qu'ils partagent avec leurs pairs — habiletés et capacités. En conséquence, ils pourront conclure qu'ils ne font pas l'affaire, qu'ils ne sont pas à leur place.

Des études ont montré que l'on reconnaît aux femmes beaucoup plus de mérite qu'aux hommes lorsqu'elles agissent avec compétence dans des secteurs d'activité traditionnellement «masculins». Advenant qu'une personne manifeste un niveau de compétence inattendu, sa réalisation est magnifiée. On désigne ceci sous le nom de «phénomène de l'ornithorynque parlant» [16]. (Vous n'auriez rien à redire en voyant un ornithorynque se chauffer au soleil, mais vous resteriez bouche bée s'il levait la tête pour vous adresser de cordiaux bonjours.)

Je me rappelle cette fois où je me rendais à l'aéroport à bord d'un autobus conduit par une femme. Lorsque nous fûmes arrivés à destination, celle-ci s'est mise à sortir les valises du compartiment à bagages. En la regardant transporter de lourds sacs, plusieurs des passagers ont fait ces commentaires: «Qu'elle est formidable! Elle est vraiment hors pair!» Pourtant, cette femme démontrait le même niveau de compétence qu'un homme qui aurait exercé le même métier. Elle n'en recevait pas moins d'estime. De façon semblable un Noir isolé parmi des Blancs pourrait être décrit comme «faisant honneur à sa race». De pareilles réflexions ne visent jamais les Blancs — uniquement les Noirs et d'autres minorités raciales.

Curieusement, cette idée contredit la croyance selon laquelle les femmes et les minorités doivent se montrer *doublement* efficaces dans leur emploi pour concurrencer leurs semblables de sexe masculin et de race blanche. Tout cela concourt à augmenter la confusion et l'insécurité de la personne qui se demande si elle est vraiment «à sa place».

L'acceptation symbolique

Les personnes qui se distinguent de leurs pairs par le genre ou la race ont parfois à combattre la peur d'enfreindre un stéréotype sexuel ou racial. Mais elles peuvent également être confrontées à une autre troublante possibilité: celle de se voir confier un poste à simple titre de «symbole».

Lorsque quelqu'un se détache d'un groupe à cause de son sexe, de sa race ou de sa nationalité, il peut se demander si la qualité qui le distingue n'est pas en fait *la raison même pour laquelle il se trouve en tête*. Une femme peut chercher à savoir si elle n'a pas été promue à un poste administratif «parce qu'on avait besoin d'une femme pour cette tâche à ce moment-là». Un étudiant noir admis au premier cycle universitaire ou à la maîtrise peut s'interroger sur ce qui serait advenu si le comité d'admission avait ignoré le fait qu'il était Noir.

Bien que formée pour devenir infirmière, Adrienne, trente-huit ans, a passé cinq ans au service d'une entreprise de produits alimentaires du Connecticut, laquelle comptait peu de femmes au niveau de son administration. Elle commença au bas de l'échelle, en livrant les produits de la compagnie. «Au départ, je trouvais ça formidable, raconte-t-elle. Je venais tout juste de déménager dans le secteur; je cherchais un emploi et je me sentais prête à essayer quelque chose de neuf. Avec les gars, j'ai retrouvé la force et la vigueur de mes vingt ans.»

Durant trois années consécutives, Adrienne a monté en grade. Bien qu'elle fût consciente que son travail était fort prisé, elle estimait que ses nouvelles fonctions administratives correspondaient mal à ce qu'elle était. À la promotion suivante, elle s'est mise à douter sérieusement de l'opportunité de son avancement: il lui semblait qu'elle était beaucoup plus heureuse quand elle était affectée à la livraison. Selon elle, la compagnie l'avait «repérée en tant que femme compétente, et ils avaient besoin d'en avoir une dans les postes supérieurs». Par ailleurs, Adrienne admettait qu'elle avait besoin de se prouver à elle-même, et aux autres, qu'elle pouvait dépasser le traditionnel rôle féminin, et que cela la motivait à accepter des emplois habituellement réservés aux hommes. Le salaire plus élevé avait aussi contribué à la «piéger».

Cette ambivalence faisait le malheur d'Adrienne qui avait l'impression d'avoir usurpé son poste prestigieux. De plus, il lui semblait qu'elle ne donnait pas sa pleine mesure. «Au cours de la dernière année, relate-t-elle, j'ai eu beau contourner les difficultés, bluffer et faire semblant, les patrons ont tout de même apprécié mon travail. J'ai pensé: «Quelle bande d'idiots — comment peuvent-ils arriver à une telle surévaluation? Je sais que je n'ai pas fait un bon boulot. Il y a certains engagements professionnels à satisfaire et j'y suis à peine parvenue.»

Gravir les premiers échelons de l'entreprise a d'abord été exaltant pour Adrienne. Elle a bientôt gagné un salaire supérieur à ceux de son frère et de sa soeur. Les choses se passaient presque trop commodément pour elle. Elle ajoute: «Le fait de toucher un salaire considérable commençait à devenir grisant, et je n'en ai jamais éprouvé d'anxiété jusqu'à cette dernière année, quand j'ai commencé à me culpabiliser au sujet de mon rendement médiocre.»

Le fossé que ses promotions successives avaient creusé entre elle et ses premiers compagnons de travail tracassait également Adrienne. «Lorsque j'ai été promue la première fois au poste de surveillante, j'avais encore l'impression d'avoir des relations de copains avec mes collègues, dit-elle. Bien que j'étais la seule femme, les gars et moi étions camarades. Qand je suis passée à l'échelon suivant, les laissant derrière moi, j'ai eu instantanément conscience de leur devenir étrangère. Certains parmi eux étaient là depuis dix ou douze ans alors que je n'avais fait que deux ans. Je me faisais peut-être des idées, mais j'avais le sentiment qu'ils se disaient: «C'est nous qui avons contribué à la former, c'est grâce à nous qu'elle a atteint ce grade, et maintenant elle va nous dominer.»

Sous tous les angles possibles, Adrienne remettait son travail en question. «Il y a certaines circonstances où la tromperie est nécessaire dans le monde de l'entreprise. C'est pourquoi j'ai essayé de jouer le jeu, même si le prix de cette duperie devient de plus en plus élevé. Or, cette trahison de mes propres valeurs m'angoisse; durant les trois ou quatre dernières années, j'ai eu l'impression que ma façon d'agir ne reflétait nullement la personne que j'étais vraiment.

«Parfois je me demande si je traverse ma crise d'entre-deux-âges. La plupart des hommes ne lâchent pas prise à ce moment-là. Quelques rares spécimens quittent la course et font autre chose, mais ce n'est pas le cas de la majorité. Il faut croire que je me permets d'examiner certaines possibilités qu'ils ne voient même pas.» Adrienne ne savait que faire: entre continuer de monter dans la hiérarchie de l'entreprise ou changer carrément de voie. Quelque chose lui disait qu'il était temps qu'elle rompe les rangs afin d'entreprendre une nouvelle carrière, en service social par exemple. Elle savait fort bien que son salaire en souffrirait; néanmoins elle observait ceci: «Les femmes voient derrière les apparences. Quant aux hommes, ils font des crises cardiaques ou deviennent alcooliques et c'est ce qui m'attend sans doute si je persiste dans la même voie.»

La qualité qui vous différencie des autres n'est pas forcément aussi manifeste que les attributs sexuels ou la couleur de la peau. Un Britannique, par exemple, pourra découvrir que les Américains accueillent favorablement son accent. Il se demandera peut-être si ce n'est pas cet accent, et non lui-même, qui lui a valu tant d'invitations à dîner. Au travail, il soupçonnera son patron américain de le traiter avec déférence parce qu'il apprécie sa façon de s'exprimer. Peut-être, pense-t-il, cet employeur est-il de ceux qui croient que tout ce qui est dit avec l'accent britannique est nécessairement intelligent et fin.

Je suis d'avis que les quotas servent à corriger la discrimination antérieure contre les groupes défavorisés. Cependant, une fois mis en pratique, ils peuvent inciter certains esprits «gageurs» à douter de la validité de leurs succès, surtout s'ils manifestent déjà une propension au complexe d'imposture. Au travail, ces individus peuvent aussi se heurter à la défiance des *autres* relativement à leur compétence, puisqu'ils n'ont été engagés qu'en vertu d'un certain programme. Il faut une bonne dose de confiance personnelle à qui se trouve dans cette situation pour continuer de se croire brillant et capable alors que ceux qui l'entourent le remettent constamment en cause. Si ses collègues lui manifestent une certaine froideur ou doutent qu'il puisse prendre la situation en mains, il est probable qu'il en vienne à remettre ses propres aptitudes en question. Le scepticisme ou l'hostilité plus ou moins subtile de son entourage auront eu peu à peu raison de sa résistance psychologique.

Une femme cadre me communiquait cette réflexion: «À mon sens, une femme débute dans les affaires en position désavantageuse. Si un homme se présente à une réunion en complet, on suppose immédiatement qu'il est intelligent et adroit jusqu'à preuve du contraire. Or, lorsqu'une femme se présente à une réunion, et qu'elle est jolie, on présume volontiers qu'elle doit être «gentille». Elle devra démontrer qu'elle est habile et intelligente. Voilà pourquoi je crois que nous partons un peu perdantes.»

Même si l'entourage ne lui oppose aucune résistance, celui qui se croit une sorte de «symbole» dans son milieu éprouve une grande incertitude et du désarroi face à la validité de ses réalisations. La victime du CI s'appesantit sur ses points de divergence avec les autres et les interprète comme autant d'indications qu'il ne «fait pas l'affaire». En poussant un peu plus loin ce raisonnement, il présume avoir obtenu son emploi en usant de moyens frauduleux. Il attribue, à tort, ses succès à son statut «symbolique», estimant qu'il n'a pas acquis honorablement sa réussite.

Le professionnel de la première génération

Certains individus sont «uniques en leur genre» d'une tout autre manière. Ils se détachent de leur famille par leur niveau d'éducation. J'ai donc demandé aux cibles de ma recherche dans quelle mesure leur niveau d'éducation était représentatif de leur milieu familial.

Leurs réponses me révélèrent qu'il y avait là une autre question cardinale pour les victimes du CI. Le score moyen du CI était plus élevé parmi ceux qui signalaient *qu'ils avaient atteint un niveau d'éducation exceptionnellement supérieur à celui de leur milieu familial*. Ceux qui avaient enregistré des résultats faibles à l'échelle du CI disaient avoir un niveau d'éducation beaucoup plus conforme à celui de leurs parents et ce, indépendamment de leur sexe ou de leur appartenance raciale.

Ces résultats laissaient supposer que les sentiments d'imposture sont souvent associés aux *conséquences émotives d'un changement de classe sociale*. Des chercheurs avaient observé d'intenses sentiments de supercherie chez les Noirs «gagneurs». Or il semblait que le facteur racial n'était pas au centre du débat; il pouvait simplement s'agir d'individus qui étaient aux prises avec l'idée d'un nouveau statut social.

Compte tenu du nombre croissant de femmes et de membres des minorités sur le marché du travail, un plus grand nombre sont confrontés à cette difficulté d'ajustement. La personne issue d'un milieu ouvrier ou d'un milieu social défavorisé qui change de statut vit la même situation.

Un tel effort d'adaptation peut faire problème pour les membres de toutes les races, de tous les groupes ethniques, et de l'un ou l'autre sexe. Un individu est appelé à se demander s'il est vraiment à sa place dans sa nouvelle classe sociale, et cette idée peut entraîner des sentiments d'inauthenticité. Dans ces circonstances, que l'on soit Noir, Blanc, Asiatique importe peu: tout le monde peut se sentir ambivalent face à la réussite. (Vous vous souviendrez peut-être lorsque j'ai relaté mon cas personnel, que j'ai été la première dans ma famille à obtenir un diplôme d'études supérieures.)

La personne qui acquiert par son travail un statut social supérieur à celui des membres de sa famille est un «professionnel de la première génération». Celui-ci est le premier parmi tous ses proches à atteindre un niveau de réussite particulier. Par le biais de ses études ou d'une formation spéciale, il jouit d'une carrière mieux rémunérée ou plus prestigieuse que celles des membres de sa famille. Peut-être ses proches parents ont-ils toujours effectué des travaux de manoeuvre alors qu'il est le premier à occuper un emploi de col blanc. Cette personne gagne sans doute davantage que tous les siens et fraie dans des cercles professionnel et social différents.

Or certains individus n'ayant fréquenté ni le collège ni l'université ont néanmoins eu accès à des emplois nettement différents et plus prestigieux que ceux de leur famille. Même si mon étude se limitait à enquêter sur le niveau d'éducation, elle laissa supposer que cet autre type de professionnel de la première génération pouvait aussi être enclin au CI. J'ai pu vérifier cette hypothèse au cours de mes conversations avec des personnes souffrant du complexe de l'imposteur.

Depuis son enfance, on avait fait comprendre à Adam qu'il incarnait les espoirs des siens, une famille ouvrière de Détroit, et que des études supérieures lui garantiraient une certaine mobilité sociale. Or, une fois qu'il se trouva inscrit à l'université, sa famille parut prendre ses distances, ce qui lui donna l'impression de ne plus avoir l'esprit de corps. S'il ne partageait pas l'avis des siens sur une question donnée, on l'accusait de «prendre des airs». On cherchait à lui faire savoir qu'il devenait arrogant et que son attitude semblait révéler qu'il était devenu trop bien pour sa famille.

Adam s'est donc mis à adopter un comportement caméléonesque dans chacun des groupes qu'il fréquentait — sa famille, ses anciens copains, ses camarades d'université. Par contre, cette volonté de s'adapter aux situations lui donnait l'impression d'être un faussaire. Ses sentiments et son comportement d'«imposteur» persistèrent jusque dans sa vie professionnelle adulte. Il était devenu en outre d'une modestie excessive et n'acceptait aucun éloge ayant trait à ses succès, par crainte de passer pour un arrogant et d'être rejeté.

Plus d'un motif peut expliquer qu'un professionnel de la première génération se croit un imposteur. Parce qu'il est conscient que son milieu socio-culturel diffère de celui de ses pairs, il peut douter d'être vraiment «à sa place». Les femmes ou les membres d'un groupe minoritaire se demanderont peut-être si la raison de leur avancement ne tient pas uniquement à leur statut de «symbole».

Puisque leurs réalisations les placent souvent en avant en qualité de représentants de leur famille ou de leur communauté, ces personnes-là imaginent facilement les conséquences désastreuses et humiliantes d'un éventuel échec. Elles estiment qu'il est de leur devoir d'être parfaites, mais, bien entendu, cet objectif n'est pas facile à atteindre.

Tout comme ils redoutent d'échouer, ces professionnels appréhendent également ce que pourrait entraîner un succès. Seront-ils coupés de leur famille ou de leurs anciennes connaissances? Ils se sentiront peut-être aussi coupables d'avoir surpassé les réussites d'autres membres de leur famille. Sans en être conscients, ils essayeront de minimiser ou de nier leurs exploits en les considérant comme trompeurs ou déloyaux.

Précisons encore un peu cette ébauche:

Avancer en terrain inconnu

Le professionnel de la première génération se hasarde en terre inconnue. Personne chez lui n'a fait l'expérience qu'il tente. Personne ne peut donc le conseiller ou lui fournir des indications sur la façon de tenir son nouveau rôle. Cette personne doit essayer de composer avec ses pairs, à l'université ou au travail. Souvent, elle ne s'y sent pas prête socialement et intellectuellement. Ses nouveaux compagnons peuvent évoquer avec désinvolture leurs week-ends de voile si ce n'est l'année où ils ont étudié en Europe. Elle qui n'a jamais bénéficié de tels avantages ne veut pas être humiliée en l'avouant.

À l'université, les étudiants issus de milieux ouvriers ou démunis peuvent se demander s'ils sont à leur place parmi les autres étudiants provenant de classes favorisées. De même, une jeune femme ou un jeune homme de parents ouvriers qui débute dans un poste important peut se sentir étranger parmi ses collègues. La personne peut s'imaginer que tous ses compagnons de bureau proviennent de familles liées de longue date au milieu des affaires et que chacun sait parfaitement comment agir et comment se comporter dans son rôle.

Le professionnel de la première génération rencontre souvent d'autres difficultés lorsqu'il regagne son milieu d'origine. Sa famille peut n'avoir aucune idée du monde dans lequel il évolue désormais; il trouvera donc difficile de lui faire part de ses expériences et de ses problèmes. Un étudiant de première année à l'université, le premier de sa famille à y parvenir, m'a confié que, pour ses parents, la vie sur le campus tenait d'un film des années 20: des autos, des filles et du plaisir.

Cette personne peut également craindre de devenir un étranger dans son propre milieu. En changeant trop, elle perdra sa place au sein de la famille et même de son groupe d'ami. Si, par ailleurs, elles sont souvent fières de la réussite de leur rejeton, certaines familles peuvent aussi adopter devant lui une attitude contradictoire. Ainsi, Adam a dû essuyer les reproches de sa famille et s'entendre dire qu'il se croyait trop bien pour elle désormais.

Benoît venait d'une famille d'agriculteurs du Kansas. Il a évoqué devant moi la période où il faisait partie de l'équipe d'athlétisme, à l'école secondaire. Après avoir connu l'ivresse d'être «sur la ligne de front», il avait soudainement été saisi d'une peur qu'il ne comprenait pas. Il avait alors «battu en retraite» vers des terrains plus «sûrs».

Devenu adulte, Benoît manifestait une peur inconsciente de réussir. Il craignait que le succès ne l'écarte de sa famille. Il redoutait aussi qu'on ne l'envie ou qu'on ne lui en veuille, qu'on ne parle en mal de lui ou qu'on n'use de représailles à son égard. C'est ainsi qu'il avait évité toutes les situations impliquant de la rivalité et celles qui l'auraient poussé à se démarquer. Il cachait à sa famille toute nouvelle entreprise susceptible de le mener au succès, jusqu'à ce que sa bonne marche soit assurée.

Chez Benoît, le sens de sa propre valeur était lié à la perception que les autres avaient de lui. Il se rendait compte que le succès pouvait lui valoir l'estime et l'admiration de la famille et des amis, ce qu'il désirait à coup sûr. Mais, en même temps, il était convaincu que le moindre échec lui procurerait une honte insupportable. Toute nouvelle initiative acquérait donc chez lui l'importance d'un événement déterminant.

Pire encore, le professionnel de la première génération peut se sentir étranger tant dans son milieu d'origine que dans son nouveau milieu; la famille et la communauté, d'une part, son nouveau cadre social d'autre part. Écartelée entre deux mondes, la personne peut ne plus s'identifier parfaitement à aucun. Même si elle joue les divers rôles liés à son nouveau statut social, il peut s'écouler un certain temps avant qu'ils ne la forcent à se redéfinir. Dans l'intervalle, la personne a l'impression de n'appartenir à aucun milieu.

Pour certains professionnels de la première génération, agir avec compétence équivaut à monter sur scène. Lionel, un jeune homme qui réussissait très bien, était le premier de sa famille à occuper un poste administratif. Chaque promotion rarivait chez lui l'impression de tromper les autres. Comme il le disait lui-même: «Chaque nouveau poste que j'occupe exerce une pression additionnelle sur moi. Je dois bien faire. C'est comme un test... tous les yeux sont braqués sur moi, et si je manque mon coup, tout le monde le saura.»

Le porte-étendard

Brillant et doué, le professionnel de la première génération représente souvent le «porte-étendard» de la famille qui attend de lui honneur et fierté. La personne peut alors être soumise à une pression excessive. Ses propres succès ou échecs peuvent cesser de lui apparaître comme personnels pour devenir plutôt des événements attirant la fierté ou la honte sur la famille.

Le rôle de porte-étendard peut dépasser le cadre familial. Certaines personnes, promises à un brillant avenir, doivent représenter la communauté. Elles viennent souvent d'une localité où les liens sont étroitement tissés; chacun les connaît depuis l'enfance et partage la fierté des parents devant leurs réalisations.

Être porte-étendard peut paraître un véritable fardeau lorsqu'on fait partie d'un groupe minoritaire. William Banks, psychologue et professeur à la faculté des Études afro-américaines, à l'université Berkeley, en Californie, s'est intéressé aux problèmes des professeurs noirs [17]. Cent quatre-vingt-douze formulaires ont été envoyés à des universitaires noirs dont vingt-six par la suite ont été interviewés. Il ressort que la pression exercée sur ces professeurs a plusieurs sources. Les étudiants noirs s'attendent à ce qu'ils soient leurs guides et modèles; la direction des universités voit en eux le lien entre les étudiants noirs et la communauté; quant à la communauté noire, elle cherche à en faire ses représentants. Banks a aussi remarqué que certains professeurs noirs, souvent des femmes, doivent lutter contre le sentiment d'être isolés lorsqu'ils se trouvent en minorité à la faculté.

Comme représentant de l'«ensemble» de la famille ou de la communauté, le professionnel de la première génération peut éprouver une plus grande hantise d'échouer ou de réussir que celui qui ne fait pas l'objet de semblables pressions sociales. Il porte un lourd fardeau. Il doit atteindre la perfection non seulement pour son propre avantage, mais pour faire honneur à son milieu d'origine qui dépend désormais de lui. Dans ce contexte, toute erreur trahit à ses yeux une faille fatale, et son entourage aura à en subir les terribles effets.

Toute erreur accable celui qui souffre d'un sérieux sentiment d'imposture. Mais la victime du CI servant de porte-étendard a d'autant plus de raisons d'appréhender l'idée d'échouer ou de commettre une erreur. Son action doit être parfaite pour ne pas désappointer les autres ou attirer la honte sur eux. Lorsqu'elle réussit, la pression lui semble augmenter, car il s'agit dès lors de se maintenir au sommet.

Comme elle cherche à donner l'impression d'être irréprochable dans son travail, elle ne confie à quiconque ses peurs, ses difficultés ou ses déceptions. Elle est persuadée d'avoir à maintenir cette image parfaite d'elle-même pour continuer d'être aimée et acceptée des autres. C'est ainsi qu'elle se prive de tout appui possible. Parfois, cette personne rencontre une autre difficulté psychologique: elle peut ne plus se sentir estimée que pour son rendement dans une activité précise, et non pour elle-même, comme être humain unique et complexe.

Denis suivait le cours de première année d'une école commerciale en Californie. Il était rongé par la peur d'échouer; selon ses propres mots, la perspective d'un examen le rendait «obsédé et malade». Incapable alors de dormir, il ne cessait de se représenter l'humiliation qu'un échec lui ferait subir.

Denis avait toujours été le «doué» de la famille, celui que ses parents pouvaient promener avec fierté chez les amis et dans la parenté. La famille jouissait de revenus suffisants pour être considérée comme aisée, avec sa grande maison de banlieue et son auto neuve chaque année. Pourtant, Denis était le premier de la parenté à entreprendre des études universitaires.

Durant son secondaire et son premier cycle universitaire, il s'était préparé aux examens en mémorisant de façon obsessionnelle chaque donnée des matières à l'étude. Parfois, il avait recours à un bloc-notes qui d'ailleurs lui nuisait au moment de l'épreuve. Il remettait son travail au lendemain, sans cesser de s'en faire, mais réussissait néanmoins à s'en tirer.

Denis avait un jeune frère qui causait beaucoup de soucis à la famille. Faible à l'école, ses mauvaises fréquentations lui attiraient toujours des ennuis. Denis avait souvent l'impression de compenser auprès de ses parents les faiblesses de son frère. Pourtant, il sentait que la famille aimait l'enfant pour lui-même et l'acceptait, malgré ses ennuis. Denis doutait de pouvoir jouir des mêmes faveurs. L'impression d'être apprécié et accepté était chez lui irrémédiablement liée à son rôle d'enfant brillant et de porte-étendard de la famille.

Après l'université, Denis a pris la gérance d'un restaurant. Au début, il craignait beaucoup de ne pas faire l'affaire, mais bientôt, il commença à se sentir plus compétent, d'autant plus que son patron semblait apprécier son travail. Tout allait bien; il prenait plaisir à sa relation avec sa petite amie de toujours qui avait gandi près de lui et n'était jamais partie faire des études au loin. Il pensait au mariage et envisager «une petite vie tranquille». Il travaillerait et subviendrait aux besoins de la famille, tandis que sa femme resterait à la maison pour prendre soin des enfants.

Dans le même temps, Denis ne pouvait s'empêcher de rêver à ce qu'il appelait «la grande vie». Ses parents l'encourageaient à s'inscrire au second cycle des études commerciales et à viser un poste plus prestigieux et rémunérateur. Sans avoir jamais vraiment pensé au second cycle et aux positions auxquelles cela le mènerait, Denis s'était convaincu que c'était «sa voie». Décrocher un diplôme de second cycle constituait un exploit remarquable pour quelqu'un provenant d'un milieu comme le sien.

Une fois admis au second cycle, Denis constata que sa vieille habitude de tout mémoriser n'allait plus l'aider. La quantité de données s'avérait par trop impressionnante; de plus, le temps alloué aux épreuves ne lui permettait pas de jeter sur papier tout ce qu'il avait pu apprendre par coeur. Néanmoins, il se cramponnait à ses habitudes d'autrefois et était saisi d'une grande anxiété à la seule pensée d'y renoncer. Elles lui donnaient l'impression de jouir d'une marge de sécurité, même si, dans les faits, leur efficacité était nulle.

Toutes les peurs, toute l'anxiété de Denis ont fait surface durant le mois où il attendait les résultats des épreuves de mi-session. Convaincu d'avoir échoué, il n'avait plus qu'une préoccupation: essayer de voir quelle orientation sa vie devait prendre. Il se rendait compte que le fait de fréquenter de l'école commerciale lui laissait un sentiment d'imposture, puisqu'au lieu de suivre sa propre voie il cherchait à satisfaire le désir de ses parents de partager son nouveau statut. S'étant fait à l'école des amis qu'il aimait rencontrer, il craignait de plus de devoir renoncer à sa «petite vie tranquille» avec sa petite amie. Il appréhendait d'échouer pour la double humiliation qui s'en suivrait: la sienne et celle de la famille. Toutefois, en cas de succès, il pouvait imaginer la pression qui s'exercerait sur lui pour qu'il continue, ce qui l'obligerait peut-être à changer sa vie du tout au tout, même s'il ne le désirait pas vraiment. Il sentait qu'il serait forcé de donner sa pleine mesure.

La peur d'être recalé cachait chez lui un désir inconscient d'échouer. Un échec aux examens aurait décidé à sa place de la nouvelle orientation que sa vie devait prendre. Quand il se représentait les résultats affichés avec la mention «échec» accolé à son nom, son humiliation ne manquait pas d'être vive, mais en même temps, il se sentait comme délivré. Il pourrait alors retrouver sa «vie tranquille» plutôt que de se donner une haute instruction pour faire plaisir à sa famille. Il saurait de plus, et une fois pour toutes, si ses parents l'aimaient vraiment et s'ils l'acceptaient pour lui-même et non seulement pour ses prouesses.

Denis voulait continuer d'assumer son «imposture» pour préserver aux yeux de la famille son image d'enfant brillant, sans défaut et sans problème; mais il désirait aussi échapper à la pression concomitante. Comme il n'avait pas la force d'avouer ses désirs, il craignait — et désirait secrètement — que l'échec ne décide pour lui. En réalité, il n'avait pas à connaître un échec pour cesser de jouer un rôle qui ne lui convenait pas. Il aurait pu reprendre son ancien poste ou se retirer de l'école jusqu'à ce qu'il ait pris sa décision. Au lieu de cela, il restait prisonnier du conflit qui existait entre sa peur d'échouer et celle de réussir, conflit imputable à son rôle de porte-étendard familial.

Chapitre VII

Jeter le masque

En parcourant cet ouvrage, vous avez peut-être pris conscience que vous avez souffert du complexe de l'imposteur sans savoir de quoi il s'agissait. Maintenant que vous avez examiné divers secteurs de votre vie, vous vous dites peut-être: «Mais oui, *voilà* pourquoi je suis si anxieux et effrayé. J'ai l'impression que les gens vont découvrir que je n'ai pas le calibre ou l'intelligence voulus.» Il se peut que vous sachiez depuis plusieurs années que vous croyez être un imposteur, mais que vous ignoriez que ce sentiment portait un nom et qu'il était partagé par un si grand nombre de personnes.

Vous voilà au fait de vos sentiments d'imposture. Maintenant, vous voulez savoir comment y changer quelque chose. Dans ce chapitre, quelques réponses vous sont proposées, car il existe un certain nombre de façons de lever le masque de l'imposture et de se libérer du CI.

Le complexe de l'imposteur vous affecte en trois domaines différents — les pensées, les sentiments, le comportement — et doit être attaqué sur ces trois fronts. Ces trois domaines sont étroitement liés entre eux — ce qui affecte l'un affecte les autres —, c'est pourquoi il importe peu de commencer par l'un ou par l'autre. N'oubliez cependant jamais que vos sentiments, vos émotions, résistent fortement au changement et que cette barrière sera la dernière à tomber. Ne perdez pas courage si, ayant réussi à modifier votre façon de penser et d'agir, vous remarquez que vos vieux sentiments du CI continuent parfois de vous harceler. Ne succombez pas à la tentation du «tout ou rien» en partant à l'assaut de ce syndrome: le complexe de l'imposteur est tenace. Ne négligez pas de reconnaître chacun de vos progrès; vous n'avez pas échoué si vous ne réussissez pas à bannir vos sentiment d'imposture une fois pour toutes.

Fait étrange, certaines personnes redoutent de briser les chaînes du complexe de l'imposteur ou de renoncer à la conviction qu'elles sont des faux jetons. À leurs sens, cette peur de l'échec leur sert de carburant pour aller plus loin et les motive à se dépasser dans leur emploi. Si elles arrêtaient un jour de s'inquiéter d'être dénoncées comme imposteurs, elle se laisseraient aller, craignent-elles, à la paresse et à l'à-peu-près, renonçant pour toujours à l'excellence.

Un cadre supérieur expliquait qu'il ne voulait pas surmonter ses sentiments d'imposture de crainte de devenir suffisant et plein de lui-même. Il lui répugnait de ressembler à ces cadres qui dédaignaient de lui dire «l'heure juste» alors qu'il débutait dans l'entreprise. Sa peur de l'échec lui paraissait «tout à fait bénéfique et, ajoutait-il, je ne voudrais pas le perdre. Je peux affronter cette peur-là et vivre avec.» Il faisait néanmoins cette réserve: «Ce n'est pas fameux pour la santé. Je fais des pieds et des mains pour que les choses fonctionnent mais j'en connais fort bien le prix: je grille mes facultés mentales.»

Le complexe de l'imposteur peut motiver certains. Mais, pour la plupart de ses victimes, j'ai constaté que la souffrance et la peur qui accompagnent le sentiment d'inauthenticité constituent une rançon abusive du succès. J'estime que la conviction de ne plus pouvoir atteindre de hautes performances parce que l'on a renoncé à son sentiment d'imposture s'apparente, à une plus grande échelle, au rituel de «la pensée magique». Cette conviction est fondée sur la peur d'abandonner un rituel parce qu'on s'imagine que ses pensées peuvent changer le cours des événements.

Demandez-vous si le complexe de l'imposteur vous cause de l'anxiété et du stress, et s'il vous empêche de tirer une juste satisfaction de vos révélations. Ne voudriez-vous pas essayer d'obtenir le même succès sans devoir sécréter l'adrénaline de la peur? Avez-vous l'impression que vous pourriez réussir bien *davantage* si vous n'éprouviez pas un sentiment d'inaptitude? Peut-être êtes-vous conscient de pouvoir améliorer la qualité de votre vie et de vos rapports avec les autres en vous affranchissant du CI.

Tout en traitant des personnes affligées du complexe de l'imposteur, j'ai pu mettre au point certaines méthodes qui peuvent combattre le sentiment de manque d'authenticité. Elles s'inspirent de théories actuelles visant à aider les gens à vaincre certains problèmes psychologiques. Plusieurs psychologues, dont Pauline Clance, Suzanne Imes, Gail

Matthews et moi-même, ont adopté et diffusé de nombreuses techniques thérapeutiques à l'intention des victimes du CI. Je vous propose donc les stratégies que j'ai déjà appliquées et qui m'ont semblé les plus utiles.

Souvenez-vous que l'impression d'être un imposteur ne disparaît pas du jour au lendemain, quoi que vous tentiez. Elle peut se trouver solidement implantée dans votre perception de vous-même.

1. Nommer son mal

Rien qu'en lisant cet ouvrage, vous avez déjà commencé à desserrer l'emprise du CI sur vous. Dorénavant vous savez que vous n'êtes pas seul et que les sentiments de supercherie affectent beaucoup de personnes comme vous. En réalité, vous êtes même conscient qu'ils affectent des gens dont la réussite est encore plus éclatante que la vôtre — des gens qui pourraient paraître invariablement sûrs d'eux et de leurs aptitudes.

J'ai parlé à un grand nombre de victimes du CI qui m'ont fait part de leur immense soulagement le jour où elles ont découvert que le CI était un problème répandu et qu'elles pouvaient enfin nommer leur mal. Une femme s'exprimait ainsi: «J'ai été si soulagée d'apprendre que d'autres gens vivaient la même chose. Pendant des années, j'ai cru que j'étais la seule à me sentir de cette façon.»

Suite à la publication d'un article dans le *New York Times* décrivant ma recherche sur le complexe de l'imposteur, j'ai reçu un grand nombre d'appels téléphoniques et de lettres de personnes ayant longtemps souffert du CI sans pouvoir l'identifier. Elles me confiaient combien elles étaient réconfortées de voir leurs propres sentiments décrits dans mon article. Voici les réflexions d'une de mes correspondantes: «Je me suis sentie à peu près comme un joueur invétéré ou un boulimique doit se sentir lorsqu'il apprend pour la première fois que d'autres personnes ont le même problème et qu'il s'agit en fait d'un genre de maladie... Présentement je passe beaucoup de temps à essayer de savoir si d'autres personnes, ayant connu selon moi le succès, se sentent comme ça. Parfois je suis déçue elles ont le culot d'être *fières* de leur réussite. À d'autres moments, je suis récompensée; elles murmurent au-dessus de la table de restaurant: «Ressentez-vous également cela?»

Voilà que vous avez percé à jour le «lourd secret»: ce n'est qu'un syndrome partagé par bon nombre d'autres gens.

Des solutions au jour le jour

Voici quatre mesures à prendre pour vous aider un peu de jour en jour.

A) *Dressez une liste des moments où les sentiments d'imposture risquent le plus de surgir.*

Vous savez sans doute quelles situations intensifient vos sentiments de supercherie. Agissez donc préventivement. Plutôt que d'essayer de remédier au problème après son apparition, prévenez-le et prémunissez-vous contre lui.

Notez toutes les fois que le sentiment d'être un faux jeton vous prend à la gorge. Est-ce lorsqu'on vous confie un nouveau mandat? Avant de soumettre un important projet au bureau? Lorsque vous donnez une grande soirée? Consultez cette liste chaque semaine ou chaque mois. De cette manière vous serez en mesure de reconnaître ce qui vous arrive la prochaine fois qu'un événement semblable surviendra. L'impression de «faire semblant» ne devrait plus vous prendre de court et vous faire perdre votre aplomb. En effet, parce que vous avez identifié les circonstances qui ont entraîné des sentiments du CI par le passé, vous êtes dorénavant prévenu contre eux et plus en mesure d'y réagir adéquatement.

Préparez-vous à éprouver des sentiments d'imposture chaque fois que vous êtes confronté à un événement «révélateur». Parfois c'est une tâche particulière survenant à l'improviste qui provoque votre anxiété. On vous demande d'assister à une réunion avec un client éventuel. On vous remet un formulaire de demande d'emploi ou de bourse. Peut-être vous souciez-vous de faire bonne impression lors d'une rencontre mondaine ou encore des amis s'anoncent à la dernière minute alors que vous auriez voulu ranger ou nettoyer votre intérieur. Quelqu'un qui vous plaît vous invite à un spectacle qui commence dans dix minutes: vos cheveux sont sales et vous remarquez tout à coup que vous avez un bouton sur le menton. Chacune de ces situations peut être le prétexte d'une attaque soudaine du CI.

Vos sentiments de supercherie sont particulièrement vifs ces jours-ci et vous n'arrivez pas à comprendre pourquoi? Interrogez-vous sur vos activités des dernières semaines ou des derniers mois. Au travail, avez-vous été confronté à une série de projets importants qui représentaient pour vous une gageure? Vous êtes-vous trouvé dans une situation critique par rapport à un parent, un enfant ou un ami? Ce que vous vivez comme un sentiment d'inauthenticité généralisée peut être relié, en réalité, à une série d'événements identifiables.

Par ailleurs, vous n'êtes plus sans savoir que certains types de situations peuvent vous rendre plus vulnérable au CI, par exemple, la prise en charge d'un nouveau rôle. Être promu, passer dans une nouvelle entreprise, se marier et avoir un enfant sont tous des événements qui impliquent la prise en charge d'un nouveau rôle. Vous débutez dans un nouvel emploi; vous vous mettez tout d'un coup à gagner beaucoup plus qu'auparavant; on vous a nommé à un poste plutôt inhabituel pour quelqu'un de votre sexe, de votre âge ou ayant vos antécédents; vous venez de créer votre propre emploi sans avoir à répondre de vous à quiconque; vous êtes un jeune P.D.G.; vous établissez un cabinet de consultation en tant que médecin, avocat ou comptable. Autant de situations nouvelles, autant de nouveaux rôles.

Commencez-vous à être avantageusement connu pour votre travail, votre talent ou votre dévouement? Ce rôle pourrait vous sembler «neuf» du fait que vous n'avez pas l'habitude d'une certaine reconnaissance publique. Se sentir examiné alors qu'on est au premier plan peut occasionner la peur d'être découvert indigne de cet honneur. En revanche, si votre emploi suppose que vous receviez peu ou pas de réaction d'autrui, il peut vous sembler que vous recommencez à zéro à chaque nouveau projet.

Aux premiers signes du CI en vous, souvenez-vous que c'est la nouveauté de votre rôle qui est en cause. N'interprétez pas votre impression d'inauthenticité comme une manifestation d'incompétence ou d'inaptitude à remplir votre poste. Vous ne connaissez peut-être pas encore les tenants et les aboutissants de votre rôle, mais rien ne vous empêchera d'assimiler tout ce dont vous aurez besoin.

Les sentiments d'imposture ne signalent pas nécessairement que vous ne pouvez pas réussir. Bien sûr que ce serait formidable de pouvoir tenir un rôle à la perfection du premier coup..., mais les choses ne fonctionnent pas de cette façon. Donc, inutile de vous condamner pour ne pas vous montrer expert en quelque chose que vous n'avez jamais fait jusque-là. N'oubliez pas: vous n'êtes pas incompétent, vous n'êtes qu'en train d'apprendre.

B) *Dès que le sentiment d'être surfait commence à s'emparer de vous, rappelez-vous aussitôt qu'il s'agit là d'un symptôme du complexe de l'imposteur et non pas d'un fait objectif.*

Une fois que vous pouvez identifier vos sentiments d'inauthenticité comme des symptômes du CI, vous pouvez commencer à y changer quelque chose. Si vous détenez déjà des preuves que vous pouvez réussir dans ce que vous faites, il vous apparaît sans doute clairement que vos sentiments découlent du syndrome du CI. Admettez une fois pour toutes que vous n'êtes pas un faussaire, mais tout simplement quelqu'un qui *se sent comme* un faussaire.

Avant de présenter un exposé lors d'une réunion, par exemple, repassez mentalement ce que vous avez fait pour vous y préparer. Avez-vous bien à l'esprit les points dont il faudra convaincre les personnes réunies? Êtes-vous sûr de vos sources? Dès que vous prendrez conscience que vous avez effectivement fait le nécessaire pour préparer votre exposé, vous comprendrez que vos sentiments se fondent sur des craintes illusoires plutôt que sur la réalité.

Si vous ressentez le CI dans une relation interpersonnelle, demandez-vous si vos exigences face à votre rôle sont réalistes. S'agit-il vraiment de ce que les autres attendent de vous ou de vos propres attentes excessives envers vous-même? Vous persuadez-vous que vous êtes un faussaire parce que vous êtes une personne ordinaire plutôt que quelqu'un d'idéal ou hors du commun? Avez-vous l'impression qu'il faut que vous soyez meilleur que les autres?

C) *Essayez de vous détendre.*

Ceci pourra vous paraître un conseil un peu simpliste, mais il est très important. Un sentiment d'inauthenticité peut entraîner une vive anxiété. Aussi est-il difficile de composer avec ce sentiment lorsque vous êtes fou d'inquiétude et crispé. Il faut donc vous détendre.

Les techniques de relaxation ne manquent pas: choisissez-en une qui vous convienne et mettez-la en pratique chaque fois que surviennent les sentiments du CI. Vous pourriez vous adonner régulièrement au yoga, à la méditation transcendantale ou à l'autohypnose. Certains découvrent que les activités sportives aident à évacuer leur tension; peut-être que la natation ou une bonne partie de tennis ou de squash vous soulageront aussi. On trouve également sur cassette des programmes d'exercices spécialement conçus pour aider à la relaxation.

Je vous recommande, en outre, les exercices de relaxation progressive qu'Edmund Jacobson décrit dans son ouvrage *Anxiety and Tension Control*(Contrôle de l'anxiété et de la tension) (Boston, J.B. Lippincott, 1964). Un ensemble de ces exercices vous montre comment tendre et détendre tour à tour certains groupes musculaires, en commençant par les pieds et les jambes, pour monter peu à peu jusqu'au visage et à la tête. Je vous conseille également les programmes de relaxation de Herbert Benson dans *The Relaxation Response*(La réponse à la relaxation (New York, Avon Books, 1976).

Si vous n'avez pas le temps de pratiquer un exercice complet ou si les sentiments d'imposture vous prennent au dépourvu, pourquoi ne pas respirer profondément pour vous détendre? Inspirez profondément puis expirez très lentement,jusqu'à ce que vos poumons soient complètement vides. Répétez ceci encore à deux reprises. (Contentez-vous de trois respirations profondes pour éviter les étourdissements ou une suroxygénation.)

La visualisation est une autre technique accessible. Il s'agit de laisser son esprit s'évader vers un lieu paisible et relaxant, tel une plage de sable blond ou une forêt calme — tout endroit où l'on a déjà éprouvé une paix profonde. Imaginez-vous dans cet endroit, goûtant un état de détente et de sérénité.

Peu importe le moyen que vous choisirez: l'important est qu'il vous aide à retrouver votre calme.

D) *Isolez la tâche qui vous rend anxieux et fractionnez-la.*

De nouveau calme et détendu, vous pouvez maintenant peser la tâche qui vous attend. Elle peut vous paraître cauchemardesque à première vue, mais en y pensant bien, il vous est sans doute possible de la fractionner en plusieurs étapes faciles à exécuter.

Dans le cas où vous auriez à présenter un projet quelconque à un nouveau client, considérez que cette tâche se divise en plusieurs parties. Il vous faut décider de ce que vous allez dire, structurer vos idées, les formuler par écrit et, au besoin, les énoncer à voix haute. Ne franchissez qu'une étape à la fois. Il ne faut pas qu'elles accaparent votre esprit simultanément. Au moment où vous réfléchissez au contenu de l'exposé, ne vous souciez pas de «l'effet» de telle ou telle idée formulée de vive voix. Vous pourrez y travailler lorsque vous serez rendu à cette étape. Du reste, ne vous laissez pas distraire par les multiples petits détails qui entourent cet événement. Si vous vous êtes installé en vue d'aligner vos idées sur papier, ce n'est pas le moment de vous inquiéter de votre mise ce jour-là, ou d'espérer que la réparation de votre auto sera terminée pour pouvoir arriver à l'heure.

Si la tâche consiste à donner un dîner, n'essayez pas de tout régler en même temps, multipliant les va-et-vient de la cuisine à la salle à manger et au salon. Planifiez ce que vous avez à faire et accordez-vous un délai suffisant pour y arriver. Ne visez pas la perfection: personne n'attend cela de vous. Vos invités rechercheront surtout votre bonne compagnie. Si ce n'est que la nourriture ou l'ambiance qui les intéressent, les restaurants sont là pour ça (et si ce n'est que l'occasion de s'emplir la panse à vos frais, alors le menu et l'état de la maison importent peu).

Autant que possible, commencez d'abord par l'étape la plus *simple* de votre tâche. Sachant quels aspects vous inquiètent le moins et le plus, acquittez-vous tout de suite des choses qui vous paraissent les plus faciles. Vous voyant ainsi accomplir quelque chose, cela vous donnera confiance.

L'emploi de Marie supposait qu'elle rédige des comptes rendus à intervalles réguliers. Au départ, elle s'attaquait toujours à la partie la plus difficile de son rapport. C'était sa façon d'affronter sa plus grande peur: cette partie du rapport qu'elle croyait la plus susceptible de la dénoncer comme imposteur. Or cette habitude ne l'aidait guère; elle ne faisait qu'exacerber son angoisse au point qu'elle n'arrivait plus à se concentrer assez pour accomplir quoi que ce fût pendant plusieurs jours. Pour couronner le tout, elle se mettait à craindre de ne pas pouvoir s'acquitter du travail à temps, ce qui avait pour effet de redoubler son angoisse.

J'ai donc suggéré à Marie de commencer plutôt par les aspects les plus faciles de son travail. En changeant son comportement, elle a commencé à respirer plus librement et à se sentir un peu plus maîtresse des événements. Elle arrivait maintenant à prendre rapidement une certaine avance sur son rapport, ce qui lui donnait une impression de compétence. Aussi, rassurée par la somme de travail accompli, elle craignait moins l'approche de l'échéance.

Lorsque vous vous trouvez en présence d'un événement-performance qui fait naître en vous des sentiments d'inaptitude, faites la liste des choses à accomplir en commençant par ce qui vous semble le plus facile. Abordez les tâches dans un ordre de difficulté croissante en faisant en sorte que chaque nouvelle étape vienne s'ajouter au succès de la précédente.

Être sincère et franc

La peur d'être dénoncé entraîne inévitablement de l'anxiété. Pour la combattre dès le départ, rien ne vaut une attitude honnête et franche relativement à ce que vous pensez et ce que vous ignorez. De prime abord, cette suggestion vous semblera bizarre ou, à tout le moins, impossible à appliquer. Il n'est certainement pas question pour vous de commencer à répandre la nouvelle que vous croyez être un imposteur et qu'en conséquence vous ne seriez pas censé faire ce travail que l'on attend de vous et pour lequel on vous rémunère.

Non, ce n'est *pas* ce que je vous suggère. Mais puisque le complexe de l'imposteur puise une grande part de son pouvoir dans sa nature secrète et dans la peur que la moindre imperfection ne vous dénonce, il faut essayer d'éviter le piège de vouloir paraître parfait, de vouloir cacher tout signe de nervosité ou de dissimuler son manque de connaissance sur certains sujets. Ceci vaut également pour ce qui est de feindre de partager les opinions d'un autre, ses intérêts, son approche d'un projet ou d'un problème. À titre d'exemple, un avocat n'a pas à avoir honte de ne pas se rappeler tous les détails d'une cause passée ayant un rapport avec celle sur laquelle il travaille. Ce n'est pas non plus une faute d'ignorance si vous n'avez pas lu le nouvel ouvrage dont on discute à un cocktail.

Si vous ignorez quelque chose en ayant l'impression que l'on croit que vous le savez, ne restez pas muet ou ne feignez pas d'être au courant. Vos sentiments d'imposture s'aggraveraient si vous laissiez entendre aux autres que vous comprenez parfaitement ce qu'ils veulent dire ou ce dont ils parlent alors qu'il n'en est rien. Si vous n'êtes jamais monté à cheval ou n'avez jamais joué au tennis, ne laissez pas supposer le contraire car vous pourriez vous trouver coincé le jour où on vous invitera à faire de l'équitation ou à participer à un tournoi de tennis.

N'hésitez pas à poser des questions. Je sais que ce n'est pas simple lorsqu'on a l'habitude de penser que toute question ne peut que révéler son ignorance. Mais qu'y a-t-il de répréhensible à dire: «Je ne saisis pas tout à fait ce que vous dites» ou «Je ne suis pas très au courant de cela; pourriez-vous m'éclairer?» Lorsque votre collègue se réfère à un rapport industriel, vous pourriez demander: «Pourrais-tu me rafraîchir la mémoire à ce sujet?» Si vous venez tout juste de recevoir un nouveau mandat ou de commencer à travailler avec un client, vous pourriez dire: «Récapitulons un peu pour que je sois sûr de vous donner ce qu'il vous faut.»

Si vous signez une transaction financière ou un contrat d'affaires, posez toutes les questions que vous jugez nécessaires, jusqu'à ce que vous soyez certain de comprendre exactement ce qui est en cause. Nombre de personnes, dans ces situations, préfèrent se saborder plutôt que de risquer de paraître mal renseignées. Elles estiment que leur manque de connaissance dans un secteur commercial ou financier précis les fait paraître inintelligentes et bornées. Mais l'intelligence n'a rien à voir avec un manque d'informations sur un point quelconque. De fait, les gens qui se renseignent et qui vérifient tous les détails de leurs transactions financières ou commerciales ne sont pas jugés stupides. On les tient plutôt pour des individus suffisamment avisés pour examiner tous les aspects d'une question et pour prendre une décision éclairée.

La communication est un passage à deux voies, un échange entre un émetteur et un récepteur. Votre tâche consiste à comprendre; celle de la personne qui parle est de se faire comprendre. Si vous la questionnez, il est fort possible que vous constatiez qu'elle ne s'est pas exprimée avec clarté. En répétant sa pensée d'une autre manière, vous voyez mieux ce qu'elle veut dire. Avec quelques renseignements supplémentaires, vous pouvez bientôt saisir une idée nouvelle ou peu familière.

Ne vous laissez pas intimider par ce que vous ne saisissez pas du premier coup. Prenez le cas d'Andrée, une jeune architecte faisant ses premières armes à Toronto. On lui avait demandé de tracer des plans à partir d'instructions rédigées par quelqu'un d'autre; comme elle ne le comprenait pas du premier coup, elle se blâmait aussitôt: «Je suis lente et bête; c'est maintenant qu'ils vont découvrir que je n'ai pas le calibre de l'emploi.» Il lui répugnait de revenir consulter ses responsables, pensant qu'elle étalerait son incompétence.

Par la force des choses, cependant, Andrée a posé des questions, pour découvrir que, plus d'une fois, son supérieur ne lui avait pas écrit clairement ses directives. *Personne* n'aurait pu les comprendre. Il avait simplement négligé de formuler de façon explicite ce qu'il voulait. Il semblait d'ailleurs apprécier leurs rencontres et leurs discussions chaque fois qu'elle devait se renseigner au sujet du projet. Ensemble, ils ont pu établir ce qu'il y avait à faire. En osant poser des questions, Andrée a échappé à plusieurs heures de tourment, celles qu'elle aurait passées à essayer de comprendre ce qui ne pouvait être compris sans éclaircissements. Elle a également renoncé à s'accuser d'incompétence lorsqu'elle ne saisissait pas quelque chose.

Un dernier point. Lorsque vous posez une question il n'est pas rare que vous appreniez que d'autres personnes ne comprenaient pas plus que vous, mais sans oser le dire. N'avez-vous pas vécu cette situation en réunion ou en cours? Quelqu'un soulève une question que vous aviez en tête sans oser l'exprimer. Le directeur du service ou le professeur se fait un plaisir d'expliciter davantage. Par la suite, vous découvrez que personne d'autre dans la salle n'avait compris jusqu'à ce que quelqu'un ait le courage de la reconnaître franchement. Lorsque vous ne comprenez pas quelque chose, il y a de bonnes chances pour que d'autres n'aient pas bien saisi non plus.

Demeurer sincère et franc prend toute son importance lors d'un «événement-performance», c'est-à-dire une tâche à accomplir qui vous tient particulièrement à coeur. Les victimes du CI sont portées à aggraver leur cas en essayant de dissimuler leur nervosité. Elles se disent: «Si on remarque ma nervosité et mon manque d'assurance, on va comprendre que c'est parce que je ne sais pas ce que je fais.» Or le problème n'est qu'alourdi par cette crainte de la dénonciation et par tous les efforts dispensés pour refléter la confiance ou pour ne *pas* paraître nerveux.

Il s'avère parfois d'un grand secours de laisser savoir aux autres que l'on se sent nerveux. Mais il faut d'abord juger si la situation dans laquelle on se trouve offre une telle possibilité. Je serais d'avis qu'un pilote de ligne ou un chirurgien ne sont *pas* en mesure de parler de leur nervosité avant de mettre au travail.

Par contre, si votre situation vous permet d'évacuer un peu de nervosité, vous avez alors quelque chose de moins à dissimuler; l'énergie que vous auriez normalement consacrée à ce détour peut maintenant se concentrer sur l'événement présent. Un étudiant sur le point de passer un examen oral pourrait simplement dire: «Pour parler franchement, je me sens un peu nerveux. Permettez que je me calme une minute avant que nous commencions.» Être nerveux à un premier rendez-vous galant est un état tout aussi compréhensible et qui peut être avoué; cette confidence pourrait même inspirer un échange d'idées captivant. Les gens ne sont pas tous des sadiques: ils n'auront pas de ricanements sardoniques ou ne vous feront pas croire qu'il n'y a pas de travail en ville pour des gens de votre espèce. Il y a gros à parier qu'ils tenteront plutôt de vous mettre à l'aise. Votre nervosité ainsi reconnue, vous pourrez dès lors vous consacrer aux affaires du moment.

Si vous commencez tout juste à vous initier à votre nouvel emploi, personne ne peut s'attendre à ce que vous sachiez tout. Jusqu'à un certain point, vous devriez employer votre temps à poser des questions et à bien cerner votre rôle dans l'entreprise. Recherchez le savoir des gens expérimentés . Parlez à quelqu'un qui connaît bien vos fonctions et leurs exigences — qu'il s'agisse d'anciens employés de votre société ou d'une connaissance ayant travaillé à son compte. Vous récolterez sans doute aussi de précieux renseignements lors des assemblées d'associations professionnelles.

Organisez un comité d'entraide avec la participation de personnes responsables auxquelle vous faites confiance. Entre collègues, la consultation et la coopération peuvent aller de soi. Entre autres, les médecins n'hésitent pas à se consulter lorsqu'ils sont en face de cas difficiles. N'y a-t-il pas quelqu'un à qui vous pouvez confier votre peur des échéances ou votre inquiétude en ce qui concerne votre prochaine vente? Si vous êtes un jeune père ou une jeune mère, échangez avec d'autres parents et demandez l'avis d'une personne qui a déjà élevé de jeunes enfants. Si vous avez été promu à un nouveau poste, parlez à ceux qui ont déjà exercé les mêmes charges.

Une femme hautement qualifiée racontait comment elle s'était sentie inapte et incompétente losqu'une société lui avait confié la planification d'une importante conférence de presse à New York. Une amie de bon conseil lui avait signalé: «Ce n'est pas de l'incompétence mais tout simplement un manque d'expérience.» Surtout ne pas confondre les deux.

Prendre la situation en mains

L'obligation de dissimuler vos insuffisances peut parfois aggraver votre anxiété au point de la rendre complètement incontrôlable. Cherchez une façon quelconque de reprendre la situation en mains de sorte que vous n'attendiez pas que «le ciel vous tombe sur la tête». Que devriez-vous savoir *au juste* pour mieux jouer votre rôle ou plus simplement pour diminuer votre tension? Pouvez-vous mettre le doigt sur ce qui, selon vous, semble manquer à votre formation? Si oui, vous cesserez probablement de vous inquiéter de tout et de rien en découvrant que seuls quelques points faibles bien définis vous tracassent ainsi. Parions qu'il se trouve un endroit ou une personne qui pourra vous fournir précisément ce que vous devez savoir.

Voici comment deux personnes bien différentes ont réussi à prendre en mains la situation qui devait, selon elles, révéler leur imposture. Une chercheuse-analyste me disait combien elle redoutait que son patron ne lui confie un projet tout à fait inédit qui entraînerait sa perte à coup sûr. Son appréhension devenait si forte qu'elle se sentait impuissante et paralysée chaque fois qu'elle envisageait cette possibilité.

J'ai proposé à cette femme de répertorier tous les types de tâches qu'elle ne maîtrisait pas, mais qu'elle risquait éventuellement de se voir attribuer dans le cadre d'un projet. Une fois qu'elle les a eu alignées sur papier, elle s'est aperçue qu'il n'était question que de quatre ou cinq opérations différentes. Elle a donc remis cette liste à son supérieur pour lui demander de lui confier des projets comportant de telles tâches, mais une à la fois, quand cela se présenterait. Ainsi, elle s'initierait peu à peu à ce qu'elle ne connaissait pas. Le simple fait d'avoir livré cette liste à son patron a diminué son lourd fardeau; elle avait pris la situation en mains plutôt que de se laisser mener par les événements.

Une autre femme, jeune cadre cette fois, avait été mutée depuis peu dans un nouveau service de la société qui l'employait. Son nouveau supérieur désirait qu'elle rédige le compte rendu des réunions du service. Or c'était une tâche pour laquelle la jeune femme ne se sentait aucune aptitude. Elle évitait néanmoins de parler de ce point faible à son directeur, jusqu'au jour où elle découvrit avec humiliation qu'il avait complètement remanié son premier rapport. Cette fois, elle crut que son incompétence avait été percée à jour.

Histoire de ne pas perdre la face complètement, elle s'est résolue à rencontrer son patron pour lui demander où elle pourrait se former dans ce domaine. Elle eut alors la surprise d'apprendre qu'il n'avait pas écarté son rapport à cause de sa médiocrité, mais parce qu'il aimait écrire et réordonner la matière de ces documents à sa guise. À vrai dire, il avait agi de la même façon avec tous ses prédécesseurs. Soulagée d'apprendre qu'elle n'avait pas été perçue comme incompétente, elle prit de plein gré un cours de rédaction commerciale qui renforça son sentiment de confiance.

Pareillement, dans les situations de la vie privée, ne vous laissez pas hanter par d'hypothétiques scénarios. Si, par exemple, vous appréhendez d'avoir à prendre en charge un parent âgé ou votre conjoint, tracez-vous un plan stratégique constructif et réaliste pour y faire face. Ces dispositions toutes simples contribueront à diminuer votre anxiété.

S'exercer à être soi-même

Si vous avez de la difficulté à exprimer votre désaccord avec les autres et vos propres opinions, ne laissez plus ces incidents vous glisser entre les doigts. Petit à petit, exercez-vous à dire ce que vous pensez. Si vous prenez le risque d'être vous-même — graduellement, par petites touches, pas à pas — vous constaterez que la majorité des gens sont capables d'accepter les expressions d'individualité et votre désaccord. Avec le temps, vous commencerez vous-même à intégrer ces aspects de votre personne.

Exercez-vous d'abord avec quelqu'un que vous aimez bien, quelqu'un qui se soucie de vous. Quand vous vous sentirez moins inquiet de vous affirmer auprès de lui, agissez de même avec d'autres. Enfin, ayant acquis plus d'assurance, continuez d'être vous-même avec la personne qui vous met le plus mal à l'aise.

Oui, je sais que cela est plus facile à dire qu'à faire, mais si vous osez dire le fond de votre pensée, il est probable que vous ne le regretterez pas. Dans la salle de cours, par exemple, la plupart des professeurs ne jugent pas que la contestation de leurs affirmations soit une preuve d'ignorance. En fait, ils sont habituellement satisfaits de voir qu'un étudiant trouve matière à réflexion dans ce qu'ils disent et qu'il se montre assez intéressé pour formuler une opinion. Les étudiants qui ne nourrissent jamais le débat ne risquent pas de faire leur marque sur le plan intellectuel. Au demeurant, il est probable que vous souteniez un aspect valable qui soit utile à la compréhension générale. À tout le moins, vous vous serez exprimé et aurez démontré que vous êtes un être pensant, non un gobeur d'information.

S'opposer à son patron (homme ou femme) dans le cadre du travail requiert un peu plus de doigté. Il est généralement admis que c'est lui qui a le dernier mot sur l'orientation d'un projet. Qu'à cela ne tienne, votre participation sera appréciée si vous arrivez à lui signaler un point de vue qu'il n'avait pas encore soupçonné. Un patron efficace et intelligent ne porte pas d'oeillères.

Un patron a besoin de la contribution d'autrui; il ne peut pas fonctionner dans le vide. Ainsi que le rapportait le président d'une entreprise dont le chiffre d'affaires atteignait plusieurs millions de dollars, une personne occupant son poste «doit travailler avec les directeurs de service, pour le meilleur ou pour le pire. Ils peuvent vous menacer mais vous pouvez aussi puiser chez eux un formidable soutien.»

Vous pourriez exprimer votre objection en commençant comme ceci: «Si vous le permettez, je vais me faire l'avocat du diable.» Vous faites alors la preuve que vous avez considéré toutes les ramifications du problème. Assurez-vous seulement que votre façon de tenir tête à un supérieur soit pleine de tact et qu'elle ne prenne pas l'allure d'un rapport de force. Ainsi lui permettez-vous d'examiner votre point de vue sans perdre la face.

Si vous êtes capable de présenter vos idées à votre patron sans qu'il se sente menacé, cela sera certainement porté à votre actif si ces idées lui évitent de commettre une erreur. À tout le moins, vous aurez soulevé un point valable qui, s'il s'avère inexact, démontre cependant que vous avez une capacité de réflexion personnelle et quelque chose à dire.

Que faire si vous n'arrivez pas à exprimer un désaccord dans votre vie personnelle? En premier lieu, souvenez-vous qu'être en désaccord ne signifie pas être désagréable. Exprimez vos propres sentiments et vous n'aurez plus à refouler la frustration et le ressentiment qui vous rongent si souvent. Et vous aurez une raison de moins de déplorer votre manque d'authenticité.

Si vous n'aimez pas le film ou le restaurant que votre ami a choisi, indiquez-lui votre préférence. Choisissez les spectacles à tour de rôle, entendez-vous sur un troisième restaurant. Si vous ne partagez pas l'opinion de votre ami à propos d'une pièce de théâtre, pourquoi vous en cacheriez-vous? Votre relation exige-t-elle vraiment que vous soyez la pâle copie de l'autre? Si c'est le cas, il est probable que chacun de vous en retire peu de satisfaction. La plupart des gens aiment parler à quelqu'un qui ne se contente pas d'être le simple écho de leurs paroles. On s'intéressera d'autant mieux à vous si vous exprimez ce que vous pensez et ce que vous ressentez.

Les relations amicales et amoureuses solides requièrent davantage que des intérêts communs: elles réclament également de tolérer des points de divergence. Plus vous vous affirmez, moins vous aurez à vous dérober aux regards de l'autre personne, au grand avantage de votre intimité et de votre solidarité mutuelles. C'est aussi un exutoire naturel pour des sentiments de colère et de rancoeur qui pourraient miner à plus ou moins brève échéance une relation.

Julie a toujours eu beaucoup de mal à exprimer du ressentiment envers ses amis, mais un jour elle s'est décidée à en courir le risque. À plusieurs reprises, son amie Maxime avait annonçé sa visite, pour l'annuler quelque temps après. Julie a donc appelé son amie pour lui en faire prendre conscience. Elle lui expliqua combien ce manque de prévenance l'avait blessée et irritée. Maxime s'est d'abord tenu sur la défensive, puis elle a présenté ses excuses. Elle n'avait pas tenu compte de l'effet que pourrait avoir sa façon d'agir sur leur amitié.

Avant que sa colère ne se transforme en amertume, Julie a mis cartes sur table. Leur amitié a pu continuer de s'épanouir et Julie a cessé de se sentir de mauvaise foi, ayant cessé de refouler ses sentiments intimes.

Changer les habitudes liées au complexe de l'imposteur

On peut aussi s'attaquer au complexe de l'imposteur par le biais du comportement. Le CI implique une foule d'habitudes tenaces et difficiles à modifier. Sachant cela, il faut commencer modestement et progresser par étapes.

Peut-être avez-vous entendu parler de conditionnement behavioriste? Avec cette approche, une situation problématique est fractionnée en une chaîne de petits comportements gradués, des moins angoissants jusqu'aux plus stressants. On aide le sujet à vaincre son problème en l'amenant à se concentrer d'abord sur ce qui lui cause le moins de trouble pour qu'il puisse ensuite prendre appui dessus. Nous avons eu l'occasion d'aborder certaines de ces techniques allant du «facile au difficile».

Les divers modèles de comportement du CI peuvent être traités dans cette même optique. Vous reconnaissez-vous dans le comportement du bourreau de travail du CI? Ou dans celui de l'aimable timide? Du caméléon? Regardez-vous agir et sachez dépister de signes du CI dans vos actes; c'est ainsi que l'on peut commencer à modifier son comportement. Voici quelques façons de s'y prendre.

A) *Apprenez à accepter les compliments.*

L'aimable timide a une forte propension à immédiatement rejeter, dévaluer, désavouer ou soupçonner le moindre compliment qui lui est adressé. Par un acte de volonté tout simple, vous pouvez vous exercer à retenir ce type de réaction impulsive face aux louanges.

Chaque fois qu'on vous fait des compliments, qu'on vous adresse des louanges ou quelque forme d'appréciation, dites: «Merci» et rien de plus. Si vous avez l'habitude de répondre: «Mais non, ce n'est rien», cette nouvelle attitude sera déjà pour vous une sorte de combat. Au début, contentez-vous *littéralement* de ce mot «merci» et souriez. N'apportez aucun commentaire sur le sujet; vous pourriez sentir le besoin d'ajouter que ce n'était pas un travail si exceptionnel que ça, que telle partie aurait gagné à être remaniée si vous en aviez eu le temps, et ainsi de suite.

Dès que ce premier réflexe vous vient assez naturellement, vous pouvez peut-être ajouter quelque chose à ce «merci» qui montre que vous appréciez cette pensée. Rendez la politesse à votre interlocuteur. Des exemples: «Merci, vous êtes bien aimable... C'est fort gentil à vous de le relever... Venant de vous, c'est d'autant plus flatteur...» Toutes ces formules visent *l'autre* personne, non pas vous-même et votre exploit; évitez d'ailleurs cette double référence, de crainte de vous embourber de nouveau et de vous sentir obligé d'excuser votre réalisation. Chaque fois que vous résisterez à la tentation de déprécier un compliment, récompensez-vous. Pensez à quelque chose qui vous ferait plaisir — du chocolat, une heure de natation, un dîner agréable.

Peut-être avez-vous déjà appris à vous dominer de façon à accueillir de bonne grâce les témoignages d'appréciation. Vous savez maintenant accepter les compliments extérieurement, mais que se passe-t-il en vous? Laissez-vous imprégner par ce compliment jusqu'à ce qu'il vous fasse du bien. Repensez-y plusieurs fois au cours de la journée pour qu'il nourrisse peu à peu votre image personnelle.

Tout de suite après avoir reçu un compliment, une fois seul, essayez de le mettre par écrit. Il arrive parfois qu'une parole louangeuse soit accompagnée d'un brin de critique («Tu as donné un excellent exposé à la réunion d'hier; malheureusement, le client n'a pas eu l'air d'apprécier ta dernière blague»). Bien des gens ont alors tendance à se rappeler facilement la «petite pointe» qu'on leur lance alors que le bon mot s'évapore dans leur mémoire. Voilà pourquoi il vaut mieux le consigner sans délai.

Accepter un compliment pour ce qu'il est: l'expression de quelqu'un qui vous fait savoir que vous avez fait un bon coup, que vous avez eu du succès. Un point c'est tout. N'encouragez pas les pensées négatives qui peuvent surgir. Rappelez-vous à l'ordre si de telles songeries s'ensuivent: «Il va maintenant falloir que je me dépasse la prochaine fois»; «Je me demande bien ce qu'elle veut obtenir de moi» ou «Pauvre naïf va! Il n'a même pas remarqué les deux grosses bévues de mon discours.»Coupez le courant! Les compliments devraient vous donner plus d'assurance, vous aider à dissiper vos doutes et non à les multiplier. Substituer des pensées constructives à vos idées noires.

La personne qui vous a complimenté a remarqué votre travail dans ses grandes lignes. C'est l'effet général qui compte, et non les détails insignifiants. Peu lui importent les imperfections mineures sauf, bien entendu, si vous êtes responsable du lancement d'un missile spatial. D'ailleurs, si les petites erreurs sont cruciales dans votre travail, dites-vous qu'on ne vous aurait pas félicité si vous aviez commis des fautes portant à conséquence. Quand on reçoit un compliment, c'est que quelqu'un croit que vous le méritez. Voilà ce qui est à retenir.

B) *Faites l'expérience de nouvelles habitudes de travail.*

Si vous avez les manies d'un bourreau de travail du CI, n'hésitez pas à jeter un regard impitoyable sur la façon dont vous abordez les nouveaux projets. Fixez-vous des priorités et obligez-vous à consacrer moins de temps aux tâches accessoires. Faites varier votre comportement. Vous allez devoir courir certains petits risques dans le but de découvrir que chaque tâche n'exige pas la même somme de temps et d'effort.

Expérimentez. Si vous avez l'habitude de réviser laborieusement vos lettres, écrivez la prochaine d'un seul jet et résistez à la forte envie de la remanier jusqu'à ce qu'elle vous paraisse parfaite. Si vous prenez des notes exhaustives à toutes les réunions, faites l'essai d'écouter attentivement durant la prochaine assemblée générale ou la prochaine séance de «remue-méninges» pour ne consigner que quelques considérations globales toutes les deux ou trois minutes. Donnez une soirée impromptue pour quelques amis plutôt que d'élaborer un grand dîner. Si vous êtes une femme aux prises avec des sentiments du CI concernant votre apparence et que vous passez des heures à soigner votre mise tous les jours, commencez très graduellement à diminuer la quantité de maquillage que vous utilisez avant d'aller faire vos emplettes dans le voisinage par exemple. N'oubliez pas: commencez modestement et passez peu à peu aux choses qui vous coûtent le plus.

C) *Brisez le rituel de l'inquiétude.*

Avez-vous tendance, comme le «penseur magicien» du CI, à toujours envisager l'échec? Il vous faut vous permettre maintenant d'envisager le succès. Faites un pacte avec vous-même: pendant une semaine, équilibrez chaque pensée sombre liée à l'échec par une pensée optimiste liée au succès. Au cours de la seconde semaine, ne vous accordez que deux pensées pessimistes par jour. Chaque fois que vous aurez épuisé votre lot de pessimisme quotidien, il faudra vous dire que la prochaine pensée négative doit attendre au lendemain — vous vous donnez congé pour le reste de la journée.

À mesure que vous transformerez vos habitudes de pensées par trop superstitieuses, vous découvrirez que l'on peut réussir sans vivre cette constante inquiétude préalable. Graduellement, vous verrez que l'on peut se libérer du rituel de l'inquiétude.

Révisez l'idéal de votre moi

Au chapitre III, j'ai parlé de l'idéal du moi, ce modèle intime à partir duquel nous nous évaluons. Les victime du CI se font souvent une image idéaliste de ce que *devrait* être leur moi. Quoi qu'elles fassent, ce n'est jamais assez bon. L'idéal de leur moi est un idéal de perfection.

Il vaut peut-être mieux le reviser pour qu'il se rapproche d'une norme plus réaliste. Avez-vous tendance à viser la perfection dans ce que vous voudriez être ou dans ce que vous voudriez accomplir? Le meilleur moyen de se persuader que l'on est un raté, en dépit de ce que les autres pensent de ses réalisations, c'est de croire qu'il est honteux de ne pas être parfait.

Pour être en mesure de corriger l'idéal de son moi, il faut d'abord pouvoir identifier ce qu'il est vraiment. Les «étiquettes» et les «mythes» familiaux peuvent vous y aider. Reportez-vous à vos années d'enfance, entre six et douze ans: quelles étaient d'après vous les attentes de votre famille à votre égard? Comment vous décrivait-on? Quelles histoires aimait-on raconter sur vous — sur le type d'enfant que vous étiez, les choses que vous réussissiez (ou ratiez)? Aviez-vous l'impression qu'il vous fallait toujours obtenir des notes parfaites, que vos propos devaient étonner par leur intelligence ou que vous deviez gagner tous les concours? Peut-être vous louangeait-on pour votre gentillesse et votre générosité, parce que vous étiez le boute-en-train ou le membre de la famille ou de la classe qui avait le plus de charme? Peut-être vos parents fondaient-ils de très grands espoirs sur vous?

Voilà peut-être où vous avez puisé vos idées originales concernant la norme que vous vous êtes fixée. À quel point sentiez-vous que l'amour et l'acceptation d'autrui procédaient de l'exécution parfaite de votre rôle? Si vous n'arriviez pas à être parfait, cachiez-vous vos «échecs» à votre famille? Maintenant, songez comment ces attitudes figées se sont perpétuées au cours de votre adolescence et jusqu'à la vie adulte.

Pour corriger l'idéal d'un moi qui exige la perfection, il s'agit maintenant de définir le mot «échec». À quel moment une erreur est-elle un échec et à quel moment n'est-elle *qu'une erreur*? Le complexe de l'imposteur vous porte parfois à cette mentalité du «tout ou rien», qui fait que la réussite équivaut à la perfection et que tout ce qui n'est pas parfait équivaut à un échec.

On m'a récemment rapporté l'histoire d'un jeune garçon qui était à l'école secondaire. Il passait pour un génie, récoltant invariablement des A dans toutes les matières. Le jour où il a reçu son premier B, il s'est pendu. Cette tragédie illustre de façon extrême comment on peut parfois se sentir nul sans raison et avec quelle cruauté on peut sévir contre soi.

Lorsque vous avez à faire un discours ou un exposé, avez-vous peur de tout gâcher en bafouillant, en bégayant une fois ou deux, ou en estropiant un mot? Et qu'arriverait-il si une erreur s'était glissée dans un rapport que vous avez rédigé? Considérez-vous avoir perdu ou échoué en vous classant second dans une compétition? Vous avez peut-être fait des heures supplémentaires cette semaine pour vous apercevoir tout d'un coup que vos enfants ont soupé aux biscuits et à la crème glacée cinq soirs consécutifs. Avez-vous échoué pour autant dans votre rôle de mère? Et si votre fiancé annule votre mariage pour partir à Tahiti avec une ancienne petite amie, vous accusez-vous d'avoir fait un mauvais choix ou d'avoir trop négligé votre compagnon?

Toutes ces situations peuvent se présenter comme des échecs cuisants et bien réels pour quelqu'un qui exige de lui-même la perfection. Plusieurs victimes du CI s'acharnent à faire la preuve de leur échec personnel en se fixant sur de semblables incidents de leur passé. Elles considèrent qu'il faut les taire pour sauvegarder leur image de réussite.

L'erreur est humaine; ce n'est pas un vice fatal à camoufler pour toujours. Certains facteurs échappent parfois à notre contrôle. Si vous avez l'impression qu'il faut avoir honte de ses erreurs et les dissimuler, c'est que vous essayez d'avoir l'air parfait, supérieur à tous. Naturellement, c'est louable de vouloir être à son meilleur dans sa carrière et sa vie privée; on devrait toujours s'efforcer de réussir et ne jamais s'arrêter en deçà de son désir. Mais il y a de la démesure à vouloir être premier et parfait *en tout* et *à tout coup*. La déception devient inévitablement votre lot.

Comment réagiriez-vous si un ami vous disait qu'il a déjà commis la même erreur que celle que vous avez commise? Estimeriez-vous que c'est un raté? Accorderiez-vous beaucoup d'importance à cette erreur? Et combien de temps vous faudrait-il pour l'oublier? Gageons qu'elle aurait peu d'influence sur l'estime que vous portez à votre ami. Sa vulnérabilité vous le rendrait peut-être même plus sympathique encore. Ayez donc pour vous la même indulgence.

Ensuite, essayez de confier à quelqu'un que vous aimez et à qui vous faites confiance une ou deux erreurs que vous avez commises dans le passé. Il pourrait s'agir d'une maladresse commise lors d'une rencontre mondaine, qui vous a profondément humilié, ou d'une grave faute en affaires. Vous pouvez peut-être confier à cette personne le sentiment d'échec que vous avez ressenti. Aussitôt que vous aurez dévoilé ce sentiment, toute la puissance de sa nature secrète se dispersera. L'énergie que vous aurez déployée à le dissimuler sera enfin libérée pour des affaires plus productives et gratifiantes. Vous vous sentirez également plus proche de cette autre personne, lui ayant fait partager votre secret, et celle-ci vous appréciera sans doute d'autant *plus* que vous êtes simplement humain, et non pas une image de la perfection.

En outre, l'expérience de rater quelque chose est loin d'être complètement funeste. Je ne suggère pas que vous cherchiez à échouer intentionnellement. Mais quelques victimes du CI ont découvert malgré elles qu'un échec véritable pouvait grandement aider à réduire l'anxiété découlant des sentiments du CI. Une comptable de ma connaissance, affligée du CI, avait échoué à un examen du C.P.A. (*Certified Public Accountant*). Pourtant sa vie n'en a pas moins suivi son cours. Personne dans son entourage n'a cessé de croire qu'elle était intelligente. Elle n'a pas perdu son emploi, et ses clients ne l'ont pas abandonnée. La «pire» conséquence a été qu'elle a dû se remettre à l'étude et repasser son examen. La terre ne cesse pas de tourner pour l'individu qui n'est pas reçu à l'examen, pour l'athlète qui ne remporte pas le championnat ou pour le cadre qui, une année, n'est pas promu.

Réfléchissez un peu à ce qui pourrait représenter pour vous un échec majeur. Puis faites l'inventaire des suites possibles de cet échec s'il venait à être ébruité. Écrivez tout ce que vous ressentez avec les tripes. Perdriez-vous votre emploi et tous vos amis? Votre famille vous déshériterait-elle? Deviendriez-vous un paria? Seriez-vous dans l'impossibilité de trouver du travail? Seriez-vous forcé de dormir dans les parcs? Jeté en prison? Écrivez toutes les possibilités que vous appréhendez secrètement.

Dès que vous avez terminé, passez votre liste en revue en vous interrogeant sur le taux de probabilité de chacune de ces conséquences. Est-elle probable à 100 p. 100 ? 75 p. 100 ? 40 p. 100 ? 10 p. 100 ? Ayant constaté que ce qui vous effraie n'est pas réellement susceptible d'arriver, tâchez de vous souvenir de ces pourcentages la prochaine fois que vous paniquerez devant la possibilibé d'un échec.

En évaluant le bien-fondé de vos craintes face aux conséquences d'un échec, vous utilisez une approche psychologique éprouvée: vous avez recours à votre intellect pour identifier ce qui pourrait être des idées ou des suppositions irrationnelles ou illogiques. Deux genres de psychothérapies se basent sur cette approche: les techniques cognitives et les techniques rationnelles-émotives. Votre sphère cognitive ou rationnelle — c'est-à-dire ce que vous pensez — peut influer sur ce que vous ressentez. J'entends par là que si l'on peut changer ses pensées défaitistes et irrationnelles, on peut aussi influencer ses états émotionnels.

La thérapie cognitive a été mise au point par le docteur Aaron Beck, et la thérapie rationnelle-émotive, par le docteur Albert Ellis. Dans son ouvrage *A Guide to Rational Living* (en collaboration avec le docteur Robert Harper), Ellis raconte comment il a appliqué cette méthode pour aider un homme souffrant du complexe de l'imposteur bien avant que le syndrome n'hérite d'une appellation [1]. Cet homme était un jeune physicien venu consulter un psychothérapeute. Il semblait avoir tous ses atouts dans son jeu: une excellente réputation dans sa spécialité, des talents athlétiques et jusqu'à un physique séduisant. Pourtant, il se plaignait d'être «un faux-jeton». «Je vis sous des dehors mensongers, ajoutait-il. Plus ça se prolonge, plus les gens me louangent et font cas de mes découvertes, et plus je me sens mal.»

Selon le thérapeute, des experts en physique ayant examiné les travaux de cet homme déclarèrent que ses idées étaient d'une importance capitale. Le jeune physicien invoquait néanmoins une série de raisons pour lesquelles il se croyait un bluffeur: il perdait beaucoup de temps dans son bureau à fixer le vide; il ne posait pas toujours les problèmes avec clarté et précision; il s'était déjà surpris à commettre une erreur ridicule: il prenait de longues heures pour rédiger un article qui n'en réclamait qu'une ou deux. Il allait jusqu'à se comparer au célèbre physicien J. Robert Oppenheimer ce qui le rabaissait.

Le thérapeute a pu démontrer à ce jeune homme combien il était déraisonnable d'être aussi perfectionniste. Il souligna qu'un grand nombre d'études prouvaient que le processus de la création était fort inégal. Personne n'est créatif de façon continue. Regarder fixement par la fenêtre pouvait fort bien constituer une étape nécessaire dans la conception créatrice. À la longue, ce physicien a su reconnaître qu'il s'évertuait à atteindre la perfection. En conséquence, il a pu modifier ses critères personnels et commencer à tirer satisfaction de son travail. En se débarrassant de sa mentalité perfectionniste, il a même augmenté sa capacité de production. En changeant ses pensées, il a agi sur ses sentiments.

Il y a d'autres secteurs où cette technique peut vous aider à vous convaincre que vos sentiments de supercherie ne sont pas fondés sur un jugement de réalité. Pensez à vos succès passés et jugez s'il est vraisemblable qu'une personne ayant pu réaliser ce que vous avez réalisé soit véritablement incompétente. Est-il bien réaliste de penser qu'un individu effectivement sans talent ou incapable aurait pu relever le défi de votre emploi ou de votre vie?

Considérez toutes les tâches que vous pouvez faire et dans lesquelles vous excellez. À vos yeux, ce n'est rien qui vaille; elles ne pèsent pas lourd puisque vous les faites sans effort. Eh bien, vous avez tort. Quelle que soit la tâche que vous maîtrisez, il y a quelqu'un quelque part qui ne peut pas en faire autant et qui aimerait bien partager votre habileté. Avoir de l'entregent, entre autres, est un talent très prisé; mais les victimes du CI n'hésiteront pas à dire que c'est un procédé qu'ils emploient pour «s'en tirer» et le dédaignent comme s'il s'agissait d'une forme de manipulation. Ce qui n'est pas forcément le cas. L'entregent est le plus souvent une aptitude à mettre les gens à leur aise, et il peut faire en sorte que traiter avec quelqu'un devienne une expérience favorable. Autre exemple: les victimes du CI vous signaleront volontiers qu'elles s'expriment aisément tout en qualifiant cette aisance de «bagou». Quel que soit votre talent distinctif, sachez le reconnaître pour ce qu'il est. Une foule de gens auraient très envie de jouir de ce don. Il en va de même pour les aptitudes à l'expression écrite, aux maths ou à tout autre champ de connaissance.

Vous est-il déjà arrivé de considérer l'emploi ou la vie de quelqu'un d'autre en pensant: «Je n'arriverais jamais à faire ça»? *Lui* peut y parvenir; mais vous êtes convaincu que vous n'arriveriez pas à survivre si vous deviez faire de la vente, écrire, sélectionner de la marchandise ou élever trois enfants tout en travaillant à plein temps à l'extérieur. Dites-vous bien qu'il y a probablement quelqu'un qui pense la même chose de ce que vous faites. Acceptez l'idée que vous avez des habiletés et des talents propres. Mettez-les par écrit et rappelez-vous comment vous y avez fait appel jusqu'à ce jour sans vraiment les reconnaître. Il est temps de les identifier comme étant bien réels.

Employez maintenant ce même type de raisonnement logique pour vous interroger sur ce qui est pour vous «la véritable mesure» de la réussite ou de l'intelligence. Mettez l'accent sur le domaine qui vous semble le plus difficile et dans lequel vous estimez devoir être meilleur en vue d'atteindre au véritable sommet de l'une ou de l'autre. Si la maîtrise des mathématiques représente pour vous la mesure de l'intelligence, justifiez cette conviction. Les recherches sur le rendement intellectuel vont-elles en ce sens? Quelles recherches? Les experts en ce domaine croient-ils qu'il n'y ait qu'une aptitude qui traduise l'intelligence?

Si c'est le sens des affaires que vous recherchez, demandez-vous ceci: Si des études démontraient qu'une seule aptitude était requise pour réussir en affaires, quelle serait-elle? Une aptitude à la communication, la capacité de diriger une équipe, un flair pour les finances? Tout bien pesé, vous allez vous rendre compte que la réponse à ces questions n'est pas simple, qu'elle est ni bonne ni mauvaise.

Doutez-vous de votre aptitude à l'amitié? Être un ami véritable signifie quoi pour vous? Cela signifie-t-il ne jamais manifester de colère, ne jamais être en désaccord, toujours rendre service en dépit des inconvénients que cela peut entraîner? Si ceci est vrai, pourquoi n'avez-vous pas mis fin à toutes les amitiés où l'autre personne ne vous rend pas la pareille? Dans chacun de vos rôles personnels, regardez ce que vous exigez de vous-même. Vous imposez-vous la perfection?

Empruntez la même approche pour examiner les situations susceptibles de faire apparaître le CI. Regardez autour de vous et observez attentivement avant de tirer vos conclusions. Vous sentez-vous inapte pour la simple raison que, dans une certains mesure, vous vous sentez différent de vos pairs? Êtes-vous vraiment incompétent dans votre rôle ou sentez-vous seulement que vous n'êtes pas à votre place? Êtes-vous la seule personne de race noire, le seul Espagnol, la seule femme ou le seul homme de votre milieu? Avez-vous l'impression que votre réussite dans un rôle n'est qu'un "leurre" parce que vous vous estimez incompétent — ne serait-ce pas plutôt que vous aspirez à une autre carrière?

Vérifiez tout ce que nous avons avancé jusqu'ici à propos de la singularité. Venez-vous d'un milieu socio-culturel différent de la majorité de vos pairs? Avez-vous surpassé les réalisations des membres de votre famille? Essayez de cerner de quelle façon vous êtes différent ou unique, et demandez-vous si ce n'est pas la cause de vos sentiments.

Chaque fois que vous sentirez naître des sentiments d'imposture, soumettez-les au «jugement de réalité». Vous verrez alors s'ils sont fondés sur un fait ou sur l'image déformée de la réalité qu'engendrent vos peurs secrètes.

Possédez vos «moi» intérieur et extérieur

Pour apaiser votre sentiment d'inauthenticité, vous devriez penser plus souvent au concept du moi authentique et du moi factice. Vous imaginez que vous avez un moi intérieur authentique (ce que vous êtes «vraiment») et un moi extérieur factice (ce que vous «feignez» d'être — celui qui selon vous dupe les autres.

Pour mieux vous voir comme une personne entière, achevée et intégrée, il vous faut à tout prix résoudre ce sentiment de contradiction entre vos images publique et privée. Ce conflit est particulièrement sensible chez les «bons génies» du CI qui adaptent leur personnalité pour répondre à la situation. Ils réconfortent quand il le faut; et quand il le faut, ils défient, amusent — ils se plient à tout pour rendre l'autre heureux et gagner son attention.

Or les victimes du CI doivent bien comprendre qu'elles ne sont pas manipulatrices mais plutôt souples, et que la personnalité d'un individu a de nombreuses facettes. Elles doivent donc apprendre à «posséder» tous les aspects d'elles-mêmes.

Par le passé, les psychologues ont fait participer des victimes du CI à des psychodrames. Il ne s'agit pas ici de jouer son rôle dans la vraie vie, mais de simuler un rôle et de faire le récit mimé d'une situation ou d'une conversation particulières. Lorsque vous créez un dialogue imaginaire entre vous et un interlocuteur, il est possible que cet «échange» vous mette sur la piste de vos sentiments profonds. Après tout, c'est vous qui décidez comment se joue cette scène. Les émotions et les peurs s'expriment alors spontanément, et vous n'essayez pas de vous analyser ou d'étiqueter vos sentiments.

Avec un peu d'imagination, vous pouvez faire quelques découvertes sur les multiples facettes de vous-même. Laissez-vous aller à vos fantasmes et jouez différents personnages. Si vous vous trouvez trop docile, imaginez-vous en personne assurée et directe. Si vous doutez de votre intelligence, incarnez quelqu'un de très futé. Soyez attentif au déroulement de ces scènes imaginaires. Cette approche sera particulièrement efficace sous la gouverne d'un psychothérapeute expérimenté qui saura vous guider de la façon la plus constructive et vous aider à comprendre ce que vos «reparties» révèlent de vos sentiments.

En participant à une thérapie, vous aurez peut-être la chance de découvrir des aspects de vous-même dont vous ignoriez jusqu'à l'existence. La personne excessivement modeste ou timide arrivera peut-être à déceler en elle un secret désir d'être le point de mire. L'intellectuel pourra se rendre compte qu'il lui faut donner libre cours à l'instinct artistique qu'il refoulait jusque-là. Vous en apprendrez aussi sûrement davantage sur vos peurs. En interprétant le rôle d'une personne qui réussit, vous verrez peut-être en quoi le succès vous effraie. Ou bien encore, découvrirez-vous des sentiments de rivalité, d'envie ou de culpabilité. Sans doute ces sentiments étaient-ils si intenses que vous les aviez désavoués.

En établissant un contact avec tous les aspects de votre personnalité, vous apprenez qu'une facette n'annule pas automatiquement l'autre. Une mère, un enfant et un époux aimants peuvent à l'occasion manifester de la colère et du ressentiment. Un individu créatif ou remarquablement doué peut aussi devoir tâtonner dans certains domaines.

Parmi les applications du psychodrame, celle de la «confession» [2] a souvent été proposée à la victime du CI. On demande à celle-ci de penser à toutes les personnes qu'elle a «dupées» pour leur avouer, en esprit, en quoi au juste a consisté sa tromperie. Elle doit alors imaginer la réaction de ces personnes à sa confession. L'exercice vise à faire découvrir qu'il n'y a pas vraiment eu tromperie. Il n'y a eu que la peur ou le fantasme d'avoir trompé.

Échangez avec des personnes qui se sentent comme vous

À cause de la nature secrète du complexe de l'imposteur, les victimes se sentent seules et isolées avec leurs sentiments d'inauthenticité inavoués. Pouvoir nommer ces sentiments et comprendre d'où ils viennent apaisent sans doute cette impression d'isolement. Mais rencontrer d'autres victimes et échanger avec elles est encore plus bénéfique.

Dans le cadre d'un groupe, les personnes réunies peuvent apprendre qu'elles vivent les mêmes peurs et les mêmes situations et vouloir s'aider mutuellement. Elles peuvent aussi s'encourager les unes les autres à voir si leurs sentiments d'imposture se fondent sur une réalité quelconque ou s'ils sont seulement engendrés par un manque de confiance en soi. Le groupe peut aussi vous fournir un feed-back immédiat sur la façon dont vous vous acquittez de votre rôle au travail ou à la maison, ce qui peut vous inciter à cultiver vos propres jugements de valeur.

Malheureusement, les thérapies de groupe du CI sont encore rares. Si vous êtes intéressé à vous joindre à un tel groupe dans votre région ou à en former un, il vous faudra d'abord tâter le terrain et évaluer les possibilités. Et n'oubliez pas qu'un atelier sur le CI doit être dirigé par *un professionnel qualifié* seulement, c'est-à-dire un psychologue ou un psychiatre diplômé, sinon un thérapeute formé travaillant sous leur contrôle. Ne risquez pas d'animer vous-même un atelier ou de participer à une thérapie animée par une personne non qualifiée. Vous pourriez en subir de graves préjudices psychologiques, ainsi que les autres participants.

Si l'idée d'un atelier du CI vous intéresse vraiment, demandez à votre médecin généraliste s'il peut vous recommander un professionnel qualifié avec qui vous pourriez en discuter. Vous pouvez également consulter le service de psychiatrie de l'hôpital universitaire le plus proche ou une association régionale pour la santé mentale: on devrait pouvoir vous donner les noms de quelques spécialistes ou du moins vous conseiller sur les prochaines démarches à entreprendre. Si vous êtes étudiant, essayez de rencontrer un responsable des services de santé de votre institution, sinon un psychologue attaché au centre de consultation.

Je n'irai pas jusqu'à suggérer au premier venu d'interrompre une psychothérapie en faveur d'une thérapie collective sur le CI. Si vous consultez déjà un psychiatre, explorez l'idée d'un atelier avec lui et voyez s'il croit que cette formule vous convient. J'ose espérer qu'avec l'actuelle prise de conscience de l'ampleur de ce syndrome, plus de professionnels formés offriront ce type de service à ceux qui souffrent du CI.

L'option de la psychothérapie

Comme je l'ai mentionné, toutes ces suggestions visant à combattre le CI sont fondées sur des théories psychologiques reconnues. Sachant cela, il pourrait vous paraître doublement profitable de les appliquer en présence d'un psychologue qualifié ou d'un psychiatre. Commencez par suivre seul les mesures énoncées plus tôt, mais demandez-vous si une certaine assistance professionnelle ne serait pas pertinente dans votre cas.

Si vos sentiments d'imposture vous angoissent ou vous dépriment au point de vous empêcher de fonctionner, ou encore si vous vous sentez suicidaire, vous devriez demander de l'aide professionnelle sur-le-champ. Et ne réduisez pas de profonds sentiments d'aliénation ou de graves difficultés d'adaptation à «quelques manifestations du CI, un problèmes vécu par beaucoup de gens»: ces difficultés pourraient découler de problèmes tout à fait différents.

Quelques facteurs devraient être examinés de près. Vos sentiments de supercherie sont peut-être trop intenses pour que vous puissiez les surmonter sans assistance. Et certains de ces sentiments trouvent peut-être leur source dans des expériences ou des émotions si profondément enfouies dans la conscience qu'il est impossible pour vous de les faire émerger seul. Un psychiatre ou un psychologue pourrait vous aider à les toucher du doigt. Si vous croyez traverser une phase critique mais temporaire du CI, vous pourriez l'écourter d'autant, et avec moins d'émotions douloureuses, si vous cherchez assistance pour un temps limité. La psychanalyse ou d'autres types de psychothérapies peuvent vous conduire aux sources de vos émotions les plus profondes. En libérant des souvenirs de l'inconscient, ces approches vous révéleront les motifs et les peurs qui vous ont voué au complexe de l'imposteur.

Voici quelques démarches possibles pour trouver un thérapeute compétent:

Demandez à votre médecin traitant de vous recommander un psychiatre ou un psychothérapeute diplômé.

Appelez le meilleur hôpital de votre secteur ou un centre hospitalier universitaire et demandez au service de psychiatrie de vous fournir quelques références.

Faites de même auprès de l'association pour la santé mentale de votre région ou l'association des psychologues cliniciens de votre localité.

La Corporation professionnelle des psychologues du Québec pourrait également vous fournir le nom d'un psychologue satisfaisant à ses exigences.

Enfin, pour certaines formes de psychothérapies coûteuses, adressez-vous aux services des consultations externes d'un centre hospitalier universitaire. Vous pourriez y travailler avec un interne en psychiatrie ou un psychologue ayant terminé son doctorat, dirigés par des professionnels. Vous pouvez également vous rendre à votre centre local des services communautaires (CLSC) ou encore téléphoner au département de santé communautaire de votre région (DSC).

Lorsque vous aurez trouvé un thérapeute compétent avec lequel vous vous sentez en confiance, demandez-lui s'il connaît le complexe de l'imposteur. Si non, montrez-lui cet ouvrage.

Aider les autres

Vous soupçonnez peut-être qu'un être cher souffre du complexe de l'imposteur... Si vous voulez lui offrir votre aide, voici comment vous pouvez vous y prendre.

Vous savez sans doute reconnaître les signes extérieurs du CI dans son comportement. Quand vous lui faites un compliment, il fait aussitôt remarquer qu'il y a quelque chose qui cloche dans ce qu'il a fait. Ou s'il commence à vous exprimer un point de vue sur une question, il s'arrête et fait volte-face dès qu'il comprend que vous différez d'opinion. S'il a mené un projet à bien, vous l'entendrez faire un commentaire du genre: «Oh, j'ai eu de la chance» ou «Ils n'ont pu trouver personne d'autre pour le faire.»

Montrez-vous sensible à ces manifestations d'imposture et prenez ces sentiments au sérieux. Peut-être l'avez-vous entendu répéter *ad nauseam* qu'il allait «tout bousiller *cette fois-ci*» — sans que ce soit encore arrivé. Ne lui dites pas qu'il se conduit de façon ridicule et qu'il est évident qu'il réussit à merveille. Essayez de comprendre que cette impression est toujours aussi vraie et terrifiante chaque fois qu'il la vit. Faites-lui savoir que vous l'aimez pour ce qu'il est et non pour l'image publique qu'il croit projeter. Amenez-le à comprendre que vous appréciez qu'il y ait plus d'une dimension à sa personnalité. Enfin, avec doigté et sans le démoraliser, signalez-lui les moments où il manifeste des signes du CI dans son comportement.

Montrez-lui de la compréhension et tentez de créer un climat qui soit propice à ses confidences. Se débarrasser du côté «inavouable» de son problème peut le soulager d'un lourd fardeau. S'il se sent extrêmement angoissé ou déprimé, demandez-lui s'il serait prêt à rencontrer un bon thérapeute.

Et donnez-lui cet ouvrage à lire.

Le «lourd secret» s'est maintenant répandu. Vous n'êtes donc plus seul. Le sentiment d'être un imposteur, un bluffeur ou un faussaire n'est peut-être que la manifestation du complexe de l'imposteur. Si vous le laissez agir, il peut vous empêcher de faire tout ce qui vous intéresse dans la vie, et vous soutirer le plaisir et la satisfaction qui accompagnent normalement la réussite. Ne vous laissez pas escroquer ces gratifications. Vous les avez méritées.

Notes

Chapitre premier: Un lourd secret

1. Joan C. Harvey, «The Impostor Phenomenon and Achievement: A Failure to Internalize Success» (Thèse de doctorat, Temple University, 1981); *Dissertation Abstracts International*, 1982, *42* 4969B-4970B. Ann Arbor, MI: micro film universitaire n° 8210500.

2. Pauline Rose Clance et Suzanne Ament Imes, «The Impostor Phenomenon in High Achieving Women: Dynamics and Therapeutic Intervention», *Psychotherapy: Theory, Research and Practice*, vol. 15, n°3, automne 1978.

3. Jeanne M. Stahl, Henrie M. Turner, Alfreedia E. Wheeler et Phyllis B. Elbert, «The Impostor Phenomenon in High School and College Science Majors» (étude présentée lors d'une rencontre de l'American Psychological Association), Montréal, 1980, pp. 3-4.

4. Margaret S. Gibbs, Ph. D., Karen Alter-Reid et Sharon De Vries, «Instrumentality and the Impostor Phenomenon» (exposé présenté au colloque de l'American Psychological Association), Toronto, 1984.

5. Gail M. Matthews, «Impostor Phenomenon: Attributions for Success and Failure» (étude présentée lors d'une rencontre de l'American Psychological Association), Toronto, 1984.

6. Mary E. H. Topping, «The Impostor Phenomenon: A Study of its Construct and Incidence in University Faculty Members» (Thèse de doctorat, University of South Florida, 1983); *Dissertation Abstracts International*, *44*, 1948-1949B, Ann Arbor, MI, microfilm universitaire n° 8316534.

7. Stahl et autres, *op. cit.*

8. Gail Matthews et Pauline Clance ont également traité des sentiments des victimes du CI sur «ce qui compte» dans un exposé, «Treatment of the Impostor Phenomenon in Psychotherapy Clients», présenté

au symposium d'hiver des sections 29 et 42 de l'American Psychological Association, San Diego, 1984.

9. Topping, *op. cit.*

10. Matthews, *op. cit.*

Chapitre II: Un secret inavouable

1. Clance et Imes, *op. cit.*, p. 244.

2. Stahl et autres, *op. cit.*, p. 4.

3. H. H. Kelley, *Causal Schemata and the Attribution Process*, Monographie, Morristown, NJ, General Learning Press, 1972.

4. David Shapiro, *Autonomy and Rigid Character*. New York, NY, Basic Book, 1981.

5. Clance et Imes, *op. cit.* pp. 244-245.

Chapitre III: Se sentir faux dans sa vie privée,

1. Philip G. Zimbardo, *Shyness*, Reading, MA: Addison-Wesley Publishing Company, 1977.

2. Sigmund Freud, «Pour introduire le narcissime» dans *La vie sexuelle*, Paris, P.U.F., 1972.

3. Leon Festinger, *A Theory of Cognitive Dissonance*. Evanston, IL: Row Peterson, 1957.

4. William James, «The Consciousness of Self» dans *The Principles of Self in Everyday Life* (Edinburgh: Centre de recherche des sciences sociales de la University of Edinburgh, 1958; réédité par Doubleday, 1959).

6. Kenneth J. Gergen, «The Social Construction of Self-Knowledge», extrait de T. Mischel, éd., *The Self: Psychological and Philosophical Issues,* Totowa, NJ: Rowman and Littlefield, 1977.

7. Mark Snyder a écrit abondamment sur le thème de «l'auto contrôle». Les sujets dont je traite ici sont tirés des ouvrages suivants:

— *Social Psychology* par Lawrence S. Wrightsman et collaborateurs. Monterey, CA, Brooks Cole Publishing Company, 2e édition, 1977. Chapitre intitulé «Impression Management» par Mark Snyder.

— Mark Snyder, «Self-Monitoring Processes», *Advances in Experimental Social Psychology*, vol. 12, 1979.

— *Psychological Perspectives on the Self*, J. Suls, éd., Hillsdale, NJ: Laurence Erlbaum Associates, 1982. Chapitre intitulé «Self-Monitoring»: The Self in Action» par Mark Snyder et Bruce H. Campbell.

— Mark Snyder, «The Many Me's of the Self-Monitor», *Psychology Today*, mars 1980.

— Mark Snyder, «Self-Monitory of Expressive Behavior», *Journal of Personality and Social Psychology*, vol. 30, n° 4, 1974. *Psychology Today*, mars 1980, p. 92.

8. Edward E. Sampson, «Personality and the Location of Identity», *Journal of Personality*, 1978, pp. 552-568.

9. D. L. Rarick, G. F. Soldow et R. S. Geizer, «Self-Monitoring as a Mediator of Conformity», *Central States Speech Journal*, 1976, *27(4)*, pp. 267-271.

10. «The Legacy of Peter Sellers», article éditorial publié dans *The Philadelphia Inquirer (le 25 juillet 1980).*

11. Desmond Ryan, «Peter Sellers: A Requiem for a Comedy Genius», *The Philadelphia Inquirer* (le 27 juillet 1980).

12. Donald W. Winnicott, «Ego Distortion in Terms of the True and False Self» chez D. W. Winnicott, éd. *The Maturational Processes and the Facilitating Environment* (New York, NY, International Universities Press, 1965).

13. Norma K. Lawler, «Impostor Phenomenon: Two Treatment Approaches» (étude présentée au colloque de l'American Psychological Association), Toronto, août 1984.

Chapitre IV: Croyez-vous être un imposteur?

1. Kelley, *op. cit.*

Chapitre V: Comment ça se passe — Dans la famille

1. Suzanne Imes et Pauline Clance ont traité de leur façon d'aborder l'adaptation des questionnaires adlériens sur le mode de vie dans «Treatment of the Impostor Phenomenon in High-Achieving Women», *Women Therapists Working with Women*, Claire M. Brody, éd., New York, NY: Springer Publishing Company, 1984, pp. 75-78. Cette approche m'a également semblé utile.

2. Pauline Rose Clance et Suzanne Ament Imes, «The Impostor Phenomenon in High-Achieving Women: Dynamics and Therapeutic Intervention», op. cit., p. 243.

3. *Ibid*. Clance et Imes ont décrit ceci comme étant un deuxième rôle modèle caractéristique du CI.

4. Sigmund Freud, *Inhibition, Symptôme et Angoisse*, (1925), Paris, P. U. F. 1973.

5. Sigmund Freud, «Ceux qui échouent devant le succès», extrait

de «Quelques types de caractères dégagés par la psychanalyse», Éditions Gallimard, 1933.

6. David W. Krueger, *Success and the Fear of Success in Women*, New York, NY: th Free Press, 1984.

Chapitre VI: Comment ça se passe — Autour de vous

1. Michael Penland et Susan McCammon, «The Impostor Phenomenon: Feelings of Intellectual Phoniness in Higher Achievers» (étude présentée au Second Teaching-Learning About Women Conference) Roanoke College, avril 1984.

2. Pauline Clance, «The Dynamics and Treatment of the Impostor Phenomenon in High-Achieving Persons», Southeastern Psychogical Association Presidential Address, Atlanta, Géorgie, mars 1983.

3. Pauline Rose Clance et Suzanne Ament Imes, «The Impostor Phenomenon in High Achieving Women: Dynamics and Therapeutic Intervention», *op. cit.*.

4. Kay Deaux, «Sex and the Attribution Process», extrait de J. H. Harvey, W. J. Ickes et R. F. Kidd, éds., *New Directions in Attribution Research*, vol. 1, New York, NY: Halsted Press, 1976, pp. 335-352.

5. J. Bardwick, E. Douvan, M. Horner et D. Guttman, éds., *Feminine Personality and Conflict*, Belmont, CA: Brooks Cole Publishing Company, division de Wadsworth Publishing Company, Inc., 1970. Chapitre intitulé «Femininity and Successful Achievement — A Basic Inconsistency» par Martina S. Horner.

6. Lynn Monahan, Deanna Kuhn et Phillip Shaver, «Intrapsychic Versus Cultural; Explanations of the «Fear of Success» Motive», *Journal of Personality and Social Psychology*, 1974, *29* (I), pp. 60-64.

7. Madeline Hirschfeld, «The Impostor Phenomenon in Successful Career Women» (étude présentée lors de la rencontre de l'American Psychological Association), Washington, D. C., 1982.

8. Stahl et autres, *op. cit.*

9. Suzanne Imes, «The Impostor Phenomenon as a Function of Attribution Patterns and Internalized Femininity/Masculinity in High Achieving Women and Men» (thèse de doctorat, Georgia State University, 1979); *Dissertation Abstracts International*, 1980, *40*, 5868B-5869B, Ann Arbor, MI: microfilm universitaire n° 8013056.

10. Joan C. Harvey, «Impostor Phenomenon Among High Achievers: The Experience of True and False Selves», étude spécialisée pour le département de psychologie de la Temple University, 1980.

11. L'Échelle Harvey du CI a été conçu comme un instrument de mesure essentiellement fiable et valide, auto-administrable et d'application rapide, du complexe de l'imposteur. Suivant une méthode d'élaboration empirique et rationnelle, une première série de 21 aspects ont été rédigés sous forme d'énoncés auxquels un individu pouvait réagir selon un barème de 7 points, allant de «Tout à fait faux» à «Très juste». Ces «aspects» ont ensuite été testés auprès d'un échantillon de 74 universitaires diplômés de sexe masculin et féminin. Ces aspects initiaux dérivaient de trois sources: les données d'interviews de Clance et Imes (1978); les résultats de sondages accumulés par Stahl et ses collaborateurs (1980); et mes propres observations fondées sur les recherches psychologiques, sociologiques et psychanalytiques se rapportent à la notion du «moi factice» (Harvey, 1980).

Après une analyse statistique des données recueillies sur chaque aspect, et des résultats globaux enregistrés avec l'échelle, j'ai retenu les points qui semblaient les plus compatibles les uns avec les autres et qui représentaient les indices les plus propres à déterminer le score final du complexe de l'imposteur. Sur les 21 aspects initiaux, 14 (ceux qui se sont avérés les plus sûrs) ont donc été conservés. Cette échelle finale de 14 aspects a ensuite été réévaluée auprès d'un échantillon de 72 étudiants de 1er cycle universitaire pour se révéler essentiellement fiable. Plus tard, lorsque le Dr Mary Topping la soumit à 285 chercheurs et professeurs universitaires, l'Échelle Harvey du CI démontra à nouveau le même degré de fiabilité.

En vue d'établir la validité de l'échelle, j'ai également réuni un certain nombre de faits. J'ai trouvé que les scores élevés à l'Échelle du CI étaient liés de façon significative à un bilan de réussites et de réalisations supérieures, en d'autres termes on pouvait s'attendre à des résultats plus élevés chez des étudiants de type *honors* que chez des étudiants des programmes réguliers. De plus, les résultats élevés étaient plus fréquents chez les étudiants *honors* qui imputaient une partie de leur succès à des aptitudes en relations humaines. Topping (1983) releva une corrélation importante entre les scores élevés à l'Échelle Harvey du CI et un niveau d'anxiété supérieur à la moyenne, tel que mesuré par un test mis au point par Charles Spielberger.

Enfin, pour confirmer la validité de l'Échelle du CI, j'ai accumulé des preuves démontrant qu'elle différait sur le plan statistique d'instruments mesurant des phénomènes de nature apparemment similaire, soit «l'autocontrôle», mesuré au moyen d'une échelle conçue par Mark Snyder et l'estime de soi déficiente, telle qu'évaluée par l'échelle de Rosenberg.

12. Joan C. Harvey, Louise H. Kidder et Lynn Sutherland, «The Impostor Phenomenon and Achievement: Issues of Sex, Race ans Self-Perceived Atypicality» (étude présentée à la rencontre de l'American Psychological Association), Los Angeles, 1981; Ann Arbor, MI: ERIC Service de reproduction des documents n° ED212966.

13. Frances Cherry and Kay Deaux, «Fear of Success Versus Fear of Gender-Inconsistent Behavior: A Sex Similarity» (étude présentée à la réunion de la Midwestern Psychological Association), Chicago, mai 1975.

14. Linda Loyd, «Penn State Tries to Be More Inviting to Blacks», *The Philadelphia Inquirer*, février 1985.

15. William J. McGuire, Claire V. McGuire, Pamela Child et Terry Fujioka, «Salience of Ethnicity in the Spontaneous Self-Concept as a Function of one's ethnic distinctiveness in the social environment», *Journal of Personality and Social Psychology*, 1978, *36*, p. 511-520.

16. Paul R. Abramson, Philip A. Goldberg, Judith H. Greenberg et Linda Abramson, «The Talking Platypus Phenomenon: Competency Ratings as a Function of Sex and Professional Status», *Psychology of Women Quarterly*, 1977, *2* (2), pp. 114-124.

17. Un compte-rendu de Jeff Meer, «Special Stress for Black Professors», *Psychology Today*, octobre 1984, p. 11.

Chapitre VII: Jeter le masque

1. Albert Ellis et Robert A. Harper, *A Guide to Rational Living*, Hollywood, CA: Wilshire Book Company, 1971, p. 99.

2. Imes et Clance ont traité de cet exercice de gestalt particulier dans «Treatment of the Impostor Phenomenon in High-Achieving Women», *Women Therapists Working with Women*, *op. cit.*, pp. 78-79.

Table des matières

Ouvrages parus chez les éditeurs du groupe Sogides

* Pour l'Amérique du Nord seulement ** Pour l'Europe seulement
Sans * pour l'Europe et l'Amérique du Nord

ANIMAUX

* **Art du dressage, L',** Chartier Gilles
Bien nourrir son chat, D'Orangeville Christian
Cheval, Le, Leblanc Michel
Chien dans votre vie, Le, Margolis Matthew et Swan Marguerite
* **Éducation du chien de 0 à 6 mois, L',** DeBuyser Dr Colette et Dr Dehasse Joël
Encyclopédie des oiseaux, Godfrey W. Earl
Mammifères de mon pays, Duchesnay St-Denis J. et Dumais Rolland
* **Mon chat, le soigner, le guérir,** D'Orangeville Christian
Observations sur les mammifères, Provencher Paul
Papillons du Québec, Veilleux Christian et Prévost Bernard
Petite ferme, T. 1, Les animaux, Trait Jean-Claude
Vous et votre berger allemand, Eylat Martin
Vous et votre boxer, Herriot Sylvain
Vous et votre caniche, Shira Sav
Vous et votre chat de gouttière, Gadi Sol
Vous et votre chow-chow, Pierre Boistel
Vous et votre doberman, Denis Paula
Vous et votre husky, Eylat Martin
Vous et votre labrador, Van Der Heyden Pierre
Vous et vos oiseaux de compagnie, Huard-Viau Jacqueline
Vous et votre persan, Gadi Sol
Vous et votre setter anglais, Eylat Martin
Vous et vos poissons d'aquarium, Ganiel Sonia
Vous et votre siamois, Eylat Odette

ARTISANAT/ARTS MÉNAGERS

Appareils électro-ménagers, Prentice-Hall of Canada
* **Art du pliage du papier,** Harbin Robert
Artisanat québécois, T. 1, Simard Cyril
Artisanat québécois, T. 2, Simard Cyril
Artisanat québécois, T. 3, Simard Cyril
Artisanat québécois, T.4, Simard Cyril, Bouchard Jean-Louis
Bon Fignolage, Le, Arvisais Dolorès A.
Coffret artisanat, Simard Cyril
Comment aménager une salle
Comment utiliser l'espace
Construire sa maison en bois rustique, Mann D. et Skinulis R.
Crochet Jacquard, Le, Thérien Brigitte
Cuir, Le, Saint-Hilaire Louis et Vogt Walter
Décapage-rembourrage
Décoration intérieure, La,
Dentelle, T. 1, La, De Seve Andrée-Anne
Dentelle, T. 2, La, De Seve Andrée-Anne
Dessiner et aménager son terrain, Prentice-Hall of Canada
Encyclopédie de la maison québécoise, Lessard Michel

Encyclopédie des antiquités, Lessard Michel
Entretenir et embellir sa maison, Prentice-Hall of Canada
Entretien et réparation de la maison, Prentice-Hall of Canada
Guide du chauffage au bois, Flager Gordon
J'apprends à dessiner, Nash Joanna
Je décore avec des fleurs, Bassili Mimi
J'isole mieux, Eakes Jon
Mécanique de mon auto, La, Time-Life Book
Menuiserie, La, Prentice-Hall of Canada
* **Noeuds, Les,** Shaw George Russell
Outils manuels, Les, Prentice-Hall of Canada
Petits appareils électriques, Prentice-Hall of Canada
Piscines, barbecues et patio
Terre cuite, Fortier Robert
Tissage, Le, Grisé-Allard Jeanne et Galarneau Germaine
Tout sur le macramé, Harvey Virginia L.
Trucs ménagers, Godin Lucille
Vitrail, Le, Bettinger Claude

ART CULINAIRE

À table avec soeur Angèle, Soeur Angèle
Art d'apprêter les restes, L', Lapointe Suzanne
Art de la cuisine chinoise, L', Chan Stella
Art de la table, L', Du Coffre Marguerite
Barbecue, Le, Dard Patrice
Bien manger à bon compte, Gauvin Jocelyne
Boîte à lunch, La, Lambert-Lagacé Louise
Brunches & petits déjeuners en fête, Bergeron Yolande
Cheddar, Le, Clubb Angela
Cocktails & punchs au vin, Poister John
Cocktails de Jacques Normand, Normand Jacques
Coffret la cuisine
Confitures, Les, Godard Misette
Congélation de A à Z, La, Hood Joan
Congélation des aliments, Lapointe Suzanne
Conserves, Les, Sansregret Berthe
Cornichons, Ketchups et Marinades, Chesman Andrea
Cuisine au wok, Solomon Charmaine
Cuisine chinoise, La, Gervais Lizette
Cuisine de Pol Martin, Martin Pol
Cuisine facile aux micro-ondes, Saint-Amour Pauline
Cuisine joyeuse de soeur Angèle, La, Soeur Angèle
Cuisine micro-ondes, La, Benoit Jehane
Cuisine santé pour les aînés, Hunter Denyse
Cuisiner avec le four à convection, Benoit Jehane
Cuisinez selon le régime Scarsdale, Corlin Judith
Faire son pain soi-même, Murray Gill Janice
Faire son vin soi-même, Beaucage André
Fondues & flambées de maman Lapointe, Lapointe Suzanne
Fondues, Les, Dard Patrice
Guide canadien des viandes, Le, App. & Services Canada
Muffins, Les, Clubb Angela
Nouvelle cuisine micro-ondes, La, Marchand Marie-Paul et Grenier Nicole
Nouvelle cuisine micro-ondes II, La, Marchand Marie-Paul, Grenier Nicole
Pâtes à toutes les sauces, Les, Lapointe Lucette
Pâtés et galantines, Dard Patrice
Pâtisserie, La, Bellot Maurice-Marie
Pizza, La, Dard Patrice
Poissons et fruits de mer, Sansregret Berthe
Recettes au blender, Huot Juliette
Recettes canadiennes de Laura Secord, Canadian Home Economics Association
Recettes de gibier, Lapointe Suzanne
Recettes de maman Lapointe, Les, Lapointe Suzanne
Recettes Molson, Beaulieu Marcel
Robot culinaire, Le, Martin Pol
Salades, sandwichs, hors-d'oeuvre, Martin Pol

BIOGRAPHIES POPULAIRES

Boy George, Ginsberg Merle
Daniel Johnson, T. 1, Godin Pierre
Daniel Johnson, T. 2, Godin Pierre
Daniel Johnson — Coffret, Godin Pierre
Dans la fosse aux lions, Chrétien Jean
Duplessis, T. 1 — L'ascension, Black Conrad
Duplessis, T. 2 — Le pouvoir, Black Conrad
Duplessis — Coffret, Black Conrad
Dynastie des Bronfman, La, Newman Peter C.
Establishment canadien, L', Newman Peter C.
Frère André, Le, Lachance Micheline
Mastantuono, Mastantuono Michel
Maurice Richard, Pellerin Jean
Mulroney, Macdonald L.I.
Nouveaux Riches, Les, Newman Peter C.
Prince de l'Église, Le, Lachance Micheline
Saga des Molson, La, Woods Shirley

DIÉTÉTIQUE

Contrôlez votre poids, Ostiguy Dr Jean-Paul
* **Cuisine sage,** Lambert-Lagacé Louise
Diététique dans la vie quotidienne, Lambert-Lagacé Louise
* **Maigrir en santé,** Hunter Denyse
* **Menu de santé,** Lambert-Lagacé Louise
Nouvelle cuisine santé, Hunter Denyse
Oubliez vos allergies et... bon appétit, Association de l'information sur les allergies
Petite & grande cuisine végétarienne, Bédard Manon
Plan d'attaque Weight Watchers, Le, Nidetch Jean
Recettes pour aider à maigrir, Ostiguy Dr Jean-Paul
* **Régimes pour maigrir,** Beaudoin Marie-Josée
Sage Bouffe de 2 à 6 ans, La, Lambert-Lagacé Louise
Weight Watchers — cuisine rapide et savoureuse, Weight Watchers
Weight Watchers-Agenda 85 — Français, Weight Watchers
Weight Watchers-Agenda 85 — Anglais, Weight Watchers

DIVERS

* **Acheter ou vendre sa maison,** Brisebois Lucille
* **Acheter et vendre sa maison ou son condominium,** Brisebois Lucille
* **Bourse, La,** Brown Mark
Chaînes stéréophoniques, Les, Poirier Gilles
* **Choix de carrières, T. 1,** Milot Guy
* **Choix de carrières, T. 2,** Milot Guy
* **Choix de carrières, T. 3,** Milot Guy
* **Comment rédiger son curriculum vitae,** Brazeau Julie
Conseils aux inventeurs, Robic Raymond
* **Dictionnaire économique et financier,** Lafond Eugène
* **Faire son testament soi-même,** Me Poirier Gérald, Lescault Nadeau Martine (notaire)
* **Faites fructifier votre argent,** Zimmer Henri B.
* **Guide de la haute-fidélité, Le,** Prin Michel
* **Je cherche un emploi,** Brazeau Julie
* **Loi et vos droits, La,** Marchand Paul-Émile
* **Règles d'or de la vente, Les,** Kahn George N.
* **Roulez sans vous faire rouler, T. 3,** Edmonston Philippe
Savoir vivre aujourd'hui, Fortin Jacques Marcelle
Séjour dans les auberges du Québec, Cazelais Normand, Coulon Jacques
Stratégies de placements, Nadeau Nicole
Temps des fêtes au Québec, Le, Montpetit Raymond
Tenir maison, Gaudet-Smet Françoise
* **Tout ce que vous devez savoir sur le condominium,** Dubois Robert
Univers de l'astronomie, L', Tocquet Robert
Vente, La, Hopkins Tom
Votre système vidéo, Boisvert Michel, Lafrance André A.
* **Week-end à New York,** Tavernier-Cartier Lise

ENFANCE

* **Aider son enfant en maternelle,** Pedneault-Pontbriand Louise
* **Aidez votre enfant à lire et à écrire,** Doyon-Richard Louise
Aidez votre enfant à lire et à écrire, Doyon-Richard Louise
Alimentation futures mamans, Gougeon Réjeanne et Sekely Trude
Années clés de mon enfant, Les, Caplan Frank et Theresa
Art de l'allaitement maternel, L', Ligue internationale La Leche
* **Autorité des parents dans la famille,** Rosemond John K.
Avoir des enfants après 35 ans, Robert Isabelle
Comment amuser nos enfants, Stanké Louis
* **Comment nourrir son enfant,** Lambert-Lagacé Louise
Deuxième année de mon enfant, La, Caplan Frank et Theresa
* **Développement psychomoteur du bébé,** Calvet Didier
Douze premiers mois de mon enfant, Les, Caplan Frank
* **En attendant notre enfant,** Pratte-Marchessault Yvette
* **Encyclopédie de la santé de l'enfant,** Feinbloom Richard I.
Enfant stressé, L', Elkind David
Enfant unique, L', Peck Ellen
Femme enceinte, La, Bradley Robert A.
Fille ou garçon, Langendoen Sally, Proctor William
* **Frères-soeurs,** Mcdermott Dr John F. Jr.
Futur père, Pratte-Marchessault Yvette
* **Jouons avec les lettres,** Doyon-Richard Louise
* **Langage de votre enfant, Le,** Langevin Claude
Maman et son nouveau-né, La, Sekely Trude
* **Massage des bébés, Le,** Auckette Amélia D.
Merveilleuse histoire de la naissance, La, Gendron Dr Lionel
Mon enfant naîtra-t-il en bonne santé?, Scher Jonathan, Dix Carol
Pour bébé, le sein ou le biberon?, Pratte-Marchessault Yvette
Pour vous future maman, Sekely Trude
Préparez votre enfant à l'école, Doyon-Richard Louise
* **Psychologie de l'enfant,** Cholette-Pérusse Françoise
Secret du paradis, Le, Stolkowski Joseph
* **Tout se joue avant la maternelle,** Ibuka Masaru
Un enfant naît dans la chambre de naissance, Fortin Nolin Louise
Viens jouer, Villeneuve Michel José
Vivez sereinement votre maternité, Vellay Dr Pierre
Vivre une grossesse sans risque, Fried, Dr Peter A.

ÉSOTÉRISME

Coffret — Passé — Présent — Avenir
Graphologie, La, Santoy Claude
Hypnotisme, L', Manolesco Jean
* **Interprétez vos rêves,** Stanké Louis
* **Lignes de la main,** Stanké Louis
Lire dans les lignes de la main, Morin Michel
Prévisions astrologiques 1985, Hirsig Huguette
Vos rêves sont des miroirs, Cayla Henri
* **Votre avenir par les cartes,** Stanké Louis

HISTOIRE

Arrivants, Les, Collectif
Ramsès II, le pharaon triomphant, Kitchen K.A.

INFORMATIQUE

* **Découvrir son ordinateur personnel,** Faguy François
Guide d'achat des micro-ordinateurs, Le Blanc Pierre

JARDINAGE

Arbres, haies et arbustes, Pouliot Paul
Culture des fleurs, des fruits, Prentice-Hall of Canada
Encyclopédie du jardinier, Perron W.H.
Guide complet du jardinage, Wilson Charles
Petite ferme, T. 2 — Jardin potager, Trait Jean-Claude
Plantes d'intérieur, Les, Pouliot Paul
Techniques du jardinage, Les, Pouliot Paul
* **Terrariums, Les,** Kayatta Ken

JEUX/DIVERTISSEMENTS

Améliorons notre bridge, Durand Charles
* **Bridge, Le,** Beaulieu Viviane
Clés du scrabble, Les, Sigal Pierre A.
Collectionner les timbres, Taschereau Yves
* **Dictionnaire des mots croisés, noms communs,** Lasnier Paul
* **Dictionnaire des mots croisés, noms propres,** Piquette Robert
* **Dictionnaire raisonné des mots croisés,** Charron Jacqueline
Finales aux échecs, Les, Santoy Claude
Jeux de société, Stanké Louis
* **Jouons ensemble,** Provost Pierre
* **Ouverture aux échecs,** Coudari Camille
Scrabble, Le, Gallez Daniel
Techniques du billard, Morin Pierre
* **Voir clair aux échecs,** Tranquille Henri

LINGUISTIQUE

Améliorez votre français, Laurin Jacques
* **Anglais par la méthode choc, L',** Morgan Jean-Louis
Corrigeons nos anglicismes, Laurin Jacques
* **J'apprends l'anglais,** Silicani Gino
Notre français et ses pièges, Laurin Jacques
Petit dictionnaire du joual, Turenne Auguste
Secrétaire bilingue, La, Lebel Wilfrid
Verbes, Les, Laurin Jacques

LIVRES PRATIQUES

Bonnes idées de maman Lapointe, Les, Lapointe Lucette
Temps c'est de l'argent, Le, Davenport Rita

MUSIQUE ET CINÉMA

* **Belles danses, Les,** Dow Allen
* **Guitare, La,** Collins Peter
Wolfgang Amadeus Mozart raconté en 50 chefs-d'oeuvre, Roussel Paul

NOTRE TRADITION

Coffret notre tradition
Écoles de rang au Québec, Les, Dorion Jacques
Encyclopédie du Québec, T. 1, Landry Louis
Encyclopédie du Québec, T. 2, Landry Louis
Histoire de la chanson québécoise, L'Herbier Benoît
Maison traditionnelle, La, Lessard Micheline
Moulins à eau de la vallée du Saint-Laurent, Adam Villeneuve
Objets familiers de nos ancêtres, Genet Nicole
Vive la compagnie, Daigneault Pierre

PHOTOGRAPHIE (ÉQUIPEMENT ET TECHNIQUE)

* **Apprenez la photographie avec Antoine Desilets,** Desilets Antoine
Chasse photographique, La, Coiteux Louis
8/Super 8/16, Lafrance André
Initiation à la Photographie, London Barbara
Initiation à la Photographie-Canon, London Barbara
Initiation à la Photographie-Minolta, London Barbara
Initiation à la Photographie-Nikon, London Barbara
Initiation à la Photographie-Olympus, London Barbara
Initiation à la Photographie-Pentax, London Barbara
* **Je développe mes photos,** Desilets Antoine
* **Je prends des photos,** Desilets Antoine
* **Photo à la portée de tous,** Desilets Antoine
Photo guide, Desilets Antoine
* **Technique de la photo, La,** Desilets Antoine

PSYCHOLOGIE

Âge démasqué, L', De Ravinel Hubert
* **Aider mon patron à m'aider,** Houde Eugène
* **Amour de l'exigence à la préférence,** Auger Lucien
Au-delà de l'intelligence humaine, Pouliot Élise
Auto-développement, L', Garneau Jean
Bonheur au travail, Le, Houde Eugène
Bonheur possible, Le, Blondin Robert
Chimie de l'amour, La, Liebowitz Michael
* **Coeur à l'ouvrage, Le,** Lefebvre Gérald
Coffret psychologie moderne
Colère, La, Tavris Carol
* **Comment animer un groupe,** Office Catéchèse
* **Comment avoir des enfants heureux,** Azerrad Jacob
* **Comment déborder d'énergie,** Simard Jean-Paul
Comment vaincre la gêne, Catta Rene-Salvator
* **Communication dans le couple, La,** Granger Luc
* **Communication et épanouissement personnel,** Auger Lucien
Comprendre la névrose et aider les névrosés, Ellis Albert
* **Contact,** Zunin Nathalie
* **Courage de vivre, Le,** Kiev Docteur A.
Courage et discipline au travail, Houde Eugène
Dynamique des groupes, Aubry J.-M. et Saint-Arnaud Y.
Élever des enfants sans perdre la boule, Auger Lucien
* **Émotivité et efficacité au travail,** Houde Eugène
Enfants de l'autre, Les, Paris Erna
* **Être soi-même,** Corkille Briggs, D.
* **Facteur chance, Le,** Gunther Max
* **Fantasmes créateurs, Les,** Singer Jérôme
* **J'aime,** Saint-Arnaud Yves
Journal intime intensif, Progoff Ira
Miracle de l'amour, Un, Kaufman Barry Neil
* **Mise en forme psychologique,** Corrière Richard
* **Parle-moi... J'ai des choses à te dire,** Salome Jacques
Penser heureux, Auger Lucien
* **Personne humaine, La,** Saint-Arnaud Yves
* **Première impression, La,** Kleinke Chris, L.
Prévenir et surmonter la déprime, Auger Lucien
* **Psychologie dans la vie quotidienne,** Blank Dr Léonard
* **Psychologie de l'amour romantique,** Braden Docteur N.
* **Qui es-tu grand-mère? Et toi grand-père?,** Eylat Odette
* **S'affirmer et communiquer,** Beaudry Madeleine
* **S'aider soi-même,** Auger Lucien
* **S'aider soi-même davantage,** Auger Lucien
* **S'aimer pour la vie,** Wanderer Dr Zev
* **Savoir organiser, savoir décider,** Lefebvre Gérald
* **Savoir relaxer et combattre le stress,** Jacobson Dr Edmund
* **Se changer,** Mahoney Michael
* **Se comprendre soi-même par des tests,** Collectif
* **Se concentrer pour être heureux,** Simard Jean-Paul

Se connaître soi-même, Artaud Gérard
* **Se contrôler par biofeedback,** Ligonde Paultre
* **Se créer par la Gestalt,** Zinker Joseph
* **S'entraider,** Limoges Jacques
* **Se guérir de la sottise,** Auger Lucien
Séparation du couple, La, Weiss Robert S.
Sexualité au bureau, La, Horn Patrice
Tendresse, La, Wölfl Norbert
* **Vaincre ses peurs,** Auger Lucien
Vivre à deux: plaisir ou cauchemar, Duval Jean-Marie
* **Vivre avec sa tête ou avec son coeur,** Auger Lucien
Vivre c'est vendre, Chaput Jean-Marc
* **Vivre jeune,** Waldo Myra
* **Vouloir c'est pouvoir,** Hull Raymond

ROMANS/ESSAIS

Adieu Québec, Bruneau André
Baie d'Hudson, La, Newman Peter C.
Bien-pensants, Les, Berton Pierre
Bousille et les justes, Gélinas Gratien
Coffret Establishment canadien, Newman Peter C.
Coffret Joey
C.P., Susan Goldenberg
Commettants de Caridad, Les, Thériault Yves
Deux innocents en Chine Rouge, Hébert Jacques
Dome, Jim Lyon
Emprise, L', Brulotte Gaétan
IBM, Sobel Robert
Insolences du Frère Untel, Les, Untel Frère
ITT, Sobel Robert
J'parle tout seul, Coderre Émile
Lamia, Thyraud de Vosjoli P.L.
Mensonge amoureux, Le, Blondin Robert
Nadia, Aubin Benoît
Oui, Lévesque René
Premiers sur la Lune, Armstrong Neil
Telle est ma position, Mulroney Brian
Terrorisme québécois, Le, Morf Gustave
Un doux équilibre, King Annabelle
Vrai visage de Duplessis, Le, Laporte Pierre

SANTÉ ET ESTHÉTIQUE

Allergies, Les, Delorme Dr Pierre
Art de se maquiller, L', Moizé Alain
* **Bien vivre sa ménopause,** Gendron Dr Lionel
Bronzer sans danger, Doka Bernadette
* **Cellulite, La,** Ostiguy Dr Jean-Paul
Cellulite, La, Léonard Dr Gérard J.
Exercices pour les aînés, Godfrey Dr Charles, Feldman Michael
Face lifting par l'exercice, Le, Runge Senta Maria
Grandir en 100 exercices, Berthelet Pierre
* **Guérir ses maux de dos,** Hall Dr Hamilton
Médecine esthétique, La, Lanctot Guylaine
Obésité et cellulite, enfin la solution, Léonard Dr Gérard J.
Santé, un capital à préserver, Peeters E.G.
Travailler devant un écran, Feeley, Dr Helen
Coffret 30 jours
30 jours pour avoir de beaux cheveux, Davis Julie
30 jours pour avoir de beaux ongles, Bozic Patricia
30 jours pour avoir de beaux seins, Larkin Régina
30 jours pour avoir de belles cuisses, Stehling Wendy
30 jours pour avoir de belles fesses, Cox Déborah
30 jours pour avoir un beau teint, Zizmor Dr Jonathan
30 jours pour cesser de fumer, Holland Gary, Weiss Herman
30 jours pour mieux organiser, Holland Gary
30 jours pour perdre son ventre, Burstein Nancy
30 jours pour perdre son ventre (homme), Matthews Roy, Burnstein Nancy
30 jours pour redevenir un couple amoureux, Nida Patricia K., Cooney Kevin
30 jours pour un plus grand épanouissement sexuel, Schneider Alan, Laiken Deidre

SEXOLOGIE

Adolescente veut savoir, L', Gendron Lionel
Fais voir, Fleischhaner H.
Guide illustré du plaisir sexuel, Corey Dr Robert E.
Helga, Bender Erich F.
Plaisir partagé, Le, Gary-Bishop Hélène
* **Première expérience sexuelle, La,** Gendron Lionel
* **Sexe au féminin, Le,** Kerr Carmen
* **Sexualité du jeune adolescent,** Gendron Lionel
* **Sexualité dynamique, La,** Lefort Dr Paul
* **Shiatsu et sensualité,** Rioux Yuki

SPORTS

Collection sport: dirigée par **LOUIS ARPIN**

100 trucs de billard, Morin Pierre
5BX Le programme pour être en forme
Apprenez à patiner, Marcotte Gaston
Arc et la Chasse, L', Guardo Greg
* **Armes de chasse, Les,** Petit Martinon Charles
* **Badminton, Le,** Corbeil Jean
* **Canoe-kayak, Le,** Ruck Wolf
* **Carte et boussole,** Kjellstrom Bjorn
* **Chasse au petit gibier, La,** Paquet Yvon-Louis
Chasse et gibier du Québec, Bergeron Raymond
Chasseurs sachez chasser, Lapierre Lucie
* **Comment se sortir du trou au golf,** Brien Luc
* **Comment vivre dans la nature,** Rivière Bill
* **Corrigez vos défauts au golf,** Bergeron Yves
Curling, Le, Lukowich Ed.
Devenir gardien de but au hockey, Allaire François
Encyclopédie de la chasse au Québec, Leiffet Bernard
Entraînement, poids-haltères, L', Ryan Frank
Exercices à deux, Gregor Carol
Golf au féminin, Le, Bergeron Yves
Grand livre des sports, Le, Le groupe Diagram
Guide complet du judo, Arpin Louis
* **Guide complet du self-defense,** Arpin Louis
Guide d'achat de l'équipement de tennis, Chevalier Richard, Gilbert Yvon
* **Guide de survie de l'armée américaine**
Guide des jeux scouts, Association des scouts
Guide du judo au sol, Arpin Louis
Guide du self-defense, Arpin Louis
Guide du trappeur, Le, Provencher Paul
Hatha yoga, Piuze Suzanne
* **J'apprends à nager,** Lacoursière Réjean
* **Jogging, Le,** Chevalier Richard
Jouez gagnant au golf, Brien Luc
Larry Robinson, le jeu défensif, Robinson Larry
Lutte olympique, La, Sauvé Marcel
* **Manuel de pilotage,** Transports Canada
* **Marathon pour tous,** Anctil Pierre
* **Médecine sportive,** Mirkin Dr Gabe
Mon coup de patin, Wild John
* **Musculation pour tous,** Laferrière Serge
Natation de compétition, La, Lacoursière Réjean
Partons en camping, Satterfield Archie, Bauer Eddie
Partons sac au dos, Satterfield Archie, Bauer Eddie
Passes au hockey, Les, Champleau Claude
Pêche à la mouche, La, Marleau Serge
Pêche à la mouche, Vincent Serge-J.
Pêche au Québec, La, Chamberland Michel
* **Planche à voile, La,** Maillefer Gérald
* **Programme XBX,** Aviation Royale du Canada
Provencher, le dernier coureur des bois, Provencher Paul
Racquetball, Corbeil Jean
Racquetball plus, Corbeil Jean
Raquette, La, Osgoode William
* **Règles du golf, Les,** Bergeron Yves
Rivières et lacs canotables, Fédération québécoise du canot-camping
* **S'améliorer au tennis,** Chevalier Richard
Secrets du baseball, Les, Raymond Claude

Ski de fond, Le, Caldwell John
Ski de fond, Le, Roy Benoît
* **Ski de randonnée, Le,** Corbeil Jean
Soccer, Le, Schwartz Georges
* **Sport, santé et nutrition,** Ostiguy Dr Jean
Stratégie au hockey, Meagher John W.
Surhommes du sport, Les, Desjardins Maurice
* **Taxidermie, La,** Labrie Jean
Techniques du billard, Morin Pierre
* **Technique du golf,** Brien Luc
Techniques du hockey en URSS, Dyotte Guy
* **Techniques du tennis,** Ellwanger
* **Tennis, Le,** Roch Denis
Tous les secrets de la chasse, Chamberland Michel
Vivre en forêt, Provencher Paul
Voie du guerrier, La, Di Villadorata
Yoga des sphères, Le, Leclerq Bruno

ANIMAUX

Guide du chat et de son maître, Laliberté Robert
Guide du chien et de son maître, Laliberté Robert
Poissons de nos eaux, Melançon Claude

ART CULINAIRE ET DIÉTÉTIQUE

Armoire aux herbes, L', Mary Jean
Breuvages pour diabétiques, Binet Suzanne
Cuisine du jour, La, Pauly Robert
Cuisine sans cholestérol, Boudreau-Pagé
Desserts pour diabétiques, Binet Suzanne
Jus de santé, Les, Brunet Jean-Marc
Mangez ce qui vous chante, Pearson Dr Leo
Mangez, réfléchissez et devenez svelte, Kothkin Leonid
Nutrition de l'athlète, Brunet Jean-Marc
Recettes Soeur Berthe — été, Sansregret soeur Berthe
Recettes Soeur Berthe — printemps, Sansregret soeur Berthe

ARTISANAT/ARTS MÉNAGERS

Décoration, La, Carrier Diane
Diagrammes de courtepointes, Faucher Lucille
Douze cents nouveaux trucs, Grisé-Allard Jeanne
Encore des trucs, Grisé-Allard Jeanne
Mille trucs madame, Grisé-Allard Jeanne
Toujours des trucs, Grisé-Allard Jeanne

DIVERS

Administrateur de la prise de décision, L', Filiatreault P., Perreault, Y.G.
Administration, développement, Laflamme Marcel
Assemblées délibérantes, Béland Claude
Assoiffés du crédit, Les, Féd. des A.C.E.F.
Baie James, La, Bourassa Robert
Bien s'assurer, Boudreault Carole
Cent ans d'injustice, Hertel François
Ces mains qui vous racontent, Boucher André-Pierre
550 métiers et professions, Charneux Helmy
Coopératives d'habitation, Les, Leduc Murielle

Dangers de l'énergie nucléaire, Les, Brunet Jean-Marc
Dis papa c'est encore loin, Corpatnauy Francis
Dossier pollution, Chaput Marcel
Énergie aujourd'hui et demain, De Martigny François
Entreprise, le marketing et, L', Brousseau
Forts de l'Outaouais, Les, Dunn Guillaume
Grève de l'amiante, La, Trudeau Pierre
Hiérarchie ethnique dans la grande entreprise, Rainville Jean
Impossible Québec, Brillant Jacques
Initiation au coopératisme, Béland Claude
Julius Caesar, Roux Jean-Louis
Lapokalipso, Duguay Raoul
Lune de trop, Une, Gagnon Alphonse
Manifeste de l'infonie, Duguay Raoul
Mouvement coopératif québécois, Deschêne Gaston
Obscénité et liberté, Hébert Jacques
Philosophie du pouvoir, Blais Martin
Pourquoi le bill 60, Gérin-Lajoie P.
Stratégie et organisation, Desforges Jean, Vianney C.
Trois jours en prison, Hébert Jacques
Vers un monde coopératif, Davidovic Georges
Vivre sur la terre, St-Pierre Hélène
Voyage à Terre-Neuve, De Gébineau comte

ENFANCE

Aidez votre enfant à choisir, Simon Dr Sydney B.
Deux caresses par jour, Minden Harold
* **Enseignants efficaces,** Gordon Thomas
Être mère, Bombeck Erma
Parents efficaces, Gordon Thomas
Parents gagnants, Nicholson Luree
Psychologie de l'adolescent, Pérusse-Cholette Françoise
1500 prénoms et significations, Grisé Allard J.

ÉSOTÉRISME

* **Astrologie et la sexualité, L',** Justason Barbara
Astrologie et vous, L', Boucher André-Pierre
* **Astrologie pratique, L',** Reinicke Wolfgang
Faire sa carte du ciel, Filbey John
* **Géomancie, La,** Hamaker Karen
Grand livre de la cartomancie, Le, Von Lentner G.
* **Grand livre des horoscopes chinois, Le,** Lau Theodora
Graphologie, La, Cobbert Anne
* **Horoscope et énergie psychique,** Hamaker-Zondag
Horoscope chinois, Del Sol Paula
Lu dans les cartes, Jones Marthy
* **Pendule et baguette,** Kirchner Georg
* **Pratique du tarot, La,** Thierens E.
Preuves de l'astrologie, Comiré André
Qui êtes-vous? L'astrologie répond, Tiphaine
Synastrie, La, Thornton Penny
Traité d'astrologie, Hirsig Huguette
Votre destin par les cartes, Dee Nerys

HISTOIRE

Administration en Nouvelle-France, L', Lanctot Gustave
Crise de la conscription, La, Laurendeau André
Histoire de Rougemont, Bédard Suzanne
Lutte pour l'information, La, Godin Pierre
Mémoires politiques, Chaloult René
Rébellion de 1837, Saint-Eustache, Globensky Maximilien
Relations des Jésuites T. 2
Relations des Jésuites T. 3
Relations des Jésuites T. 4
Relations des Jésuites T. 5

JEUX/DIVERTISSEMENTS

Backgammon, Lesage Denis

LINGUISTIQUE

Des mots et des phrases, T. 1, Dagenais Gérard
Des mots et des phrases, T. 2, Dagenais Gérard
Joual de Troie, Marcel Jean

NOTRE TRADITION

Ah mes aïeux, Hébert Jacques
Lettre à un Français qui veut émigrer au Québec, Dubuc Carl

OUVRAGES DE RÉFÉRENCE

Règles d'or de la vente, Les, Kahn George N.

PSYCHOLOGIE

* **Adieu,** Halpern Dr Howard
* **Agressivité créatrice,** Bach Dr George
* **Aimer son prochain comme soi-même,** Murphy Joseph
* **Anti-stress, L',** Eylat Odette

Arrête! tu m'exaspères, Bach Dr George
Art d'engager la conversation et de se faire des amis, L', Gabor Don

* **Art de convaincre, L',** Ryborz Heinz
* **Art d'être égoïste, L',** Kirschner Josef
* **Au centre de soi,** Gendlin Dr Eugène
* **Auto-hypnose, L',** Le Cron M. Leslie

Autre femme, L', Sevigny Hélène
Bains Flottants, Les, Hutchison Michael

* **Bien dans sa peau grâce à la technique Alexander,** Stransky Judith

Ces vérités vont changer votre vie, Murphy Joseph
Chemin infaillible du succès, Le, Stone W. Clément
Clefs de la confiance, Les, Gibb Dr Jack
Comment aimer vivre seul, Shanon Lynn

* **Comment devenir des parents doués,** Lewis David
* **Comment dominer et influencer les autres,** Gabriel H.W.

Comment s'arrêter de fumer, Mc Farland J. Wayne

* **Comment vaincre la timidité en amour,** Weber Éric

Contacts en or avec votre clientèle, Sapin Gold Carol

* **Contrôle de soi par la relaxation,** Marcotte Claude

Couple homosexuel, Le, McWhirter David P., Mattison Andrew M.
Découvrez l'inconscient par la parapsychologie, Ryzl Milan

* **Devenir autonome,** St-Armand Yves
* **Dire oui à l'amour,** Buscaglia Léo

Enfants du divorce se racontent, Les, Robson Bonnie

* **Ennemis intimes,** Bach Dr George

Espaces intérieurs, Les, Eisenberg Dr Howard
États d'esprit, Glasser Dr William

* **Être efficace,** Hanot Marc

Être homme, Goldberg Dr Herb

* **Fabriquer sa chance,** Gittenson Bernard

Famille moderne et son avenir, La, Richards Lyn
Gagner le match, Gallwey Timothy
Gestalt, La, Polster Erving
Guide de l'urgence-stress, Reuben Dr David
Guide du succès, Le, Hopkins Tom
L'Harmonie, une poursuite du succès, Vincent Raymond

* **Homme au dessert, Un,** Friedman Sonya

Homme en devenir, L', Houston Jean

* **Homme nouveau, L', Bodymind,** Dychtwald Ken
* **Jouer le tout pour le tout,** Frederick Carl

Maigrir sans obsession, Orbach Susie
Maîtriser la douleur, Bogin Meg
Maîtriser son destin, Kirschner Josef
Manifester son affection, Bach Dr George

* **Mémoire, La,** Loftus Elizabeth
* **Mémoire à tout âge, La,** Dereskey Ladislaus
* **Mère et fille,** Horwick Kathleen
* **Miracle de votre esprit,** Murphy Joseph

* **Mort et après, La,** Ryzl Milan
* **Négocier entre vaincre et convaincre,** Warschaw Dr Tessa
Nouvelles Relations entre hommes et femmes, Goldberg Herb
* **On n'a rien pour rien,** Vincent Raymond
* **Oracle de votre subconscient,** Murphy Joseph
Paradigme holographique, Le, Wilber Ken
Parapsychologie, La, Ryzl Milan
* **Parlez pour qu'on vous écoute,** Brien Micheline
* **Partenaires,** Bach Dr George
Passion du succès, La, Vincent Raymond
* **Pensée constructive et bon sens,** Vincent Dr Raymond
* **Penser mieux,** Lewis Dr David
Personnalité, La, Buscaglia Léo
Personne n'est parfait, Weisinger Dr H.
Pourquoi ne pleures-tu pas?, Yahraes Herbert, McKnew Donald H. Jr., Cytryn Leon
Pouvoir de votre cerveau, Le, Brown Barbara
Prospérité, La, Roy Maurice
* **Psy-jeux,** Masters Robert
* **Puissance de votre subconscient, La,** Murphy Dr Joseph
* **Qui veut peut,** Sher Barbara
Reconquête de soi, La, Paupst Dr James C.
* **Réfléchissez et devenez riche,** Hill Napoléon
* **Réussir,** Hanot Marc
Rythmes de votre corps, Les, Weston Lee
S'aimer ou le défi des relations humaines, Buscaglia Léo
Se vider dans la vie et au travail, Pines Ayala M.
* **Secrets de la communication,** Bandler Richard
* **Self-control,** Marcotte Claude
* **Succès par la pensée constructive, Le,** Hill Napoléon
Technostress, Brod Craig
* **Thérapies au féminin, Les,** Brunet Dominique
Tout ce qu'il y a de mieux, Vincent Raymond
Triomphez de vous-même et des autres, Murphy Dr Joseph
Univers de mon subconscient, L', Dr Ray Vincent
Vaincre la dépression par la volonté et l'action, Marcotte Claude
Vers le succès, Kassorla Dr Irène C.
* **Vieillir en beauté,** Oberleder Muriel
* **Vivre c'est vendre,** Chaput Jean-Marc
* **Vivre heureux avec le strict nécessaire,** Kirschner Josef
Votre perception extra-sensorielle, Milan Dr Ryzl
* **Voyage vers la guérison,** Naranjo Claudio

ROMANS/ESSAIS

À la mort de mes 20 ans, Gagnon P.O.
Affrontement, L', Lamoureux Henri
Bois brûlé, Roux Jean-Louis
100 000e exemplaire, Le, Dufresne Jacques
C't'a ton tour Laura Cadieux, Tremblay Michel
Cité dans l'oeuf, La, Tremblay Michel
Coeur de la baleine bleue, Poulin Jacques
Coffret petit jour, Martucci Abbé Jean
Colin-Maillard, Hémon Louis
Contes pour buveurs attardés, Tremblay Michel
Contes érotiques indiens, Schwart Herbert
Crise d'octobre, Pelletier Gérard
Cyrille Vaillancourt, Lamarche Jacques
Desjardins Al., Homme au service, Lamarche Jacques
De Z à A, Losique Serge
Deux Millième étage, Le, Carrier Roch
D'Iberville, Pellerin Jean
Dragon d'eau, Le, Holland R.F.
Équilibre instable, L', Deniset Louis
Éternellement vôtre, Péloquin Claude
Femme d'aujourd'hui, La, Landsberg Michele
Femmes et politique, Cohen Yolande
Filles de joie et filles du roi, Lanctot Gustave
Floralie où es-tu, Carrier Roch
Fou, Le, Châtillon Pierre
Français langue du Québec, Le, Laurin Camille
Hommes forts du Québec, Weider Ben
Il est par là le soleil, Carrier Roch
J'ai le goût de vivre, Delisle Isabelle
J'avais oublié que l'amour, Doré-Joyal Yves

Jean-Paul ou les hasards de la vie, Bellier Marcel
Johnny Bungalow, Villeneuve Paul
Jolis Deuils, Carrier Roch
Lettres d'amour, Champagne Maurice
Louis Riel patriote, Bowsfield Hartwell
Louis Riel un homme à pendre, Osler E.B.
Ma chienne de vie, Labrosse Jean-Guy
Marche du bonheur, La, Gilbert Normand
Mémoires d'un Esquimau, Metayer Maurice
Mon cheval pour un royaume, Poulin J.
Neige et le feu, La, Baillargeon Pierre
N'Tsuk, Thériault Yves
Opération Orchidée, Villon Christiane
Orphelin esclave de notre monde, Labrosse Jean
Oslovik fait la bombe, Oslovik
Parlez-moi d'humour, Hudon Normand
Scandale est nécessaire, Le, Baillargeon Pierre
Vivre en amour, Delisle Lapierre

SANTÉ

Alcool et la nutrition, L', Brunet Jean-Marc
Bruit et la santé, Le, Brunet Jean-Marc
Chaleur peut vous guérir, La, Brunet Jean-Marc
Échec au vieillissement prématuré, Blais J.
Greffe des cheveux vivants, Guy Dr
Guérir votre foie, Brunet Jean-Marc
Information santé, Brunet Jean-Marc
Magie en médecine, Silva Raymond
Maigrir naturellement, Lauzon Jean-Luc
Mort lente par le sucre, Duruisseau Jean-Paul
40 ans, âge d'or, Taylor Eric
Recettes naturistes pour arthritiques et rhumatisants, Cuillerier Luc
Santé de l'arthritique et du rhumatisant, Labelle Yvan
* **Tao de longue vie, Le,** Soo Chee
Vaincre l'insomnie, Filion Michel, Boisvert Jean-Marie, Melanson Danielle
Vos aliments sont empoisonnés, Leduc Paul

SEXOLOGIE

* **Aimer les hommes pour toutes sortes de bonnes raisons,** Nir Dr Yehuda
* **Apprentissage sexuel au féminin, L',** Kassorla Irene
* **Comment faire l'amour à un homme,** Penney Alexandra
* **Comment faire l'amour à une femme,** Morgenstern Michael
* **Comment faire l'amour ensemble,** Penney Alexandra
* **Comment séduire les filles,** Weber Éric
Dépression nerveuse et le corps, La, Lowen Dr Alexander
Drogues, Les, Boutot Bruno
* **Femme célibataire et la sexualité, La,** Robert M.
* **Jeux de nuit,** Bruchez Chantal
* **Massage en profondeur, Le,** Bélair Michel
Massage pour tous, Le, Morand Gilles
* **Orgasme au féminin, L',** L'heureux Christine
* **Orgasme au masculin, L',** Boutot Bruno
* **Orgasme au pluriel, L',** Boudreau Yves
Première fois, La, L'Heureux Christine
Rapport sur l'amour et la sexualité, Brecher Edward
Sexualité expliquée aux adolescents, La, Boudreau Yves
Sexualité expliquée aux enfants, La, Cholette Pérusse F.

SPORTS

Baseball-Montréal, Leblanc Bertrand
Chasse au Québec, Deyglun Serge
Chasse et gibier du Québec, Guardo Greg
Exercice physique pour tous, Bohemier Guy
Grande forme, Baer Brigitte
Guide des pistes cyclables, Guy Côté
Guide des rivières du Québec, Fédération canot-kayac
Lecture des cartes, Godin Serge
Offensive rouge, L', Boulonne Gérard
Pêche et coopération au Québec, Larocque Paul
Pêche sportive au Québec, Deyglun Serge

Raquette, La, Lortie Gérard
Santé par le yoga, Piuze Suzanne
Saumon, Le, Dubé Jean-Paul
Ski nordique de randonnée, Brady Michael
Technique canadienne de ski, O'Connor Lorne
Truite et la pêche à la mouche, La, Ruel Jeannot
Voile, un jeu d'enfants, La, Brunet Mario

ASTROLOGIE

* **Ciel de mon pays, Le, T. 1,** Haley Louise
* **Ciel de mon pays, Le, T. 2,** Haley Louise

BIOGRAPHIES

* **Papineau,** De Lamirande Claire
* **Personne ne voudra savoir,** Schirm François

DIVERS

* **Défi québécois, Le,** Monnet François-Marie
* **Dieu est Dieu nom de Dieu,** Clavel Maurice
* **Hybride abattu, L',** Boissonnault Pierre
* **Montréal ville d'avenir,** Roy Jean
* **Nouveau Canada à notre mesure,** Matte René
* **Pour une économie du bon sens,** Pelletier Mario
* **Québec et ses partenaires,** A.S.D.E.Q.
* **Qui décide au Québec?,** Ass. des économistes du Québec
* **15 novembre 76,** Dupont Pierre
* **Relations du travail,** Centre des dirigeants d'entreprise
* **Schabbat,** Bosco Monique
* **Syndicats en crise, Les,** Dupont Pierre
* **Tant que le monde s'ouvrira,** Gagnon G.
* **Tout sur les p'tits journaux,** Fontaine Mario

HISTOIRE

* **Canada — Les débuts héroïques,** Creighton Donald

HUMOUR

* **Humour d'Aislin, L',** Mosher Terry-Aislin

LINGUISTIQUE

* **Guide raisonné des jurons,** Pichette Jean

NOTRE TRADITION

* **À diable-vent,** Gauthier Chassé Hélène
* **Barbes-bleues, Les,** Bergeron Bertrand
* **Bête à sept têtes, La,** Légaré Clément
* **C'était la plus jolie des filles,** Deschênes Donald
* **Contes de bûcherons,** Dupont Jean-Claude
* **Corbeau du mont de la Jeunesse, Le,** Desjardins Philémon
* **Menteries drôles et merveilleuses,** Laforte Conrad
* **Oiseau de la vérité, L',** Aucoin Gérald
* **Pierre La Fève,** Légaré Clément